EDVARD MUNCH
Sein Werk in Schweizer Sammlungen

Selbstbildnis. 1895
Kat.-Nr. 52

EDVARD MUNCH
Sein Werk in Schweizer Sammlungen

Beiträge und Kommentare von
Christian Geelhaar, Dieter Koepplin,
Gustav Coutelle, Yvonne Höfliger, Martin Schwander
Gespräche mit
Joseph Beuys und Georg Baselitz

Kunstmuseum Basel
9. Juni – 22. September 1985

Photonachweis:
Kunstmuseum Basel (Martin Bühler)
Galerie Beyeler, Basel
Kunsthalle Bremen
Walter Dräyer, Zürich
Musée d'art et d'histoire, Fribourg
Peter Heman, Basel
Galerie Henze, Campione
Dr. Beat Stutzer, Chur
Kunsthaus Zürich
Schweizerisches Institut für
Kunstwissenschaft (SIK), Zürich

Redaktion: Agathe Straumann
Photolithos: Steiner + Co. AG, Basel
Satz- und Druck: Gissler Druck, Basel
Einband: Buchbinderei Flügel, Basel

ISBN 3-7204-0032-8

Inhaltsverzeichnis

Einführung
Christian Geelhaar

Munchs erste Ausstellung in der Schweiz, die im Sommer 1922 im Zürcher Kunsthaus stattfand, sei des Künstlers Antwort «auf den überraschenden Empfang, den ihm die Schweiz vor zwanzig Jahren bereitet hat», meinte Wilhelm Wartmann in der Einführung zum Katalog. Als Munch, von Italien kommend, erstmals habe Schweizer Boden betreten wollen, «erregte er nach wenigen Schritten die Aufmerksamkeit der Obrigkeit von Mendrisio und wurde für zwei Tage hinter Schloss und Riegel gesetzt, er weiss heute noch nicht warum.» Einmal mit «halben Entschuldigungen» wieder auf freien Fuss gesetzt, habe er möglichst rasch die Nordgrenze zu erreichen gesucht, «um das ungastliche Land für die Zukunft zu meiden.»[1]

Hat sich diese Episode tatsächlich so zugetragen oder ist sie der Künstlerlegende zuzuweisen? Die Munch-Biographie erteilt darüber keine Auskunft, bekannt ist allein, dass sich der Künstler im Frühjahr 1900 in der Schweiz in einem Sanatorium und im Tessin, in Airolo, aufgehalten hat.[2] Wie dem auch sei, die Ausstellung im Kunsthaus Zürich, die 500 Bilder und Graphiken umfasste[3], erfüllte Munch mit grosser Befriedigung und blieb ihm noch lange als eine der schönsten Präsentationen seines Schaffens in Erinnerung.[4]

Eines ist indessen gewiss: die Schweizer Grenzen blieben dem künstlerischen Werk des Norwegers länger verschlossen als anderen gleichaltrigen oder gar jüngeren Malern. Während etwa die Künstlervereinigung *Die Brücke* bereits im Januar 1913 und Picasso im Mai 1914 in der Basler Kunsthalle zu Ausstellungsehren kamen, wurde Munch in unserem Lande erst zu Beginn der zwanziger Jahre im Zuge der damals einsetzenden intensiven Auseinandersetzung mit dem Expressionismus endeckt. Wenn auch verspätet, so kam die Zürcher Ausstellung vom Sommer 1922, die anschliessend in etwas reduziertem Umfang auch in den Kunsthallen von Bern und Basel zu sehen war, offensichtlich aber genau zum richtigen Zeitpunkt, stiess sie bei den jüngeren Schweizer Künstlern wie auch bei einigen mutigen Sammlern doch auf grosse Aufnahmebereitschaft. Mit der Wirkungsgeschichte Munchs in Zürich und Basel befassen sich eingehender die Katalogbeiträge von Yvonne Höfliger und Martin Schwander.

Namentlich in Basel und Zürich übte das Schaffen von Munch auf eine junge Künstlergeneration eine zündende Wirkung aus. Aber auch das Sammeln seiner Bilder und Graphiken konzentrierte sich ganz auf diese beiden Städte. In Zürich führte die Ausstellung vom Sommer 1922 den Hodler-Sammler und Mitbegründer der Vereinigung Zürcher Kunstfreunde, Alfred Rütschi, zum Erwerb des *Bildnisses Fräulein Warburg* (Kat.-Nr. 13) und der Landschaft *Schiffswerft* (Kat.-Nr. 18). Auch die *Sommernacht* (Kat.-Nr. 8) fand damals den Weg in eine Privatsammlung. 1929 sollten dem Kunsthaus vier Bilder von Munch aus der Sammlung Rütschi als Schenkung zufallen: das bereits früher dort deponierte *Bildnis Fräulein Warburg, Schiffswerft, Apfelbaum* (Kat.-Nr. 23) und das *Porträt von Dr. Wilhelm Wartmann* (Kat.-Nr. 25). Das Kunsthaus, das seit 1922 eine schöne Gruppe druckgraphischer Blätter besass, kaufte 1931 und 1932 zwei Gemälde von Munch an: die *Winterlandschaft im Mondschein* (Kat.-Nr. 5) und, aus der zweiten Ausstellung, die das Zürcher Institut seinem Schaffen widmete, *Winter in Kragerö* (Kat.-Nr. 27). In den vierziger Jahren wurde dieser Bestand um vier weitere Bilder ergänzt, die aus der Sammlung des Berliner Kunsthistorikers Curt Glaser stammten (Kat.-Nr. 2, 6, 17, 19).

In Basel verhielt es sich gerade umgekehrt: Das Kunstmuseum ging mit dem Ankauf von Bildern Munchs den privaten Sammlern voraus. Seit 1923 hatte das Kupferstichkabinett verschiedene Blätter von Munch erworben und widmete im Februar 1929 seiner Druckgraphik eine Übersichtsausstellung. Im Herbst 1927, in jenem Jahr also, da die Kunsthalle Mannheim und die Nationalgalerien von Berlin und Oslo umfassende Munch-Retrospektiven veranstalteten, kaufte die Öffentliche Kunstsammlung Basel auf Anregung und durch Vermittlung des Malers Alfred Heinrich Pellegrini gleich zwei Gemälde, das *Bildnis Käte Perls* (Kat.-Nr. 21) und die *Grosse Küstenlandschaft* (Kat.-Nr. 22), auf diese Weise «über das begrenzte Schweizergebiet hinaus einen Vorstoss in die führende zeitgenössische Kunst» wagend.[5] Die Nationalgalerie Berlin etwa besass zu diesem Zeitpunkt noch kein Bild von Munch.[6] 1931 gelangte noch ein drittes Bild, die *Szene aus Ibsens Gespenstern* (Kat.-Nr. 15) in die Sammlung des Basler Museums.

Pellegrini veranlasste in den frühen dreissiger Jahren nun auch zwei mit ihm befreundete Basler Kunstfreunde, Bilder des Norwegers zu sammeln. Einer von diesen war Fritz Schwarz von Spreckelsen, der mit Hilfe des damaligen Direktors der Öffentlichen Kunstsammlung, Otto Fischer, die *Landstrasse* (Kat.-Nr. 7) erwarb. Seine Witwe und Tochter sollten 1978 dieses bedeutende Bild dem Kunstmuseum in grosszügiger Weise schenken und damit nicht nur dem Basler Munch-Bestand, sondern der Modernen Abteilung überhaupt zu einem neuen Höhepunkt verhelfen. 1936 wurden zur Eröffnung des neuen Museumbaus am St. Alban-Graben die sich damals in Basler Privatbesitz befindlichen Gemälde – *Landstrasse* und *Frühlingslandschaft* (Kat.-Nr. 11) – zusammen mit den Munch-Bildern der Öffentlichen Kunstsammlung in der Vorhalle des zweiten Obergeschosses neben Hodlers monumentalem *Blick in die Unendlichkeit* ausgestellt.

Diese Gegenüberstellung erfolgte nicht aus blossem Zufall, sie hatte damals bereits Tradition. 1904 waren Hodler und Munch eingeladen, in der *Wiener Secession* Werkgruppen in eigenen Sälen zu präsentieren; Hodler war mit 31 Bildern, Munch mit zwanzig vertreten. Die Kritik erblickte damals im Norweger den "Gegenpol" des um zehn Jahre älteren Schweizers.[7] In den Augen einer späteren Einschätzung sollten die Gemeinsamkeiten indessen überwiegen.

Das Leben beider Künstler war von ihren tragischen Kindheitserlebnissen überschattet und geprägt. Beide Eltern und sechs Geschwister Ferdinand Hodlers waren zwischen 1860 und 1885 von der Tuberkulose dahingerafft worden. «In der Familie war ein allgemeines Sterben. Mir war schliesslich, als wäre immer ein Toter im Haus und als müsste es so sein», gestand Hodler.[8] Diese Bemerkung erinnert an eine Äusserung Edvard Munchs, in seinem elterlichen Heim hätten Krankheit und Tod ständig gehaust: «Die Tuberkulose wütete in der Familie meiner Mutter und Grossmutter und in unserer Familie.»[9] Und: «Krankheit verfolgte mich durch meine ganze Kindheit und Jugend... Und jene, die ich am meisten liebte, starben eines nach dem andern.»[10] Beide Künstler haben dieses Unglück nie zu verwinden vermocht und für beide gilt, was Munch aussprach: «Es ist auch für meine Kunst bestimmend gewesen.»[11]

Hodlers künstlerischem Prinzip des "Parallelismus" liegt der Gedanke von der «grossen Einheit des Lebens» zugrunde: Was die Menschen vereint, sei stärker, als was sie trennt, «was den Tod anbelangt, ist die Einheit gänzlich», meinte Hodler.[12] Seinem Freund Cuno Amiet vertraute er Ende August 1917, wenige Monate vor seinem Tod, an: «Je mehr ich selbst der grossen Einheit mich nähere, desto grösser und einfacher soll meine Kunst werden.»[13]

Auch der Monismus Edvard Munchs basiert auf der Vorstellung, dass das Universum eine Geist und Materie umfassende Einheit darstellt, deren Evolution von einem ewig gültigen Gesetz gelenkt wird. Einzelne Bilder vermögen nur individuelle Momente, Situationen und Erfahrungen wiederzugeben. Munch verstand sie denn auch als untergeordnete Teile einer höheren Einheit und suchte deren gegenseitige Abhängigkeit hervorzuheben, indem er sie zu Zyklen und Friesen zusammenfügte.[14]

Munchs Auseinandersetzung mit dem Schaffen Hodlers konzentriert sich auf jene Jahre, da er an den Wandbildern für die Aula der neuen Universität seiner Vaterstadt Oslo arbeitete. In dieser Zeit malte er gelegentlich auch so typisch hodlerische Motive wie den *Holzfäller*.[15] Wie der Wiener Kunstgelehrte Otto Benesch 1962 dargelegt hat, erblickten Hodler wie Munch in der Monumentalmalerei das eigentliche Ziel ihres Schaffens.[16] Wenn der amerikanische Kunsthistoriker Robert Rosenblum 1975 in seiner nicht unumstrittenen Studie *Modern Painting and the Northern Romantic Tradition* dem Thema "Munch und Hodler" auch ein eigenes Kapitel gewidmet hat, so heisst dies freilich nicht, dass es ausgeschöpft wäre. Es fehlt noch die von Eduard Hüttinger vor kurzem geforderte «‹weitwinklige› Synopse».[17]

Edvard Munch ist im Frühjahr 1900 nicht zum ersten Mal in die Schweiz gekommen, er hat unser Land bereits im Herbst 1891 auf dem Weg zu einem Studienaufenthalt in Nizza durchquert. Seine damalige Reise führte ihn über Kopenhagen, Hamburg und Frankfurt nach Basel und Genf.[18] Ob er in Basel Halt gemacht und das Museum an der Augustinergasse besucht hat? In der Sammlung hätte er hier immerhin ein halbes Dutzend Bilder von Böcklin bewundern können: *Jagd der Diana* (1862), *Viola* (1866), den *Kentaurenkampf* (1873), *Der heilige Hain* (1882), *Das Spiel der Najaden* (1886) und *Vita somnium breve* (1888).

Aber vielleicht nahm er den Umweg über Basel tatsächlich Böcklins wegen? Munch hatte seine Reise bereits in Hamburg unterbrochen, um die Kunsthalle zu besuchen. Was er dort zu sehen bekam, missfiel ihm gründlich. Seine Kritik war vernichtend: «Verruchte deutsche Kunst – wollüstige Weiber – Schlachtszenen mit sich aufbäumenden Pferden – und funkelnden Kanonenkugeln – man ist verärgert, angeekelt, bis man vor einem Bild von Böcklin innehält

– das heilige Feuer.»[19] Böcklin faszinierte ihn und die Hamburger Fassung des *Heiligen Hains*[20] regte ihn zu einem ausführlichen Kommentar an.[21]

In einem 1893 geschriebenen Brief äusserte sich Munch abermals zur deutschen Kunst: «So schlecht es um die Kunst in Deutschland im allgemeinen bestellt ist – möchte ich doch etwas sagen – sie hat hier den Vorteil, dass sie einzelne Künstler hervorgebracht hat, die so hoch über alle andern emporragen und so allein dastehen, z.B. Arnold Böcklin, der, soweit ich sehe, über alle neuzeitlichen Maler emporragt – Max Klinger – Hans Thoma – Wagner unter den Musikern – Nietzsche unter den Philosophen. Frankreich hat eine Kunst, die grösser als die deutsche ist, aber keine grösseren Künstler als die genannten.»[22] Otto Benesch meinte, es sei das Gedankliche, was Munch an diesen Malern, an diesem Komponisten und an diesem Denker fasziniert haben müsse, eine These, die er mit dem Vergleich von Böcklins *Selbstbildnis mit dem fiedelnden Tod*[23] und Munchs lithographiertem Selbstbildnis mit der Knochenhand (Abb. Frontispiz) illustrierte: Böcklin lausche während der Arbeit der Todesmelodie, die in seinem Innern erklinge. Munch habe das gleiche Erlebnis gehabt, sein Selbstporträt von 1895 zeige «einen blassen, wie aus dem Dunkel einer anderen Welt herübergrüssenden Mann, vor den sich der Skelettarm legt.»[24]

Im Laufe des Sommers 1893 gemalte Landschaften wie *Sternennacht*,[25] *Mondschein*[26] oder *Sturm*[27] entfernen sich mit ihrem düsteren Kolorit deutlich von dem bisher gültigen Vorbild der französischen impressionistischen Malerei. Sie sind der Beschäftigung mit der Bildwelt Arnold Böcklins entsprungen. *Der Tod am Ruder*[28] kann als Munchs Antwort auf *Die Toteninsel* verstanden werden. Willy Pastor konstatierte in seiner Besprechung von Munchs Berliner Ausstellung bei Ugo Barroccio im Dezember 1893, die Werke Munchs führten «ohne Brechung... die grosse Linie von Millet zu Böcklin weiter».[29] Eine Gegenüberstellung von Böcklins *Ein Mörder von Furien verfolgt*[30] mit Munchs *Sturm* sollte Pastor helfen, «den Fortschritt klar zu machen, den Munch in der Geschichte der Malerei darstellt».[31]

Auch Dr. Max Linde – in dessen Sammlung Munch Bildern von Böcklin begegnen konnte – sollte 1902 den Norweger an Böcklin messen: «Das Leben ist ihm [Munch] eine Kristallisation, Natur, Menschheit, Kunst, Religion, eine grosse Einheit, aus einer Urquelle entstanden. Soweit stimmt er mit der Antike und der von antikem Geiste durchwehten Kunst Arnold Böcklins überein.» Dem Untertitel seiner Schrift: *Edvard Munch und die Kunst der Zukunft* Rechnung tragend, suchte Linde Munch jedoch von der Tradition, aus der er hervorgegangen ist, abzuheben und folgerte: «Während aber in Böcklins Kunst sich die olympische Ruhe der Alten mit dem heiteren Lebensgenusse paart, spricht in Munchs Werken der moderne Mensch zu uns.»[32]

1905 griff Hermann Esswein den Leitgedanken von Pastor in seiner Munch-Monographie wieder auf. Auch er empfand vor dem Gemälde *Sturm*, das er als «eine der zwingendsten Naturoffenbarungen» pries, «eine tiefe, innerliche Verwandtschaft» zwischen Böcklin und Munch, um diesen jetzt für die germanische Kunst in Anspruch zu nehmen: «Der Südgermane und Nordgermane, soweit ihre Wesenheiten und die Sonderzüge, welche Milieu, Bildung, persönliche Liebhaberei usw. hervorbringen, auch auseinanderliegen, einen wesentlichen, wesentlich germanischen Wert zeigen uns hier beide. Es ist eben jenes starke, aus starkem Blute geborene Naturgefühl, welches die Landschaft zu einem mystischen Ereignisse für die Seele macht, zum religiösen Erlebnis, wenn man nur hinter diesem Worte kein Herrgöttchen oder gar irgend ein Glaubensbekenntnis aufmarschieren sieht.»[33]

Die Anregung, die in privaten und öffentlichen Schweizer Sammlungen verwahrten Gemälde, Zeichnungen und druckgraphischen Blätter Edvard Munchs in einer Ausstellung zu einer Übersicht seines Schaffens zusammenzuführen, ging von Dieter Koepplin, dem Leiter des Kupferstichkabinetts, aus. Dass das Vorhaben in diesem Umfang realisiert und der schweizerische Munch-Besitz nahezu vollständig vereinigt werden konnte, verdanken wir der nicht selbstverständlichen Grosszügigkeit der Leihgeber. Oft genug haben sich private Sammler nur schweren Herzens entschliessen können, ihre sorgsam gehüteten Schätze dem Lichte der Öffentlichkeit auszusetzen. Dass sie es trotz ihrer Bedenken getan haben, werden ihnen die Freunde der Kunst Edvard Munchs besonders zu danken wissen. Wenn sich unter den hier gezeigten Bildern aus Privatbesitz auch keines befindet, das noch nie in der Schweiz ausgestellt gewesen wäre, so gilt es doch zu bedenken, dass seit den letzten Werkübersichten der Nachkriegszeit in Zürich (1952), Winterthur (1954), Bern (1958) und Schaffhausen (1968) eine neue Generation herangewachsen ist.

1952 waren in der Ausstellung des Zürcher Kunsthauses auch alle fünf Bilder, die sich heute in der Öffentlichen Kunstsammlung Basel befinden, zu sehen. Dass wir jetzt den doppelt so umfangreichen Zürcher Munch-Bestand – einen der Schwer- und Höhepunkte in der Sammlung des Kunsthauses – in Basel zeigen können, fällt für unsere Ausstellung nicht nur zahlenmässig – die zehn Zürcher Bilder machen ein gutes Drittel der ausgestellten Gemälde aus – ins Gewicht; sie tragen wesentlich dazu bei, dass das malerische Werk wenn auch nicht in einer ausgewogenen so doch gültigen Übersicht dargeboten werden kann. Dem Kunsthaus Zürich und seinem Direktor, Dr. Felix A. Baumann, sei für die einmal mehr bewiesene Hilfsbereitschaft und Verbundenheit herzlich gedankt.

Das druckgraphische Schaffen Edvard Munchs ist von den schweizerischen Museen und privaten Kunstkennern und -freunden seit jeher in grösserem Umfang gesammelt worden als das malerische Oeuvre. Davon kann unsere Ausstellung in besonderem Masse profitieren, bieten die hier vereinigten Blätter doch einen breiten Querschnitt durch dieses für Munch so wichtige Schaffensgebiet. Den Leitern der öffentlichen Graphischen Sammlungen und Kabinetten sowie den privaten Besitzern von Munchs Druckgraphik sprechen wir ebenfalls unseren wärmsten Dank aus.

Die Ausstellung der Bilder, Zeichnungen und Druckgraphik Edvard Munchs in Schweizer Sammlungen war uns Anlass, Fragen der Rezeptionsgeschichte nachzugehen. Der Katalog der Gemälde, insbesondere aber die Beiträge von Yvonne Höfliger und Martin Schwander erteilen Auskunft über das Sammeln von Werken des Künstlers in unserem Lande. Die genannten Beiträge zeigen aber auch die Wirkung auf, die Munchs Schaffen, als es in den zwanziger und frühen dreissiger Jahren hier einmal bekannt wurde, auf junge Künstler namentlich in Basel und Zürich ausübte und zur Selbstfindung in manchen Fällen nicht unwesentlich beitrug. Beiden Autoren sei für ihre erhellenden Untersuchungen gedankt.

Schliesslich wollten wir die Frage aufwerfen, weshalb Munch gerade heute wieder für viele Künstler in Europa und in den Vereinigten Staaten eine besondere Aktualität gewonnen hat. Joseph Beuys und Georg Baselitz haben sich von Dieter Koepplin zu diesem Thema befragen lassen. Jasper Johns, der sich namentlich seit der 1978 von der National Gallery in Washington veranstalteten Ausstellung *Symbols & Images* mit Munch beschäftigt hat und sich von einigen seiner Werke anregen liess, wollte sich dagegen über seine Auseinandersetzung nicht äussern: Diese möge in seinem eigenen künstlerischen Schaffen einen Niederschlag finden, nicht aber in verbalen Kommentaren. Johns' 17 Monotypien aus dem Jahre 1982, die vom 14. September bis 10. November 1985 im Kunstmuseum zu sehen sind, werden vom Dialog des Amerikaners mit dem Oeuvre von Munch eine Vorstellung vermitteln.

Für ihre wertvolle Mitarbeit am Katalog danken wir Agathe Straumann und Dr. Gustav Coutelle. Allen Kollegen und Freunden, die unser Projekt mit Auskünften, Hinweisen und Unterlagen fördern halfen, sei ebenfalls gedankt, wobei Frau Gerd Woll, Kuratorin am Munch-Museet in Oslo, und Herr Dr. h. c. Eberhard W. Kornfeld besonders erwähnt zu werden verdienen.

Anmerkungen
Verzeichnis der abgekürzt zitierten Literatur und Ausstellungen vgl. S. 174/175.

1
Zürich 1922 S. IIIf.

2
Eggum S. 286; Heller S. 173.

3
In der Zürcher und Basler Ausstellung waren acht Bilder zu sehen, die auch jetzt wieder ausgestellt sind: Kat.-Nr. 3, 6, 7, 8, 13, 17, 18, 19.

4
Vgl. Kommentar zu Kat.-Nr. 24 und 25.

5
Öffentliche Kunstsammlung Basel, Jahresbericht 1927, Neue Folge XXIV, Basel 1928, S. 7.

6
Karl Scheffler, Edvard Munch in der Berliner Nationalgalerie, in: Kunst und Künstler, XXV, 1927, S. 264.

7
H. H-f-d, in: Kunst und Künstler, II, 1904, S. 299.

8
Hans Mühlestein und Georg Schmidt, Ferdinand Hodler, Sein Leben und sein Werk, Erlenbach-Zürich 1942, S. 5.

9
Zit. nach Munch und Ibsen, Ausstellungskatalog Kunsthaus Zürich 1976, S. 14.

10
Zit. nach Heller S. 15.

11
Zit. nach Munch und Ibsen (wie Anm. 9) S. 14.

12
Zit. nach Charles Albert Loosli, Ferdinand Hodler, Leben, Werk und Nachlass, Bern 1921–1924, Bd. IV, S. 223f.

13
Brief an Cuno Amiet vom 30. August 1917. – Zit. nach Ein Maler vor Liebe und Tod, Ferdinand Hodler und Valentine Godé-Darel, Ein Werkzyklus 1908–1915, Ausstellungskatalog Kunsthaus Zürich 1976, S. 33.

14
Vgl. dazu ausführlicher Heller S. 63 und 103.

15
1913. Oslo, Munch-Museet. – Eggum S. 246, Abb. 369.

16
Otto Benesch, Hodler, Klimt und Munch als Monumentalmaler, in: Wallraf-Richartz-Jahrbuch, XXIV, Köln 1962, S. 333–359.

17
Eduard Hüttinger, Rezeptionsgeschichtliche Überlegungen zu Hodler, in: De Arte et Libris, Festschrift Erasmus 1934–1984, Amsterdam 1984, S. 250.

18
Eggum S. 77.

19
Zit. nach Eggum S. 96.

20
1886. Hamburg, Kunsthalle. – Rolf Andree, Arnold Böcklin, Die Gemälde, Basel/München 1977, Kat.-Nr. 398.

21
Oslo, Munch-Museet, Manuskript T 128.

22
Brief an Johan Rohde, undatiert. – Zit. nach Benesch (wie Anm. 16) S. 345 und Heller S. 109.

23
1872. Berlin, Nationalgalerie, Staatliche Museen Preussischer Kulturbesitz. – Andree (wie Anm. 20) Kat.-Nr. 259.

24
Benesch (wie Anm. 16) S. 346.

25
Norwegen, Privatbesitz. – Eggum S. 99, Abb. 167.

26
Oslo, Nationalgalerie. – Eggum S. 97, Abb. 164.

27
New York, Museum of Modern Art. – Eggum S. 97, Abb. 165; Heller S. 64, Abb. 42.

28
1893/94. Oslo, Munch-Museet. – Eggum S. 105, Abb. 181.

29
Willy Pastor, Edvard Munch, in: Frankfurter Zeitung, 24. Januar 1894. – Wieder abgedruck in Stanislaw Przybyszewski (Hrsg.), Das Werk des Edvard Munch, Berlin 1894, S. 69.

30
1870. München, Bayerische Staatsgemäldesammlungen, Schack-Galerie. – Andree (wie Anm. 20) Kat.-Nr. 232.

31
Pastor (wie Anm. 29) S. 71.

32
Max Linde, Edvard Munch und die Kunst der Zukunft, Berlin 1902. – Zit. nach der Neuen Ausgabe, Berlin 1905, S. 8.

33
Hermann Esswein, Edvard Munch, Moderne Illustratoren VII, München und Leipzig (1905), S. 35.

Gemälde

Kommentare von Christian Geelhaar

1

Rothaariges Mädchen mit weisser Ratte.[1] 1886
Oel auf Leinwand, 38,5 x 23 cm
Signiert und datiert unten links: Edv. Munch 86; E. Munch 8
Basel Öffentliche Kunstsammlung, Inv. 1957
Depositum des Vereins der Freunde des Kunstmuseums
Erworben 1945. Vormals Sammlung Nobel Roede,
Vinderen bei Oslo

Im Winter 1885/86 hatte Munch die erste Fassung
des *Kranken Kindes* gemalt – «vielleicht mein bedeutendstes
Bild»[2], wie er meinte. «Es wurde zu einem Durchbruch in
meiner Kunst – die meisten meiner späteren Werke verdanken diesem Bild ihre Entstehung.»[3] Die Darstellung kranker
Kinder, und besonders Mädchen, war in der naturalistischen
Malerei Skandinaviens ein beliebtes Motiv; als vielleicht
wichtigstes Beispiel sei die Gestaltung des Themas durch
Christian Krohg (1852–1925) im Jahre 1880/81 erwähnt.[4]
Munchs *Krankes Kind,* für das sich Krohg bei der Jury der
fünften Herbstausstellung eingesetzt hatte, schockierte das
Osloer Publikum und die Kritik. Tatsächlich hatte sich der
junge Munch von seinen Vorläufern nicht nur mit seiner aus-
geprägter impressionistischen Malweise entfernt; er glaubte
sich von diesen durch einen noch wesentlicheren Unterschied getrennt, behauptete er doch, «dass kaum einer dieser
Maler so wie ich ... sein Thema bis zum letzten Schmerzens-
schrei durchlebt hat. Denn es war nicht ich allein, der dort
sass, es waren alle meine Lieben.»[5] Munch malte nicht, wie
er um 1890 konstatierte, «was ich sehe – sondern was ich
sah.»[6]
Im Winter 1885 hatte er seinen Vater bei einem Kran-
kenbesuch begleitet. Während Dr. Christian Munch das
gebrochene Bein eines kleinen Jungen untersuchte, beobachtete der Maler die elfjährige Betzy Nielsen, die im selben
Zimmer in einem Sessel sass, von Mitgefühl mit ihrem Brü-
derchen erfüllt, das solche Schmerzen erdulden musste.[7]
Der Anblick der verzweifelten Betzy weckte in Munch Erinnerungen an die Krankheit der eigenen tuberkulösen
Schwester Sophie, deren Sterben er als Vierzehnjähriger hatte
mitansehen müssen, ohne helfen zu können. Dieses Erlebnis sollte ihn zeitlebens nicht mehr loslassen. Munch hat
das Motiv des *Kranken Kindes* bis Ende der zwanziger Jahre
mehrmals in neuen Fassungen des Gemäldes und in graphischen Blättern wiederholt (vgl. Kat.-Nr. 37, Abb. S. 143 und
Kat.-Nr. 66).[8]

Munch bat die Eltern Nielsen, die rothaarige Betzy
als Modell für sein *Krankes Kind* benutzen zu dürfen.[9] Wir
erkennen Betzy auch im *Rothaarigen Mädchen mit weisser
Ratte* wieder [10]: Das zartfühlende Wesen des Mädchens,
das den Künstler bei seiner ersten Begegnung so tief berührt
hat, kommt auch in diesem kleinen Bild, in der behutsamen
Gebärde, mit der Betzy die zahme Ratte an sich drückt, zum
Ausdruck.

13

2
*Musik auf der Karl Johan-Strasse
(Musik auf der Strasse).* [11] 1889
Oel auf Leinwand, 100,5 x 141 cm
Signiert und datiert unten links: E. Munch 1889
Zürich, Kunsthaus, Inv. 2534
Eigentum der Zürcher Kunstgesellschaft
Erworben 1941 aus der Sammlung Dr. Curt Glaser, Berlin
Vormals Sammlung M. With, Oslo; Carl Moll, Wien

Bevor Munch im Herbst 1889 zu einem ersten Studienaufenthalt nach Paris aufbrach, den ihm ein Staatsstipendium ermöglichte, arbeitete er an drei grossformatigen Bildern, wovon er allerdings nur eines, *Musik auf der Karl Johan-Strasse,* vollendete.

«Ich malte die Eindrücke aus meiner Kinderzeit – die verschwommenen Farben vergangener Zeiten», kommentierte Munch sein Bild. [12] «Als die Musik an einem sonnenhellen Frühlingstag den Karl Johan herunterkam, wurde mir festlich zu Mute», erinnerte er sich, «– das Licht, – die Musik – verschmolzen zu einer zitternden Freude – die Musik färbte die Farben. – Ich malte das Bild und liess die Farben im Rhythmus der Musik flimmern.» [13]

Vier Jahre später sollte Munch die breite Hauptstrasse des alten Kristiania abermals in einem Bilde festhalten, jetzt aber zur Abendzeit: Sie zeigt ein völlig anderes "Gesicht" als an jenem sonnenhellen Frühlingstag. Die Anlage der Komposition wird wiederum von der in die Tiefe wei-

chenden Strasse bestimmt. Doch wird die herannahende Menschenmenge durch keine im Vordergrund plazierten Repoussoir-Figuren auf Distanz gehalten: Sie drängt ungehindert auf den Betrachter zu. In den angstvoll aufgerissenen Augen öffnet sich uns ein Abgrund. *Abend auf der Karl Johan-Strasse* ist mit einem autobiographischen Bekenntnis in Beziehung gesetzt worden, in dem Munch schildert, wie er von Eifersucht und existenzieller Angst durch die Strasse getrieben wird, um sein seelisches Gleichgewicht ringend. «Er steigerte sich in eine Raserei. Plötzlich schien alles seltsam ruhig. Der Lärm der Strasse klang fern, als käme er irgendwo von oben. Er spürte seine Beine nicht mehr. Sie wollten ihn nicht länger tragen. Alle Leute, die vorüber gingen, sahen so fremd und eigenartig aus, und ihm war, als starrten alle ihn an, alle diese im Abendlicht so blassen Gesichter.» [14]

Abend auf der Karl Johan-Strasse. 1892
Oel auf Leinwand, 84,5 x 121 cm
Bergen, Rasmus Meyers Samlinger

3
Kind mit Puppen (Nora).[15] *1894*
Oel auf Leinwand, 100 x 75 cm
Signiert und datiert oben links: E. Munch 1894
Privatbesitz
Erworben um 1954 von der Galerie Beyeler, Basel. Vormals
Privatbesitz Berlin.

Während seines ersten kurzen Aufenthalts in Paris, den er im Mai 1885 antreten konnte, war Munch ein eifriger Besucher des Louvre und des Salon. Hier scheint ihn Whistlers Bildnis von Théodore Duret, *Arrangement en couleur chair et noir*[16], beeindruckt zu haben; es stellte den Kunstkritiker – wie übrigens schon das kleine Porträt, das Manet 1868 von Duret gemalt hatte[17] – in ganzer Figur vor neutralem Grund dar. Jedenfalls malte Munch nach seiner Heimkehr das lebensgrosse Bildnis seines Malerkollegen Karl Jensen-Hjell[18], das er noch im Herbst desselben Jahres ausstellte. Munch bevorzugte fortan den Typus des ganzfigurigen Bildnisses. Freilich war Whistler nicht der einzige Ausgangspunkt und knüpfte Munch nicht nur bei Manet an, vielmehr ging auch er auf deren gemeinsames Vorbild, auf Velasquez zurück.

Tatsächlich lässt die etwas steife Pose des 1894 in Berlin[19] gemalten *Kindes mit Puppen* an die Infantinnenporträts des Spaniers denken. Das Kind, mit einer Puppe in der rechten Hand, den anderen Arm voller Puppen und Spielzeug, kommt zögernden Schrittes frontal auf den Betrachter zu. Munch gestand einmal, er brauche seine eigenen Bilder und müsse sie um sich haben, wenn er weiterarbeiten will.[20] Gehört *Kind mit Puppen* auch zu jenen Bildern, aus denen sich später neue entwickelten? Im Jahre der Entstehung des Porträts, oder kurz darauf, nahm Munch die Komposition *Die tote Mutter und das Kind* in Angriff, die ein kleines Mädchen am Totenbett seiner Mutter zeigt. Dem Betrachter zugewandt, fasst es sich mit den Händchen verzweifelt an den Kopf, während sich in seinem Antlitz Unbegreifen ausdrückt. Namentlich in der Bildfassung von 1899/1900 weist das Mädchen eng verwandte Züge mit dem Modell von *Kind mit Puppen* auf.

Die tote Mutter. 1899/1900
Oel auf Leinwand, 100 x 90 cm
Bremen, Kunsthalle

16

17

4
Winterlandschaft (Winter).[21] *[1900]*[22]
Oel und Tempera auf Leinwand, 65 x 80 cm
Signiert unten rechts: EMunch
Privatbesitz
Erworben 1951 von der Galerie Rudolf Probst, Mannheim

5
Winterlandschaft im Mondschein (Winternacht).[23]
[1900][24]

Oel auf Leinwand, 80,5 x 120,5 cm
Unsigniert, undatiert
Zürich, Kunsthaus, Inv. 2204
Eigentum der Zürcher Kunstgesellschaft
Erworben 1931. Vormals Sammlung Carl Moll, Wien

Zwischen Herbst 1898 und Sommer 1902 war das Leben des Künstlers gezeichnet von seiner ebenso stürmischen wie gespannten Beziehung zu der reichen rothaarigen Norwegerin Tulla Larson. Munch sollte sich bald einmal von der Geliebten verfolgt wähnen und suchte sich ihr wiederholt fluchtartig zu entziehen. Rastlose Reisen nach Berlin, Paris, Florenz und Rom wurden von Aufenthalten in Sanatorien unterbrochen. Die psychische Krise brachte um die Jahrhundertwende auch die künstlerische Produktion beinahe zum Versiegen. Munch musste einsehen, dass ein Leben mit dieser Frau für ihn unmöglich war. «Es würde mich langsam töten, wenn man mir meine Einsamkeit wegnähme», hatte er ihr im November 1899, sie zum Verzicht auffordernd, geschrieben.[25]

Im Herbst des folgenden Jahres kehrte Munch allein nach Norwegen zurück und liess sich für längere Zeit südlich von Oslo, in Nordstrand nieder. Im Bestreben, sein seelisches Gleichgewicht wiederzufinden und neue Kräfte zu schöpfen, wandte er sich jetzt der Natur zu. Er malte eine Reihe von Winterlandschaften: verschneite Wälder und gefrorene Fjorde. Diese Landschaftsdarstellungen lassen in der Anlage eine deutliche Zweiteilung erkennen. Im Vordergrund, gleichsam ausserhalb des Bildes, stehen einzelne Fichten oder Tannen, vom Rahmengeviert jeweils unten und teils auch seitlich abgeschnitten. Übergangslos und ohne sichtbare Verknüpfung zum Vordergrund formieren sich in der Ferne die Tannenlanzen zu dichtgedrängten Reihen. Munch verzichtet hier auf eine räumliche Staffelung zugunsten einer dekorativen Flächenordnung und wendet ein analoges Bildmittel an wie in seinen gleichzeitig entstehenden figürlichen Kompositionen.[26] Die Isolierung einzelner Bäume in diesen menschenleeren Landschaften suggeriert, nicht anders als das Herauslösen einer einzelnen Figur aus der Menge, ein Gefühl von Einsamkeit und Verlassenheit. Die Natur wird – wie Werner Hofmann formuliert hat – «in einer merkwürdigen Weise mit Symbolwerten versehen und ‹beseelt›».[27]

In diesen Jahren psychischer und physischer Zerrüttung, die Munch in die selbstauferlegte Zurückgezogenheit trieb, wuchs der internationale Ruhm des Künstlers. Im Januar 1904 wurde Munch in Wien dieselbe Auszeichnung zuteil wie auch Ferdinand Hodler: Sie wurden in der *Secession* mit eigenen Ausstellungssälen geehrt. Munch war mit einer Folge von zwanzig Gemälden vertreten; unter den drei ausgestellten Winterlandschaften befand sich die *Winterlandschaft im Mondschein*, die von Carl Moll erworben wurde.[28] Der Erfolg dieser Ausstellung führte im folgenden Jahr zu einer Einladung der Künstlervereinigung *Manes,* in Prag von Februar bis März 75 Bilder – darunter *Winterlandschaft (Winter)* (Kat.-Nr. 4), *Sommernacht* (Kat.-Nr. 8) und *Sommernacht in Aasgaardstrand* (Kat.-Nr. 10) – und 50 graphische Blätter zu zeigen.[29] Die Ausstellung markierte einen Höhepunkt in der bisherigen Laufbahn des Künstlers. Munch wurde in Prag wie ein Fürst behandelt; sogar die Kutsche des Bürgermeisters stellte man ihm zur Verfügung.[30] Die Ehre überwog den finanziellen Erfolg. Immerhin erwarb die Prager Nationalgalerie das Bild *Tanz* aus dem *Lebensfries* und die Sammlerin Tereza Koseová *Sommernacht* (Kat.-Nr. 8).[31]

6

Albert Kollmann. [1901][32]
Oel auf Leinwand, 81,5 x 65,5 cm
Signiert unten links: Edv. Munch
Zürich, Kunsthaus, Inv. 2620
Eigentum der Zürcher Kunstgesellschaft
Erworben 1943 aus der Sammlung Dr. Curt Glaser, Berlin

Die zunehmende Anerkennung, die er nach der Jahrhundertwende in Deutschland fand, und den damit verbundenen wachsenden kommerziellen Erfolg, hatte Munch in mancher Beziehung Albert Kollmann (1837–1915) zu verdanken. Kollmann, als Sohn eines Pastoren im mecklenburgischen Grüssow geboren, hätte sich gerne zum Maler ausbilden lassen, musste auf Drängen der Eltern aber Kaufmann werden. In diesem Berufe war er längere Zeit erfolgreich tätig. Er verkaufte dann aber sein Hamburger Geschäft, um sich ausschliesslich der Kunst und der Förderung von Künstlern zuwenden zu können.

Kollmann engagierte sich zunächst für die Maler des deutschen Impressionismus, die 1898, mit Max Liebermann als Präsidenten, die *Berliner Secession* gründeten (und zu deren ordentlichem Mitglied Munch im Jahre 1904 gewählt wurde). Munch attestierte Kollmann einmal: «Was er für die Kunst – und selbstredend für die deutsche Kunst – getan hat, wird man vielleicht erst später erkennen; er hat im stillen mehr getan, als man denkt.»[33]

Munch war Kollmann 1892 im Atelier von Max Liebermann ein erstes Mal begegnet, doch sollten sie erst ein Jahrzehnt später in eine engere Beziehung treten.[34] Kollmann, «das merkwürdige Überbleibsel aus der Goethezeit», wie er von Munch apostrophiert wurde, war «als Gespenst der Kunst und dessen Gewissen durch viele Entwicklungsstadien der deutschen Kunst gegangen, um schliesslich bei mir zu landen – einem Ausländer.»[35] Er wollte fortan ausschliesslich für den Norweger eintreten: «In Munch erkannte er das überragende Genie, als der Künstler den Willigsten doch nur wie ein Sonderling und Aussenseiter erschien. Kollmann ahnte hier eine neue Macht. Er lebte sich ein in diese Welt, gab sich ganz dem Gotte hin, den er selbst erkoren hatte und schwor allem ab, das ihm vordem wertvoll erschienen war. Selten hat ein Künstler einen treueren Propheten gefunden, als Kollmann für Munch es wurde. Im stillen hat Kollmann für seinen Meister geworben. Er fand ihm Freunde, führte ihm Verehrer zu, und wo es eine Aus-

21

stellung gab, war Kollmann, stand forschend hinter jedem Besucher und harrte eines verständnisvollen Blickes, eines erkennenden Wortes».[36]

Munch hat Kollmanns «altitalienisches Gesicht», wie er sich einmal ausdrückte[37], mehrmals porträtiert: zunächst in drei Gemälden (1901/02) und in einer Radierung (1902, Schiefler 159), einige Jahre später noch in einer Lithographie (1906, Schiefler 244) und in einer Zeichnung (1909).[38] Das Brustbildnis in der Sammlung des Zürcher Kunsthauses war, wie sein erster Besitzer, der Kunsthistoriker Curt Glaser urteilte, von «beinahe schreckhafter Modellähnlichkeit».[39]

7

Landstrasse (Strasse in Aasgaardstrand).[40] *[1902]*[41]

Oel auf Leinwand, 88,5 x 114 cm
Signiert unten links: EM.
Basel, Öffentliche Kunstsammlung, Inv. G 1978.8
Geschenk von Sigrid Schwarz von Spreckelsen und Katharina Schwarz
Vormals Sammlung Dr. Curt Glaser, Berlin; 1929 der Kunsthalle Karlsruhe geschenkt, 1934 von dieser verkauft; 1935 von Fritz Schwarz von Spreckelsen durch Prof. Otto Fischer erworben

Georg Schmidt hat die «Zweiteilung des Bildes» als «etwas für Munchs Stil dauernd Charakteristisches» erkannt. Schmidt unterscheidet einen «objektiv erzählende(n) Hintergrund» und «eine aus dem Bild herausgewandte Einzelfigur, die der Träger eines menschlichen Gefühlszustandes und eines menschlichen Problemes ist, und die sich in eine subjektive Gefühlsbeziehung mit dem Beschauer setzt.» Und weiter führt er aus: «Diese Figur, die wohl das eigentümlichste Stilmittel Munchs ist, stellt sich wie ein Verkünder und Deuter des Geschehens im Hintergrund zwischen das eigentliche Bild und uns und reisst uns heftig heran. Der Hintergrund ist zugleich äusserer Vorgang, Spiegelung desselben im Inneren der Vordergrundsfigur und nach aussen projizierter rein psychischer Vorgang in der Seele dieser Figur.»[42]

Denkt man sich in *Musik auf der Karl Johan-Strasse* (Kat.-Nr. 2) den Knabenkopf in der unteren rechten Ecke und den diesen hinterfangenden roten Sonnenschirm weg – es handelt sich hier um spätere Ergänzungen[43] –, so würde der vom Rahmen angeschnittene Herr im Zylinder in diesem Osloer Strassenbild den Vordergrund ähnlich beherrschen wie das in starrer Frontalität wiedergegebene Mädchen in *Landstrasse.* Und doch ist die Funktion des Herrn im Zylinder (und jene des Knaben) eine andere: Er ist bloss eine Repoussoir-Figur, die die räumliche Tiefenwirkung der in jäher perspektivischer Verkürzung in die Ferne führenden Strasse intensivieren hilft. Als Statist ist er ganz in das Geschehen im Bild einbezogen: Dieser im Profil dargestellte und vor sich hin blickende Passant harrt der heranziehenden Militärkapelle.

Anders das Mädchen in *Landstrasse.* Es scheint ausserhalb des Bildraumes zu stehen und der Welt des Hintergrundes nicht direkt anzugehören. Es ist von der zu einem

Kegel zusammengeschlossenen Gruppe seiner Gespielinnen ausgesondert. Ein extremer Massstabunterschied steigert den Kontrast zwischen Vereinzelung einerseits und Gemeinschaft anderseits; die Distanz wirkt schier unüberwindbar und tatsächlich ist sie ja auch nicht als eine rein räumliche zu verstehen. Das Mädchen ist ganz auf sich allein gestellt, seinen pubertären Ängsten ausgesetzt. Es wendet sich an den Betrachter, ihn zur Teilnahme an seinen seelischen Empfindungen auffordernd.

Munch hat zur Veranschaulichung und Intensivierung seiner Ausdrucksabsichten ein Bildmittel entwickelt, das von Werner Hofmann differenziert analysiert wurde.[44] Die En-face-Haltung des Mädchens in *Landstrasse* ist ein geradezu exemplarisches Beispiel. Ausgangspunkt für das Bild dürfte ein koloristischer Eindruck gewesen sein, den Munch in Aasgaardstrand empfangen und später im Tagebuch geschildert hat: «Der Sommer kam – mit den starken Farben – Starkes Grün gegen starkes Blau – starkes Gelb gegen starkes Rot – Backfische füllten die Wege – und das Grün, wie grosse rote und weisse und gelbe Blüten –».[45] Munch hat die Szenerie des Bildes mit der zwischen einer Gruppe von roten, weissen und gelben Häusern und den von Sträuchern umstandenen Gesteinsbrocken im Dorf verschwindenden Strasse auch ohne Figuren, als reine Landschaftsdarstellung gemalt.[46] In *Landstrasse* wird diese jetzt mit der Backfischgruppe und den Spaziergängern ausstaffierte Ansicht des sommerlichen Aasgaardstrand zum Prospekt für die Protagonistin im Vordergrund. *Pubertät* war bereits 1893 das Thema eines Bildes, in dem ein Mädchen gespannt auf der Kante seines Bettes sitzt (Abb. S. 152) In *Landstrasse* integrierte Munch das Erwachen der Sexualität in die Fülle der blühenden Natur, um nun nicht so sehr allein das Individuelle der Erfahrung zum Ausdruck zu bringen als vielmehr das Universelle.

8
Sommernacht
(Studenterlunden).[47] *[1902]*[48]
Oel auf Leinwand, 101 x 91 cm
Signiert unten links: E. Munch
Privatbesitz
Vormals Sammlung Tereza Koseová, Prag[49]

Zwischen 1893 und 1895 malte Munch eine Reihe von Bildern, deren Motive einerseits um die Liebe und den Kampf der Geschlechter kreisen, anderseits von Verzweiflung und Tod handeln. Zunächst stellte er die Folge zum Thema "Liebe" jeweils getrennt von den Todesmotiven aus. Ende der neunziger Jahre gedachte er aber, die beiden Themenkreise in einer graphischen Mappe zu einem Zyklus zusammenzufassen. In den Monaten März und April 1902 reihte Munch in der fünften Ausstellung der *Berliner Secession* dann 22 Gemälde gleichsam zu einem Fries: zur *Darstellung einer Reihe von Lebensbildern*, wie der Katalog erläutert. Die auf vier Wänden vereinigten Bilder waren nach den vier Themenbereichen *Keimen der Liebe*, *Blühen und Vergehen der Liebe*, *Lebensangst* und *Tod* gruppiert. Munch sollte später selber urteilen: «Ich betrachte diese Bilderfolge als eines meiner bedeutendsten Werke, wenn nicht als das bedeutendste.»[50] Er wollte diese Zusammenfassung einzelner Bilder indessen nicht als einen eigentlichen Fries verstanden wissen, sondern betrachtete sie als Vorstufe zu einer noch auszuführenden dekorativen Raumausschmückung.[51] Ein Romaufenthalt im Sommer 1899, wo er sich an Raphaels Architektur begeisterte, hatte in Munch den Wunsch verstärkt, grosse Wandflächen zu gestalten.[52] Doch sollte er erst 1904, im Auftrag des Lübecker Arztes Dr. Max Linde[53], und 1907, für das Foyer von Max Reinhardts *Kammerspielen* in Berlin[54], Gelegenheit erhalten, Gemäldezyklen in Form eines fortlaufenden Frieses zu schaffen. Nach der Italienreise vom Sommer 1899 entstand eine Anzahl von Staffeleibildern, in denen dem dekorativen Element besonderes Gewicht zukommt. Zu ihnen gehören etwa *Tanz des Lebens*[55] und *Golgatha*[56], aber auch die berühmte *Sommernacht (Mädchen auf der Brücke)*[57] und *Sommernacht (Studenterlunden)*. Einige dieser Bilder sind als Ergänzungen oder "Abschluss"[58] des *Lebensbilder*-Zyklus zu betrachten.

Im Februar 1902 zeigte Munch in seinem Berliner Atelier an der Lützowstrasse den Ausstellungsleitern der

Secession, den Malerkollegen Max Liebermann und Walter Leistikow, seine neuesten Bilder. Am 7. Februar berichtet er dem Kunsthistoriker Andreas Aubert über diesen Besuch, «dass Sommernacht (Die drei Mädchen auf der Brücke)... bei den Malern hier sehr viel Beifall findet... Liebermann findet, es sei mein bestes Bild, und es ist die Frage, ob die Galerie nicht wagen sollte, etwas zu nehmen, was meine Farbkunst repräsentiert – Studenterlunden, du erinnerst dich, mit den Liebenpaaren in einer frühen Sommernacht, erschien Liebermann ebenfalls ausgezeichnet –»[59] Die erwähnten Bilder wurden mit zehn weiteren für die Frühjahrsausstellung der *Secession* ausgewählt. Liebermann schlug dann aber vor, dass Munch nicht bloss dieses Dutzend Bilder ausstellen solle, sondern den zweiundzwanzigteiligen *Lebensbilder*-Zyklus nebst weiteren sechs Gemälden. Zu letzteren gehörten die im Katalog abgebildete (und dort *Norwegische Sommernacht* betitelte) *Sommernacht (Mädchen auf der Brücke)* und, als Katalognummer 181, eine weitere *Sommernacht*, bei der es sich um das Bild *Studenterlunden* gehandelt haben dürfte.[60] Hans Rosenhagen hob diese Bilder in seiner Besprechung der *Secessionsausstellung* besonders hervor und meinte: «Wer Werke wie die beiden nordischen ‹Sommernächte›, das Porträt Przybyszewskis, ‹Die Strasse› und ‹Das Sterbezimmer› (aus dem Cyklus ‹Lebensbilder›) produzieren kann, hat Anspruch auf höchste Beachtung.»[61]

Liebespaare im Park (aus dem Linde-Fries).
1904
Oel auf Leinwand, 92 x 173 cm
Oslo, Munch-Museet

Sommernacht (Studenterlunden) war 1922 in der grossen Munch-Ausstellung in Zürich, Bern und Basel zu sehen. Georg Schmidt kommentierte das Bild eingehend in seiner Rezension der Basler Ausstellung. Zum Thema "Das Weib" schreibt er: «Munch fürchtet, hasst, begehrt das Weib. Die Liebe ist ihm ein dunkler, schwüler Trieb – so stellt er sie in der Parkszene, ‹Sommernacht› (1902, Nr. 17) dar, die wir als banal belächeln mögen und die doch ein Stück alltäg-

licher, für uns vielleicht unwichtiger Wirklichkeit zu typischer Formulierung bringt. Diese Pärchen, immer eine helle und eine schwarze Masse in einander verschlungen, sind keine Menschen mehr, sie sind wie sich paarende Käfer, vom Naturtrieb befallen. Gleich hat sich Munch um die lapidarste Formulierung des *K u s s e s* in Gemälden und vor allem in der Graphik bemüht. Ein Blatt gibt die zwei Menschen nur noch als eine einzige Masse, deren Umrissgebärde daumiersche Grösse hat.»[62]

Munch sollte das Motiv der *Sommernacht* zwei Jahre später in dem für das Kinderzimmer im Haus Linde bestimmten sogenannten *Linde-Fries* wieder aufgreifen, und dies obschon ihn der Auftraggeber gebeten hatte, etwas dem kindlichen Wesen Entsprechendes zu entwerfen, «also bitte keine Küssenden oder Liebenden. Denn das Kind ahnt noch nichts davon.»[63] So mag man sich nicht wundern, dass der Fries keinen Beifall fand und – zur bitteren Enttäuschung des Künstlers – von Dr. Linde abgelehnt wurde.

Um diese neue Fassung der *Liebespaare im Park* zu malen, hatte Munch in der Nacht zum Sonntag, den 17. Juni 1904, um drei Uhr früh seine Staffelei in Studenterlunden auf Karl Johan aufgestellt. Sein damaliger Begleiter, Christian Gierlöff, schildert die Episode, die sich aus diesem Unternehmen entwickelte, in seiner 1953 erschienenen Munch-Monographie. Der Maler wurde als Voyeur verdächtigt und zog «Nachtschwärmer von jeder Sorte» an.[64] Plötzlich entspann sich eine wilde Schlägerei, in deren Verlauf Munch seine Bedränger mit einem Revolver in Schach zu halten suchte. Daraufhin wurde er von der Polizei festgenommen und samt Staffelei und Malgerät auf den Posten geführt. Das Ereignis schlug in der Tagespresse hohe Wellen. Munch widmete seiner Verhaftung eine Karikatur: die Lithographie *Die Arretierung* (Schiefler 343).

Ihrer Bestimmung als Bestandteil eines Frieses entsprechend, ist die 1904 gemalte Fassung *Liebespaare im Park* ein langgestrecktes Querformat von über 170 cm Breite. Indem Munch die *Sommernacht* in eine heitere Tagesszene umwandelte, suchte er wohl den Wünschen des Auftraggebers Rechnung zu tragen, eine gleichsam harmlose Dekoration für das Kinderzimmer zu schaffen. 1907 oder 1908 sollte er in der Bildmitte einen unterhalb der Augen abgeschnittenen Kopf eines Mädchens mit gelbem Strohhut hinzufügen[65]; er kombinierte im nachhinein also zwei frühere Kompositionen, *Sommernacht* und die gleichzeitig entstandene *Landstrasse* (Kat.-Nr. 7).

27

9
Travemünde. [1903][66]   (Abb. S. 27)
Oel auf Leinwand, 70 x 65 cm
Signiert unten links: EMunch
Privatbesitz
Vormals Sammlung Dr. Eberhard Grisebach, Jena

10
Sommernacht in Aasgaardstrand.[68] *[1904]*[69]
Oel auf Leinwand, 99 x 103,5 cm
Signiert unten rechts: E Munch
Basel, Galerie Beyeler
Vormals Sammlung Ragna Stang, Oslo

Munch dürfte das Bild *Travemünde* mit dem aus den Fischerhäusern emporragenden Turm der Lorenzkirche während eines Ausflugs in das bekannte Seebad, den er von Lübeck aus unternommen hatte, gemalt haben. Ein weiteres Gemälde, *Häuser in Travemünde*[67], das sich vormals in der Sammlung von Dr. Max Linde befand, zeigte eine andere Ansicht, die sich vom selben Standort in diesem Hinterhof geboten haben muss; Munch hat diese in der Radierung *Die Bleiche* (Schiefler[215]) wiederholt.

Edvard Munch hatte 1888 erstmals den Sommer in Aasgaardstrand verbracht; während zwanzig Jahren sollte er immer wieder in den am Oslofjord gelegenen Fischer- und Badeort zurückkehren. 1897 kaufte er sich dort ein kleines Haus. Munchs Freund und Biograph Curt Glaser bemerkt in seiner Monographie: «Seitdem Munch in Aasgaardstrand seine Landschaft gefunden hatte, ist er ihr durch diese ganze Zeit seines Schaffens treu geblieben. Ihre Formen waren sein Eigentum, er kannte die Linien des Strandes, die schweren Gebilde der grossen Steine, die dichtbelaubten Bäume und die niederen Häuser. In dieser Landschaft lebten seine Gestalten. Und hierhin kehrte er zurück, um seine Augen wieder und wieder an den bekannten Formen zu stärken. Immer mehr steigert sich Munch auch die Landschaft zu einem Wesen von innerer Lebendigkeit. Das Element der Stimmung tritt rein heraus. Das Landschaftsbild wird ein lyrischer Sang. Er darf sich nicht mehr, wie er es früher wohl tat, in Einzelheiten versenken. So wenig wie ein Mensch, ist ein Baum noch ein kenntlich differenziertes Wesen. Es bleibt nur seine Funktion im Zusammenhang eines übergeordneten Ganzen, eine schwere Silhouette am abendlichen Himmel, eine züngelnde Flamme, nicht unähnlich den Zypressen van Goghs, aber aus einem anderen Temperament geboren.»[70]

29

11

Frühlingslandschaft. [1904][71]
Oel auf Leinwand, 126,5 x 80 cm
Signiert unten rechts: E Munch
Privatbesitz
Erworben 1931 von der Galerie Thannhauser, Luzern
Vormals Sammlung Dr. Max Linde, Lübeck;
Sammlung Frau A. Dodeck, Hamburg

Bildnis Dr. Max Linde. 1902
Kat.-Nr. 106

Im Frühjahr 1902 machte Albert Kollmann den Lübecker Augenarzt und Sammler Dr. Max Linde (1862–1940) auf den *Lebensbilder*-Zyklus, der damals in der *Berliner Secession* ausgestellt war, aufmerksam. Linde war von der Kunst Edvard Munchs spontan begeistert. Er hätte gerne das Bild *Sommernacht (Mädchen auf der Brücke)*[72] erworben, doch war dieses nicht mehr zu haben. So entschied er sich für *Fruchtbarkeit (Erdsegen)*.[73] Linde wurde der erste deutsche Mäzen des Norwegers und ein energischer Förderer seiner Kunst. Bereits im Oktober desselben Jahres konnte er das Manuskript für ein bebildertes Heft, dem er den Titel *Edvard Munch und die Kunst der Zukunft* gab, abschliessen.[74]

Die Sammlung Max Lindes hatte bisher drei Bilder von Böcklin[75], einige Werke Leibls und Max Liebermanns sowie hervorragende Gemälde und Pastelle des französischen Impressionismus – vier Manets, drei Degas, einen Monet – umfasst, insbesondere aber einen umfangreichen Bestand von Skulpturen Auguste Rodins.[76] *L'âge d'airain*, *Le penseur* und *Faunesse à genoux* waren im Park der unmittelbar vor den Toren Lübecks gelegenen Villa Linde aufgestellt. Eine Ansicht des Gartens mit Rodins *Faunesse* findet sich in zwei Radierungen Munchs aus der sogenannten *Linde-Mappe* (Kat.-Nr. 107); ein Bild aus dem Jahre 1907 zeigt *Rodins Denker im Garten Dr. Lindes*.[77] Für den Sammler war es deshalb naheliegend, in seiner Schrift über Munch Vergleiche zwischen dem Schaffen Rodins und jenem des Nordländers zu ziehen, glaubte er bei ihnen doch ein «kongeniales Empfinden»[78] zu entdecken.

Kurze Zeit nach ihrer ersten Begegnung sollte Dr. Linde bereits eine bedeutende Sammlung von Werken Munchs besitzen – so u. a. sein gesamtes bisheriges druckgraphisches Oeuvre –, wobei diese in vielen Fällen auch in seinem Auftrag entstanden sind. Ende 1902 porträtierte Munch die Familienmitglieder in Form von Radierungen und Lithographien: Dr. Max Linde (Kat.-Nr. 106), dessen

Frau Marie (Kat.-Nr. 105) und die vier Söhne. Ausserdem schuf er eine Reihe von Radierungen der Villa und des Parks (Kat.-Nr. 107, 108). Die sechzehn Graphiken wurden zur Mappe *Blätter aus dem Hause Max Linde* zusammengefasst.

Während eines weiteren Aufenthalts in Lübeck im Mai 1903 malte Munch das für Frau Linde zum Geburtstag bestellte Bildnis der *Vier Söhne des Dr. Linde*[79]: Es sollte von Carl Georg Heise zum bedeutendsten Gruppenporträt des 20. Jahrhunderts erklärt werden.[80] 1904 folgten zwei Bildnisse des Sammlers in ganzer Figur.[81] Der Auftrag, für das Kinderzimmer im Haus Linde einen dekorativen Fries zu malen, endete dagegen mit einem Fiasko; Linde lehnte die Bilder ab, kaufte jedoch, um den Künstler zu entschädigen, das Bild *Sommernacht (Frauen auf der Brücke)*.[82]

Bis ins Jahr 1909 verkehrte Munch regelmässig im Haus Linde. Der briefliche Kontakt mit seinem Freund und Förderer brach bis zu dessen Tode nie ganz ab.[83] Nach dem Krieg zwang die Inflation Dr. Linde, sich zunächst von seiner Sammlung und schliesslich von der Villa und vom Park zu trennen. Beim Verkauf des Geländes hatte er sich aber ausbedungen, dass die Strasse, die durch den Park – «in dem so schöne Werke von Ihnen entstanden»[84] – gelegt wurde, den Namen Edvard Munchs tragen sollte.

Munch hatte 1904 im Park der Villa Linde zwei Bilder von nahezu identischem Format gemalt: die *Frühlingslandschaft* und *Der Garten (Landschaft mit Gärtner)*.[85] Der Katalog der Munch-Ausstellung, die 1927 in der Kunsthalle Mannheim stattfand, präzisierte zu beiden Titeln: «Aus dem Hause Dr. Linde».

31

12
Dame in Weiss.[86] *[Um 1904]*[87]
Fettkreide auf Leinwand, 63,5 x 31,5 cm
Bezeichnet unten rechts: EM.
Privatbesitz
Erworben von der Galerie Beyeler, Basel

13
Fräulein Warburg. 1905   (Abb. S. 33)
Oel auf Leinwand, 180 x 100 cm
Signiert und datiert unten rechts: E Munch 05
Zürich, Kunsthaus, Inv. 1462
Eigentum der Zürcher Kunstgesellschaft
1929 von Alfred Rütschi dem Zürcher Kunsthaus vermacht;
dieser hatte das Porträt 1922 erworben. Vormals Sammlung
W. S. Warburg, Hamburg

14
Kinderbild (Mädchen mit Puppe).[88] *[1905]*   (Abb. S. 35)
Oel auf Leinwand, 66 x 74 cm
Signiert oben links: E Munch
Zürich, Privatbesitz
Vormals Sammlung Esche, Chemnitz

Im November 1903 konfrontierte Paul Cassirer in einer Ausstellung seiner Berliner Galerie Bilder von Goya und Munch, da er bei diesen beiden Künstlern eine innere Verwandschaft erblickte. Von Goya waren vor allem Bildnisse zu sehen; sie müssen Munch bewogen haben, sich wieder eingehender mit der Porträtkunst zu befassen.[89]

Während seine symbolischen Kompositionen – man erinnere sich etwa der *Landstrasse* (Kat.-Nr. 7) – eine Vorliebe für die fragmentierte Menschengestalt beweisen, gab Munch in seinen Porträts dem Abbild in ganzer Figur den Vorzug, wie er es 1885 bei Whistler und Manet kennengelernt hatte.[90] In der Sammlung seines Lübecker Freundes Dr. Max Linde begegnete er jetzt zwei ganzfigurigen Bildnissen eben dieser Künstler und wurde von ihnen gewiss wiederholt zur Auseinandersetzung angeregt: Whistlers Porträt der Maud Franklin, *Arrangement in White and Black* von 1876[91] – Munch könnte es bereits im Frühjahr 1900 in der zweiten Ausstellung der *Berliner Secession* gesehen haben – und Manets Selbstbildnis genannt *Manet à la calotte* von 1878.[92] Auch bei Munch stehen die Dargestellten meist

33

mit einer leichten Drehung des Körpers in die Bildtiefe abgekehrt, den Blick aber dem Betrachter zugewendet, in einer mit hastigen Pinselzügen bloss angedeuteten und kaum näher definierten schattenlosen Umgebung. Allein einzelne aus dem Muster des Parketts herausgehobene geometrische Formen suggerieren ein räumliches Zurückweichen der Standfläche.

Im Dezember 1904 vereinigte eine Ausstellung bei Paul Cassirer siebzehn Bildnisse von Munch, die im September als Sonderbeitrag in *Den frie Utstilling* in Kopenhagen und anschliessend im *Diorama* in Kristiania zu sehen waren.[93] Das Renommee des Porträtmalers dürfte durch diese Veranstaltungen zusätzlich an Resonanz gewonnen haben. An Aufträgen von deutschen Industriellen, Bankiers und Aristokraten fehlte es jedenfalls nicht. Im Gegenteil! Bald konnte sich Munch ihrer kaum mehr erwehren. Diese

Kommissionen wurden oft durch den unermüdlich werbenden Albert Kollmann vermittelt.

Munch hat für die Ausführung solcher Aufträge jeweils nur wenige Stunden benötigt. Sein Vorgehen wird in einem Brief von Dr. Max Linde wie folgt beschrieben: «Er arbeitet immer in einer solchen Weise, dass er eine lange Zeit damit verbringt, das Gesehene zu absorbieren, um ihm dann plötzlich mit einer elementaren Kraft und gequälten Hast Form zu verleihen.»[94] Vom Bildnis des *Fräulein Warburg* wusste Munch später zu berichten, er habe es innerhalb eines einzigen Vormittags vollendet, doch habe ihn die Nervenanspannung gezwungen, sich ständig mit Alkohol zu restituieren. Und weiterhin notierte er zur Ausführung des Bildnisses: «Eine Frau in weissem Gewand, ruhig, klar, mit breiten Pinselzügen gemalt, eine gute Ähnlichkeit. Eines meiner besten Bilder.»[95]

Die Dargestellte: Helene Julie, Ellen genannt, war die Tochter des Hamburger Bankiers, Geheimrat Albert Warburg. Als sie im Januar 1905 von Munch in ihrem Elternhaus in Hamburg-Altona porträtiert wurde, war sie 28 Jahre alt und stand kurz vor ihrer Vermählung mit dem Juristen Edgar Burchard. Sie hatte Medizin studiert. 1943 fand ihr Leben in Auschwitz ein schreckliches Ende.[96]

Im Oktober 1905 hielt sich Munch in dem von Henry van de Velde entworfenen und ausgestatteten Haus des Chemnitzer Papierfabrikanten Herbert Esche auf, um die Mitglieder seiner Familie zu malen. Im Laufe von nur vier Arbeitstagen entstanden nicht weniger als sieben Bildnisse. Am bekanntesten ist das Doppelbildnis der *Kinder Esche*.[97] *Mädchen mit Puppe*, ein Porträt der kleinen Erdmute Esche, ist Teil eines zerschnittenen Bildes, dessen rechte Hälfte die sitzende Gruppe von Mutter und Bruder einschloss.[98]

Hans Herbert Esche und Frau Esche. 1905
Oel auf Leinwand, 67,5 x 52,5 cm
Privatbesitz

34

15
Szene aus Ibsens Gespenstern. 1906

Aquarell und Tempera auf Leinwand, 61 x 99,5 cm
Signiert und datiert unten links: E Munch 06
Basel, Öffentliche Kunstsammlung, Inv. 1570
Erworben 1931 von der Galerie Günther Franke, München
Vormals Sammlung Fritz Hess, Berlin

16
Szene aus Ibsens Gespenstern. [1906]
Aquarell und Tempera auf Leinwand, 45,7 x 76,5 cm
Signiert unten rechts: EMunch
Privatbesitz
Erworben von der Galerie Beyeler, Basel.
Vormals Nationalgalerie Berlin[99]

37

Anfang 1906 begegnete Munch in Berlin dem Theatermann Max Reinhardt. Dieser lud den Künstler ein, für die Eröffnungsvorstellung der damals noch im Bau befindlichen *Kammerspiele* die Bühneneinrichtung für Ibsens *Gespenster* zu entwerfen. Munch hatte bereits 1896 und 1897 in Paris für das avantgardistische *Théâtre de l'Oeuvre* – es zählte zu seinen künstlerischen Mitarbeitern auch einen Toulouse-Lautrec, einen Bonnard und Vuillard – die Ausstattung zweier Schauspiele seines Landsmannes gestaltet: *Peer Gynt* und *Johan Gabriel Borkman,* und bei diesen Anlässen ausser-

dem Lithographien als Annoncen für die Aufführungen geschaffen.[100] Aus seinen Erinnerungen an frühere Begegnungen mit Ibsen schöpfend, hatte Munch auch mehrere Bildnisse des Dramatikers gemalt und lithographiert.

Reinhardt erwartete von Munch weniger konkrete Bühnenentwürfe als "Stimmungsskizzen"[101], die dem Regisseur wie dem Bühnenbildner und den Schauspielern als Quelle der Anregung dienen sollten. In einem Exposé, das den Maler mit seinen Überlegungen und Absichten vertraut machen sollte, bemerkte Reinhardt, das Interieur mache bei

Ibsen im Café (Henrik Ibsen im Café des Grand Hotel in Christiana). 1902
Kat.-Nr. 104

Ibsen seiner Meinung nach «einen wesentlichen Teil von dem *Vielen* aus..., was bei Ibsen zwischen und hinter den Worten steht und die Handlung nicht nur umrahmt sondern symbolisiert. Ich glaube fest daran, dass wir gerade mit Ihrer Hülfe Menschen und Scenerie so aufeinander abstimmen und so von einander abheben können, dass wir dadurch noch unerschlossene Tiefen dieses grandiosen Werkes erhellen... werden.»[102]

Er sollte sich in seinen Erwartungen nicht enttäuscht sehen. Das Thema von Ibsens *Gespenstern,* wo der Wahnsinnsausbruch des jungen Malers Osvald als Folge des ausschweifenden Lebens seines syphilitischen Vaters gedeutet wird, hatte Munch schon seit langem beschäftigt und ihn immer mehr zur Identifizierung mit der tragischen Hauptfigur des Familiendramas verleitet. Dies lässt sich, wie Paal Hougen und Peter Krieger dargelegt haben, bis in die für Reinhardt gestalteten Bühnenentwürfe hinein verfolgen, wo Darstellungen der neunziger Jahre wie *Tod im Krankenzimmer* (Abb. S. 160) und *Der Sohn,* die für Munch einen autobiographischen Bezug besassen, weiterverarbeitet wurden.[103] Waren aber nicht noch 1940–42 im Selbstbildnis *Zwischen Uhr und Bett* (Abb. S. 140) Erinnerungen an die Szenenbilder zu den *Gespenstern* wach? Der Künstler stellt sich von einer alten Standuhr und vom Bette flankiert und von "Ahnenbildern" umgeben dar, so wie er einst Osvald zwischen zwei Polen hatte agieren lassen: zwischen einer die verrinnende Zeit markierenden Standuhr in der Ecke hinten und einem düsteren Lehnsessel vorn, in dem er am Schluss des Dramas im Wahnsinn versinken wird.

Max Reinhardt stellte sich, wie seine *Anweisungen für das Gespenster Interieur* verraten, einen «im Grundton ernst gehaltene(n) Repräsentationsraum eines etwas altmodischen, norwegischen Hauses» vor: «Gleichzeitig muss dieser Raum Geheimnisse haben, dunkle Winkel und Ecken mit merkwürdigen altmodischen Möbeln, die in der Dunkelheit zum Beispiel unheimlich zu wirken vermögen.»[104] Munch folgte in seinen Stimmungsskizzen diesen Vorschlägen recht getreu, suchte aber – und dies bezeichnenderweise! – dem Raum, indem er die Rückwand durch ein grosses Blumenfenster öffnete, eine grössere Tiefendimension zu erschliessen.

Das Bild zum ersten Akt (Kat.-Nr. 15) stellt die drei Hauptfiguren vor: Der aus Paris ins Elternhaus zurückgekehrte Maler Osvald trifft in Gegenwart seiner Mutter, Frau Alving, Pastor Manders, zu dem sich Frau Alving einst geflüchtet hatte, Hilfe und Schutz vor ihrem Mann erhoffend. Max Reinhardts Regieanweisung verlangt für diese Szene: «Trübes, graues Regenwetter, draussen heller als innen.

Hauptbeleuchtung vom Fenster links. Scheiben: nass, trüb angelaufen. Feuchte fahle Regenatmosphäre.»[105] An Munchs Entwürfen sollte er dann besonders «die Farbe von krankem Zahnfleisch»[106] bewundern, die einem offenbaren konnte, was eine «psychologische Farbe»[107] sei.

Der schwere, gleichsam brütende Lehnsessel beherrscht den Vordergrund sämtlicher Darstellungen. In dem Entwurf zum dritten Akt (Kat.-Nr. 16) ragt der breite Rücken des vom Zuschauer abgewandten dunkeln Sessels gespenstisch in das Bild hinein. «Der Lehnstuhl sagt alles! Sein Schwarz gibt die ganze Stimmung des Dramas restlos wieder!» rühmte Max Reinhardt.[108] Die Petroleumlampe auf dem Tisch lässt die Gesichter von Frau Alving und von Osvald grünlich fahl aufleuchten. Der Brand des noch nicht eingeweihten Kinderheimes erfüllt den Raum mit einem glühenden Widerschein, von dem sich am Fenster die Gestalt Reginens schemenhaft abhebt. Es herrscht, wie Reinhardts Regievorschrift formuliert, «ein merkwürdiges, unheilvolles Zwielicht.»[109] Der Absicht des Künstlers entsprechend, sollte das Bühnenbild «nur noch eine seelische Suggestion sein, eine Verdichtung tragischer Nebel».[110]

Reinhardt war von Munchs Beitrag begeistert und schlug ihm vor, das Foyer im ersten Stock der *Kammerspiele* mit einer grossen umlaufenden Dekoration auszuschmücken. Munch erhielt durch diesen Auftrag endlich Gelegenheit, seinen seit den neunziger Jahren geplanten zyklischen *Lebensfries* ausführen zu können. Die Arbeit an den Bildern zog sich bis Ende 1907 hin. 1912 musste der Saal umgebaut und der Fries wieder entfernt werden.[111]

17
An der Trave in Lübeck (Hafen von Lübeck).[112] *1907*
Oel und Tempera auf Leinwand 81 x 122 cm
Signiert und datiert unten links: E Munch 07
Zürich, Kunsthaus, Inv. 1946/2
Eigentum der Zürcher Kunstgesellschaft
Erworben 1946. Vormals Sammlung Dr. Curt Glaser, Berlin

An der Trave in Lübeck und eine weitere Ansicht des Lübecker Hafens *Am Holstentor*[113] sind im April und Mai 1907, während eines längeren Aufenthalts im Hause des Freundes Dr. Max Linde, entstanden. Carl Georg Heise weiss in einem 1927 in der Zeitschrift *Der Wagen* veröffentlichten Aufsatz zu berichten, es sei Linde gewesen, der diese Motive ausgewählt habe.[114]

Die leuchtende ungebrochene Farbigkeit, zu der sich Munch in diesen Trave-Ansichten hin entwickelt, lässt, wie ein Vergleich mit gleichzeitigen Hafen- und Flussbilder etwa eines Derain oder Vlaminck lehrt, den Einfluss der jungen französischen Fauves erkennen.[115] Munch war 1903 Mitglied der *Société des Artistes Indépendants* geworden und stellte fortan jeweils im Frühjahr in Paris mit den *Fauves* im *Salon des Indépendants* aus.

18
Schiffswerft. [1911][116]
Oel auf Leinwand, 99 x 107 cm
Signiert unten links: EMunch
Zürich, Kunsthaus, Inv. 1924
Eigentum der Zürcher Kunstgesellschaft
Vormals Sammlung Alfred Rütschi, der das Bild 1922
erworben hatte und es 1929 dem Kunsthaus Zürich
vermachte

Mehreren ernsthaften Versuchen, sich von der Trunk-
sucht zu heilen, war kein anhaltender Erfolg beschieden,
Munch verfiel dem Alkohol stets von neuem und war dem
Verfolgungswahn und Halluzinationen in beängstigender
Weise ausgeliefert. Im Herbst 1908 erlitt er in Kopenhagen
einen schweren Nervenzusammenbruch. Jetzt erst liess er
sich bewegen, am 3. Oktober in die Klinik von Dr. Daniel Jacobsen einzutreten. Das Leben sei für ihn zur Hölle geworden und er selber seiner Umgebung eine Last, gestand er in
einem Brief und schloss: «Ich hoffe, es wird eine neue Aera
für meine Kunst anbrechen.»[117]

Zu jener Zeit endlich machte sich auch in Munchs
Heimat vermehrtes Verständnis für sein Werk bemerkbar. In
Anerkennung seiner Verdienste um die Kunst wurde er zum
Ritter des Königlichen Ordens vom Heiligen Olav ernannt.
Jens Thiis erwarb für die neue Nationalgalerie von Oslo,
deren Direktor er vor kurzem geworden war, eine Reihe
wichtiger Bilder und dies ungeachtet des Protestes von
manchen Seiten. Eine Ausstellung in der Galerie Blomquist
im März 1909 schliesslich – es war Munchs erste Ausstellung in Oslo innerhalb von fünf Jahren – wurde zu einem
Erfolg, nicht nur was die Besucherzahlen, sondern auch was
die Verkäufe betraf.

Der Wunsch, Norwegen wiederzusehen, erschien
Munch immer dringender, «denn die Natur ist gewiss wichtig
für meine Kunst.»[118] Im Mai 1909 konnte er die Nervenheilanstalt des Dr. Jacobsen verlassen und nach Norwegen zurückkehren. Er mietete in dem an der Südküste gelegenen
Fischerort Kragerö das Haus *Skrubben*. Am 17. Juli schrieb er
an Eberhard Grisebach: «Ich wohne jetzt in Kragerö, wo es
ganz famos malerisch ist.»[119]

Die Gegend und ihre Bewohner lieferten ihm die
Motive für seine neuen Bilder. In ihnen gelangt sprechend
zum Ausdruck, wie wichtig die lang vermisste Natur für
Munch tatsächlich war. Mit ihnen scheint sich aber auch die

Hoffnung auf eine Erneuerung seiner Kunst zu erfüllen. Die
Natur ist in diesen farbintensiven Bildern nicht mehr so sehr
Symbolträger oder "Seelenlandschaft" wie früher einmal.
Die äussere Wirklichkeit wird jetzt realistisch erfasst, wenn
auch "expressionistisch" gesteigert. Menschenleer sind die
Landschaften von Kragerö nur selten (vgl. Kat.-Nr. 27); meist
sind sie von Bauern und Fischern, von Land- und Forst-
arbeitern bevölkert, die ihren täglichen Verrichtungen nach-
gehen. Dem Thema der Landschaft verbindet sich jenes der
Arbeit, das in Munchs Schaffen der folgenden zwei Jahr-
zehnte breiten Raum einnehmen sollte. Viele dieser Bilder
waren wiederum als Teilstücke zu einem imaginären "Arbeiterfries" gedacht.[120]

Munch hat das Motiv *Schiffswerft*, vermutlich zu
einem etwas späteren Zeitpunkt[121], nochmals wiederholt
und 1915/16 als Vorlage zu einer Radierung benutzt, die er
in einem Exemplar mit dem Titel *Das Schiff wird aufge-
hauen* versah.[122]

43

19
Bildnis Else Glaser.[123] *1913*
Oel auf Leinwand, 120 x 85 cm
Signiert unten links: E. Munch; signiert und datiert oben
rechts: E. Munch 1913
Zürich, Kunsthaus, Inv. 1946/1
Erworben 1946. Vormals Sammlung Dr. Curt Glaser

20
Bildnis des Kunsthistorikers Curt Glaser (Abb. S. 46)
und seiner Frau. [1913][124]
Oel, Kreide und Kohle auf Leinwand, 57,5 x 79 cm
Signiert unten rechts: E. Munch
Depositum im Kunstmuseum Basel (seit 1947)

21
Bildnis Käte Perls.[125] *[1913][126]* (Abb. S. 47)
Oel auf Leinwand, 120,5 x 116 cm
Signiert oben rechts: E Munch
Basel, Öffentliche Kunstsammlung, Inv. 1444
Erworben 1927 von der Galerie Caspari, München[127]

Im Sommer 1912 fand in Köln die Internationale Kunstausstellung des *Sonderbundes* statt. Im Brennpunkt dieser Übersicht über das aktuelle Kunstschaffen stand der Expressionismus, doch waren bereits auch Beispiele des Kubismus eines Picasso und Braque zu sehen. Eine Sonderabteilung würdigte die geistigen Väter der neuen Bewegungen: El Greco, Cézanne, Gauguin und van Gogh, von dem allein 108 Bilder und 16 Zeichnungen ausgestellt waren. Auch Edvard Munch, der im darauffolgenden Jahr seinen fünfzigsten Geburtstag feiern wird, war ein eigener Saal mit 32 Bildern[128] vorbehalten, um ihn als unmittelbaren Vorläufer und als Vorbild der jungen Avantgarde zu ehren. «Munch wirkt auf mich hier ungeheuer stark», gestand etwa Franz Marc nach seinem Besuch der Ausstellung.[129] Munch war ebenfalls nach Köln gekommen und hatte einige seiner jungen Malerkollegen getroffen. Er zeigte sich von der van Gogh-Retrospektive besonders beeindruckt und meinte im übrigen: «Hier kommt das Wildeste zusammen, das in Europa gemalt ist. Ich bin dagegen der reine Klassiker und farblos.»[130]

In Köln hatte Munch die Bekanntschaft des deutschen Kunsthistorikers Dr. Curt Glaser (1872–1944) gemacht. Glaser war Direktor der Kunstbibliothek der Universität Berlin und betreute ausserdem die Abteilung für moderne Graphik am Königlichen Kupferstichkabinett.[131] Als Kunstschriftsteller

und Kritiker sollte er im Laufe der Jahre mehrere Beiträge über Munch veröffentlichen;[132] 1914 verfasste er ausserdem die erste eingehende Monographie über den Norweger, ein Buch, das allerdings erst 1917 bei Bruno Cassirer verlegt wurde.

Glasers Frau Else, die als Übersetzerin französischer Literatur tätig war, nahm an den Interessen ihres Mannes regen Anteil.[133] Beide waren sie von der Leidenschaft des Sammelns besessen. Glaser befolgte dabei die Devise, «man müsse von einem Maler, habe man ihn nur erst einmal gern, die schwierigsten Bilder kaufen. Später werde es sich schon zeigen, dass sie die besten sind.»[134] 1910 unternahmen die Glasers zusammen mit ihrem gemeinsamen Vetter, dem Kunsthändler Hugo Perls, und mit dessen Frau Käte, die ebenfalls eine Kusine sowohl von Curt wie von Else Glaser war, eine Reise nach Paris, um moderne Kunst zu sehen und zu erwerben. Ihre Sammlung enthielt bald einmal Bilder von Cézanne, van Gogh, Picasso, Matisse, Derain, van Dongen und Vlaminck. Und nachdem er Munch entdeckt hatte, kaufte Glaser «so viele Munchs, dass die Wände kaum noch ausreichten».[135] Else Glaser starb 1932 in geistiger Umnachtung an einem Gehirntumor. Ihr Mann verliess Deutschland unter dem Regime des Nationalsozialismus und emigrierte nach den Vereinigten Staaten. Von seinen im Zürcher Kunsthaus deponierten Munch-Bildern konnten in den vierziger Jahren vier für die Sammlung erworben werden (Kat.-Nr. 2, 6, 17, 19). Zwei weitere Bilder aus der ehemaligen Sammlung Glaser werden heute im Kunstmuseum Basel aufbewahrt (Kat.-Nr. 7, 20).

Munch hat 1913 in *Grimsröd* in Jelöya, jenem Gut bei Moss, das er für zwei Jahre gemietet hatte, sowohl Else Glaser wie auch ihre Kusine Käte Perls porträtiert und ausserdem Doppelbildnisse der Ehepaare Glaser und Perls[136] gemalt. Das *Bildnis des Kunsthistorikers Curt Glaser und seiner Frau* (Kat.-Nr. 20) ist in der gemalten Fassung – genau genommen handelt es sich hier eher um eine farbige Zeichnung auf Leinwand, in der Art der *Dame in Weiss* (Kat.-Nr. 12), als um ein eigentliches Gemälde – so gut als unbekannt geblieben. Weite Verbreitung hat indessen die entsprechende Farblithographie (Schiefler 405) gefunden, der das Bild vermutlich vorausgegangen sein dürfte.

Gestützt auf seine eigenen Erfahrungen, meinte Curt Glaser 1914, Munch sei kein Porträtmaler «im gewöhnlichen Sinne des Wortes. Er findet sich nicht rasch vor jedem Modell. Er arbeitet in höchster Nervosität, wo sein Gegenstand ihm noch nicht vollkommen vertraut ist. In einer unnatürlich gesteigerten Gesprächigkeit äussert sich das bei Porträtsitzungen vor fremdem Modell, während in äusserster

45

E. Munch

Schweigsamkeit und fieberhafter Anspannung die Bildnisse vertrauter Freunde entstanden.»[137]

Bei den Sitzungen am *Bildnis Käte Perls* (Kat.-Nr. 21) scheint viel diskutiert worden zu sein, wenn man den Erinnerungen Hugo Perls, die dieser 1962 unter dem Titel *Warum ist Kamilla schön?* veröffentlichte, Glauben schenken darf. Das Ehepaar war im März 1913 nach Moss gefahren: «Schon waren wir im Atelier, einem kleinen, zweifenstrigen Zimmer mit vorzüglichem Licht und den tiefen Fensternischen der alten Häuser. ‹Halt›, sagte Munch, als Käte in der Fenster-

nische stand, brachte einen Stuhl für sie, einen für sich selbst, eine grosse Leinwand – und begann zu malen. Erst die Augen, dann die Nase, dann den Mund, dann die Haare und plötzlich das Kleid. Nach 45 Minuten war die Skizze da. Kein Bleistift, keine Kohle, keine Zeichnung – Farbe, Farbe und Farbe! Wir sprachen über ‹Form und Farbe›, den Titel so manchen Buches aus dieser Zeit. Munch, der grosse Zeichner, sagte: ‹Hier habe ich die Farbe auf der Palette, ich nehme Pinsel und Farbe, und da ist schon beinah ein Gesicht.› Keine Form ohne Farbe, die Form entsteht durch die

46

47

Farbe; Form und Farbe sind weder Gegensätze, noch ergänzen sie einander; ohne Farbe gibt es keine Form: das war Munchs mir höchst einleuchtende und willkommene Ansicht.»[138]

Die Anregung zu diesem Bildnis war offenbar von Albert Kollmann ausgegangen, den Käte Perls rotes Haar an Munchs Bild *Vampyr*[139] (oder an die danach entstandene Graphik [Schiefler 34]; Abb. S. 133) erinnerte.[140] Munch selbst soll scherzweise vorgeschlagen haben, das Bildnis *Büssende Magdalena* zu betiteln.[141]

22
Grosse Küstenlandschaft.[142] 1918
Oel auf Leinwand, 121 x 160,5 cm
Signiert und datiert unten rechts: EMunch 1918
Basel, Öffentliche Kunstsammlung, Inv. 1443
Erworben 1927 von der Galerie Thannhauser, München.
Vormals Sammlung Leo Levin, Breslau

Bei seiner Rückkehr nach Oslo im Mai 1909 hatte Munch von dem Plan erfahren, die neue Aula der Universität zur Jahrhundertfeier, die diese 1911 begehen sollte, mit einem Zyklus von monumentalen Wandbildern auszuschmücken. Munch kündigte alsbald seine Absicht an, sich an dem ausgeschriebenen Wettbewerb zu beteiligen, erkannte er hier doch eine einmalige Gelegenheit, sich als nationaler Künstler zu bestätigen. Die von Munch eingereichten Entwürfe fanden zwar die Zustimmung der Jury, wurden aber vom Vertreter der Universität in dieser Aufsichtskommission abgelehnt. Es entspann sich eine jahrelange öffentliche Kontroverse. Erst als Frederik Stang das Rektorat übernahm, wurde im Juni 1911 zugelassen, dass Munchs grosse Entwürfe "in situ" ausgestellt werden konnten. Noch verstrichen aber weitere drei Jahre, ehe diese, aufgrund einer neuerlichen Abstimmung, definitiv zur Ausführung angenommen wurden. Die offizielle Enthüllung der Aula-Dekorationen fand am 10. September 1916 statt.[143]

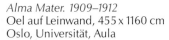

Alma Mater. 1909–1912
Oel auf Leinwand, 455 x 1160 cm
Oslo, Universität, Aula

Munch hatte die Aula-Entwürfe in Kragerö in Angriff genommen und seinen neuen, monumentalen Landschaftsstil dort entwickelt. *Die Sonne*, das zentrale Bild an der Stirnwand des Saales[144], bezieht in ihren Strahlenkreis den Fjord von Kragerö ein. Die Küstenlinie von Kragerö bot ebenfalls die Szenerie für das linke der beiden seitlichen Bilder, *Geschichte*.[145]

Um an den Riesenformaten dieser Entwürfe in weniger beengten Platzverhältnissen arbeiten zu können, kaufte Munch 1911 das grosse Gut *Neddre Kamme* in Hvitsten am Oslofjord. Hier fand er auch die Landschaft für die dritte Aula-Dekoration, *Alma Mater*.

In Hvitsten bevorzugte der Künstler sommerlich heitere Bildmotive: die Arbeit der Bauern auf dem Felde und im Hof, vor allem aber Ansichten der Meerbucht mit nackten badenden Männern oder sich auf den Felsen sonnenden Frauen. Die Zahl der reinen Landschaftsdarstellungen hingegen ist eher gering. Auch sie sind an der Bucht des Oslofjords gemalt, wobei der Blick teils vom Ufer auf das Meer gerichtet ist, teils den Wellen folgt, wie sie sich der Felsküste nähern und an ihr brechen.

Die *Grosse Küstenlandschaft* ist gewiss die imposanteste dieser Ansichten aus Hvitsten – und nicht allein was das Format betrifft. Die Nahsicht der kleineren Landschaftsdarstellungen ist hier preisgegeben zugunsten eines sowohl die Nähe wie die Ferne einbeziehenden panoramaartigen Überblicks gleichsam aus der Vogelschau. «Wir stehen auf einer granitenen Felsbank, die sich ins Meer hinausschiebt, oder nein, das Meer läuft über den Fels weg zu uns her», beobachtete Alfred Heinrich Pellegrini und meinte: «Es ist diese Doppelwirkung, die uns so grandios packt.»[146] Tatsächlich scheint diese "Weltenlandschaft" mit ihren Schwellungen und Senkungen, im Herannahen und Entweichen, im Auf und Nieder, von einem ewigen Wogen durchpulst.

23
Apfelbaum. [1921][147]
Oel auf Leinwand, 100 x 130,5 cm
Signiert unten rechts E Munch
Zürich, Kunsthaus, Inv. 1925
Eigentum der Zürcher Kunstgesellschaft
Vormals Sammlung Alfred Rütschi, der das Bild 1929 dem Kunsthaus Zürich vermachte

Der 1902 in der *Berliner Secession* ausgestellte *Lebensbilder*-Zyklus enthielt drei Darstellungen eines Menschenpaares, das sich unter einem Baum gegenübersteht. In *Auge in Auge* (Abb. S. 148) blicken sich ein Mädchen und ein blasser Junge gegenseitig an; zwischen ihren Köpfen ragt der Stamm eines Baumes empor, der, als Lebensbaum, das *Keimen der Liebe* – so lautet der Titel der Werkgruppe, der dieses Bild angehört – symbolisiert. In *Eifersucht*[148], aus dem Abschnitt *Blühen und Vergehen der Liebe*, sieht der Eifersüchtige seinen Rivalen und die von ihnen beiden begehrte Frau Früchte vom "Baum der Erkenntnis" pflücken. *Adam und Eva*[149] sollte dann der Titel eines Bildes von 1908 lauten, das ein modern gekleidetes Paar unter einem Apfelbaum zeigt, von dem sich die Frau eine Frucht holt (vgl. Kat.-Nr. 133). *Metabolismus*[150], ein drittes, zentrales Werk aus dem *Lebensbilder*-Zyklus zu diesem Themenkreis, wurde mehrmals verändert. Wiederum steht sich in einem Wald ein nacktes Paar gegenüber, das einen Baum flankiert. Ursprünglich befand sich an Stelle des Stammes ein Gewächs, in dem die embryonale Gestalt eines Kindes angedeutet war. Die Wurzeln des später gemalten Baumstammes führen im Erdreich zu einem menschlichen und einem tierischen Schädel, um sich von der verfaulenden Materie zu nähren: Leben und Tod schliessen sich zum Kreislauf.[151]

Ein weiteres Bild aus dieser Zeit, das allerdings nicht Teil des *Lebensbilder*-Zyklus ist, jedoch dieser Thematik zugehört, ist das grossformatige Gemälde *Fruchtbarkeit*[152] oder – dem Titel, der ihm sein erster Besitzer, Dr. Max Linde gegeben hat, folgend – *Erdsegen*. Hier hat das Paar unter der weitausladenden Krone eines Kirschbaumes zusammengefunden. Die Bäuerin bietet dem Mann, der sich zur anderen Seite des Stammes im üppig spriessenden Grün niedergelassen hat, einen Korb voller Kirschen dar.

Apfelbaum von 1921 ist nicht mehr mit dem etwas penetranten Symbolismus der geschilderten Vorstufen befrachtet, obschon die Thematik von Keimen, Blühen und Vergehen auch in dieser heiteren Idylle eines den Garten bestellenden Paares lebendig bleibt.

24
Bildnis Wilhelm Wartmann. 1923

Oel auf Leinwand, 100 x 74 cm
Signiert und datiert oben rechts: An Dr Wartmann freundl
Edv. Munch 1923
St. Gallen, Kunstmuseum, Inv. 1985/GI
Erworben 1985 aus Zürcher Privatbesitz

25
Bildnis Dr. Wilhelm Wartmann. 1923   (Abb. S. 54)

Oel auf Leinwand, 200 x 111 cm
Signiert und datiert unten rechts: Edvard Munch 1923
Zürich, Kunsthaus, Inv. 1926
Eigentum der Zürcher Kunstgesellschaft
Vormals Sammlung Alfred Rütschi, der das Bild 1929 dem
Kunsthaus Zürich vermachte

Bildnis Dr. Wilhelm Wartmann. 1922
Kat.-Nr. 151

Im Sommer 1922 fand im Zürcher Kunsthaus eine Ausstellung statt, die 73 Gemälde und über vierhundert Radierungen, Lithographien und Holzschnitte von Edvard Munch vereinigte. Munch sollte diese Werkübersicht, zusammen mit der Ausstellung, die 1905 von der Prager Künstlervereinigung *Manes* veranstaltet worden war, «zu meinen schönsten künstlerischen Erlebnissen» zählen. Ganz besonders blieb ihm «die hervorragende Art, in der die Ausstellung arrangiert wurde», unvergesslich.[153] Diese Veranstaltung war Dr. Wilhelm Wartmann (1892–1970), dem damaligen Direktor des Zürcher Kunstinstituts, zu verdanken.

Wartmann stammte aus einer sankt-gallischen Ärzte- und Gelehrtenfamilie. Er hatte sein Studium der Kunstgeschichte an der Sorbonne absolviert und mit einer Dissertation zum Thema *Les vitraux suisses au Musée du Louvre* (1908) abgeschlossen. Nach seiner Rückkehr in die Schweiz übernahm er 1909 das Sekretariat der Zürcher Kunstgesellschaft. Er sollte dem Kunsthaus bis 1949 als Direktor vorstehen. Herrschte bei seinem Amtsantritt noch die Meinung, das Sammelgebiet sei ganz auf die Schweizer Kunst zu beschränken, so gelang es Wartmann doch, eine Öffnung ins Europäische einzuleiten. Seiner weitblickenden Sammlertätigkeit sind Schwerpunkte bei Füssli, Corinth, Kokoschka, Vallotton und Hodler zu danken wie auch die bedeutendste Munch-Werkgruppe ausserhalb Skandinaviens. Ähnlich grosses Aufsehen wie seine Munch-Ausstellung von 1922 – er liess ihr ein Jahrzehnt später eine zweite folgen – erregte die von Wartmann 1932 durchgeführte erste umfassende Picasso-Werkschau ausserhalb Frankreichs.[154]

Munch porträtierte Wartmann 1922 ein erstes Mal in einer Lithographie, die auch bei der Ausarbeitung der nachfolgenden ganzfigurigen Bildnisse beigezogen worden sein mag.[155] Der Künstler hatte während seines Zürcher Aufenthalts seinen Freund ins Grand Hotel Dolder eingeladen, um ihn in ganzer Gestalt zu malen. Es entstanden damals und in der Folge eine Bildnisskizze[156] und drei ausgeführte Fassungen. Munch behielt eine der beiden lebensgrossen Fassungen – wenn man der Datierung in den Katalogen der Ausstellungen in Mannheim, Berlin und Oslo 1926/27 vertrauen darf, wäre es die erste gewesen[157] – für sich: sie hat das Publikum mit dem Bildnis von Dr. Wartmann zuerst bekannt gemacht. Die grösste Fassung (Kat.-Nr. 25) gelangte bereits 1929 in das Zürcher Kunsthaus, durfte aber auf Wunsch des Dargestellten zu seinen Lebzeiten nicht ausgestellt werden. Eine dritte, nur halb so grosse Fassung (Kat.-Nr. 24) widmete ihm Munch persönlich. Sie war bisher nur ein einziges Mal öffentlich zu sehen und zwar in der Munch-Ausstellung des Zürcher Kunsthauses von 1952.[158]

53

54

26
Das rote Haus im Schnee.[159] *[1925/26]*
Oel auf Leinwand, 67 x 90 cm
Signiert unten rechts. E. Munch
Privatbesitz

1916 kaufte Munch das Gut *Ekely* in Sköyen, unweit von Oslo, wo er fortan den grössten Teil seines Lebens in mönchischer Einsamkeit und Abgeschiedenheit verbrachte. 1929 sollte er Ragnar Hoppe gestehen: «Mit den Jahren bin ich immer unfähiger geworden, mich unter Menschen – selbst unter meinen besten Freunden – zu bewegen. Stell Dir vor, ich bin seit 6 Jahren in keiner Gesellschaft gewesen, nicht mal als Gast, selbst bei meinen besten Freunden wie Thiis und anderen.»[160] Curt Glaser verdanken wir eine lebendige Schilderung von Munchs Haus und Anwesen in Sköyen.[161] Der Künstler hatte nur einen Wohnraum und das Schlafzimmer möbliert, um in den übrigen Räumen und in den Freilichtateliers, die er errichten liess, ungestört seiner Kunst leben und sich mit seinen Bildern umgeben zu können.

Das rote Haus war vom Atelierfenster aus sichtbar. Munch hat den Ausblick im Laufe der zwanziger Jahre oft gemalt.[162]

27

Winter in Kragerö. 1925–31

Oel auf Leinwand, 136 x 150 cm
Signiert und datiert unten rechts: E. Munch 1925–1931
Zürich, Kunsthaus, Inv. 2254
Eigentum der Zürcher Kunstgesellschaft
Erworben 1932

1927 schreibt Curt Glaser nach einem Besuch bei Munch in *Ekely:* «Er braucht seine alten Bilder, weil seine Phantasie sich an ihnen neu entzündet, weil die Welt, die er sich selbst erschaffen hat, seine eigentliche Welt ist. Aber er braucht sie auch, weil er das Bedürfnis hat, an alten Bildern weiterzumalen, weil viele Bilder, die anderen fertig erscheinen, ihm noch unvollendet sind, und weil er von einem Bilde nur dann sich zu trennen vermag, wenn es sich vollständig von ihm abgelöst hat.» Von einer Landschaft, die Glaser im Atelier entdeckte, meinte der Künstler: «Das Bild ist, glaube ich, vor fünfzehn Jahren angefangen, es war in Kragerö, aber ich male noch immer daran.»[163]

Zwischen 1925 und 1931 – einer Zeit, da er die letzte Fassung des *Kranken Kindes* (1927)[164] malte und die *Kinder im Märchenwald* (Kat.-Nr. 28) wieder vornahm – entstand eine Wiederholung des Bildes *Winter in Kragerö,* dessen erste Fassung von 1912 datiert.[165] Hatte Munch die zweite Version ebenfalls bereits 1912 angefangen und holte er sie jetzt wieder hervor, um sie zu vollenden, oder ist sie erst in der zweiten Hälfte der zwanziger Jahre aufgrund der früheren Fassung[166] in Angriff genommen worden? Diese Frage dürfte kaum mehr schlüssig zu beantworten sein.

Immerhin lassen die beiden Fassungen so viele Unterschiede[167] erkennen, dass man Munchs Rechtfertigung begreift: «Ich habe nie eine echte Kopie meiner Bilder gemacht. Wenn ich ein Motiv mehrfach aufgriff, geschah es ausschliesslich aus künstlerischen Erwägungen und um mich in das Motiv zu vertiefen.»[168] Diese Erklärung leuchtet ein, auch was *Winter in Kragerö* betrifft. Munch sah sich zu einer neuerlichen Auseinandersetzung mit diesem Motiv veranlasst zu einem Zeitpunkt, da er in Sköyen auch vor der Natur verschiedene Schneelandschaften malte (vgl. Kat.-Nr. 26).

28
Kinder im Märchenwald (Märchenwald).[169] *1929*
Oel auf Leinwand, 85,5 x 80 cm
Signiert und datiert unten rechts: Edv. Munch 1929
Basel, Privatbesitz
Erworben 1954 von der Galerie Beyeler, Basel. Vormals
Sammlung Stenersen, Oslo

Auch *Kinder im Märchenwald* gehört zu den Wiederholungen von Bildmotiven aus früherer Zeit. Munch hatte bereits 1927 zwei Bilder aus dem Jahre 1903 in freier Weise wiederaufgenommen – *Waldinterieur (Märchenwald)* und *Tannenbäume im Märchenwald (Wald)*[170] –, die zu einer dekorativen Werkgruppe gehören, die in Zusammenhang mit dem Auftrag von Dr. Max Linde stehen, für das Zimmer seiner vier Söhne einen Fries in kindlicher Art zu gestalten. Die Vermutung liegt deshalb nahe, Munch sei Ende der zwanziger Jahre durch seinen Besuch in Lübeck im Frühjahr 1926, wo er seinen alten Freund und Förderer (der inzwischen Haus, Sammlung und Vermögen verloren hatte) und dessen Familie zum ersten Mal seit 1913 wiedersah, zu einer neuerlichen Beschäftigung mit der *Märchenwald*-Thematik angeregt worden.

Die Kenntnis der *Märchenwald*-Bilder von 1903 ist den Nachforschungen des Munch-Spezialisten Arne Eggum zu verdanken.[171] Er bringt sie mit dem neuerwachten Interesse an Kinderpsychologie und -kunst in Verbindung und interpretiert sie als eine das kindliche Element hervorhebende Reflexion auf die Gruppe der *Winternacht*-Bilder, die um die Jahrhundertwende in Nordstrand entstanden war (vgl. Kat.-Nr. 4, 5).[172] In einem seiner literarischen Tagebücher beschreibt Munch ein Erlebnis aus der Zeit, da er sich der *Märchenwald*-Motivik zuwandte: «Morgens ging ich zum Wald, erst den Weg mit den kleinen friedlichen Häusern auf jeder Seite entlang – in Gärten mit blühenden Kirschbäumen – und Blumen und Grün – da begrüsste ich all die süssen Kleinen – ihre Stimmen waren wie ein frischer Trunk für mein krankes Gemüt – ihre grossen Augen eine schöne, verlassene Welt, in der ich gewesen war – ihre anmutigen, frühlingshaften Bewegungen waren eine Augenweide – und die kleinen Mädchen – wie sehr waren sie Frauen, und die Jungen, wie waren sie Männer – die kleinen Mädchen – scheu, schelmisch – anmutig und lustig – so stolzierten sie um sie herum, dem Naturgesetz gehorchend –. Und dann kam der Wald – der junge Kinderwald – hellgrüne Zweige – wie kleine Kirchturmspitzen – dann höher und kräftiger bis der Wald dastand wie eine gewaltige, feierliche Kirche – Stämme auf Stämme – Pfeiler auf Pfeiler – und die Vögel gaben die Musik dazu.»[173]

Kinder vor dem Märchenwald. 1902
Oel auf Leinwand, 98,5 x 106,5 cm
Oslo, Nationalgalerie

59

Anmerkungen
Verzeichnis der abgekürzt zitierten Literatur und Ausstellungen vgl. S. 174/175.

1
Oslo 1927 Kat.-Nr. 21: *Liten rödhaaret pike med en hvit mus.* – In einem annotierten Exemplar des Ausstellungskatalogs im Besitze der Öffentlichen Kunstsammlung Basel wurde *mus* durchgestrichen und mit *ratte* ersetzt.

2
Brief an Harald Nörregaard, um 1931. – Zit. nach Schneede S. 42

3
Livsfrisens tilblivelse. – Zit. nach Schneede S. 42.

4
Vgl. Kirk Varnedoe, Christina Krohg and Edvard Munch, in: Arts Magazine, Vol. 53, No. 8, April 1979, S. 88–95. – Schneede S. 19–24.

5
Zit. nach Schneede S. 22.

6
Livsfrisens tilblivelse. – Zit. nach Schneede S. 43.

7
Ronald Alley, Catalogue of The Tate Gallery's Collection of Modern Art other than works by British Artists, London 1981, S. 550.

8
Vgl. Schneede S. 52–60.

9
Betzy Nielsen war auch das Modell einer *Kopfstudie*, 1885 (Eggum S. 45, Abb. 77; Schneede S. 14, Abb. 8) und von *Frühling*, 1889 (Eggum S. 49, Abb. 83; Heller S. 45, Abb. 26).

10
Oslo 1927 Kat.-Nr. 21, mit Hinweis, dass es sich um das selbe Modell handelt wie *Das kranke Kind.*

11
Musik auf der Strasse: Edvard Munch – Ernst Barlach, Galerie Alfred Flechtheim, Düsseldorf 1914, Kat.-Nr. 3. – Glaser S. 122, Abb. 8.
Musik auf der Karl Johan-Strasse in Oslo: Berlin 1927 Kat.-Nr. 20.

12
Zit. nach Munch im Kunsthaus Zürich S. 16.

13
Som vi kjente ham, Oslo 1946. – Zit nach Svenaeus 2, S. 34.

14
Ca. 1890–93. – Zit. nach Heller S. 40

15
Kind mit Puppen: Zürich 1922 Kat.-Nr. 8. – Basel 1922 Kat.-Nr. 8. Der Titel *Nora* vermutlich erstmals Zürich 1952 Kat.-Nr. 10.

16
1883. New York, Metropolitan Museum of Art. – Andrew McLaren Young, Margaret MacDonald, Robin Spencer, The Paintings of James McNeill Whistler, New Haven + London 1980, Kat.-Nr. 252, Abb. 159.

17
1868. Paris, Petit Palais. – Denis Rouart, Daniel Wildenstein, Edouard Manet, Catalogue raisonné, tome I, Peintures, Kat.-Nr. 132.

18
Eggum S. 41, Abb. 72; Heller S. 31, Abb. 19.

19
Vgl. Zürich 1922 Kat.-Nr. 8.

20
Curt Glaser, Besuch bei Munch, in: Kunst und Künstler, XXV, 1927, S. 205.

21
Zima (Winter): Manes, XV. Vystava, Prag 1905, Kat.-Nr. 106. *Winterlandschaft:* Zürich 1952 Kat.-Nr. 22.

22
Eggum, Linde-Fries S. 8, Abb. 4: datiert ca. 1900.

23
Winterlandschaft im Mondschein: XIX. Ausstellung der *Vereinigung Bildender Künstler Österreichs, Secession,* Wien 1904, Kat.-Nr. 41. *Winternacht:* Zürich 1932 Kat.-Nr. 1.

24
Eggum S. 158, Abb. 253: datiert 1900/1901.

25
Zit. nach Heller S. 171.

26
Vgl. Kat.-Nr. 7.

27
Werner Hofmann, Zu einem Bildmittel Edvard Munchs, in: Werner Hofmann, Bruchlinien, Aufsätze zur Kunst des 19. Jahrhunderts, München 1979, S. 125.

28
Vgl. Anm. 23.

29
Für eine Rekonstruktion der *Manes*-Ausstellung von 1905 vgl. Edvard Munch og den Tsjekkiske Kunst, Ausstellungskatalog Munch-Museet, Oslo 1971.

30
Eggum, Linde-Fries S. 37.

31
Eggum S. 173, Abb. 275.

32
Zürich 1922 Kat.-Nr. 23: datiert Berlin 1901. – Berlin 1927 Kat.-Nr. 72: datiert 1901.

33
Brief vom 14. Dezember 1919. – Zit. nach Munch im Kunsthaus Zürich S. 40.

34
Eggum, Linde-Fries S. 6.

35
Brief an Jens Thiis. – Zit. nach Krieger S. 82.

36
Curt Glaser, in: Herbert von Flotow (Hrsg.), Albert Kollmann, Ein Leben für die Kunst, Berlin-Friedenau 1921, S. 11f. – Zit. nach Munch im Kunsthaus Zürich S. 41.

37
Brief an Jens Thiis. – Zit. nach Krieger S. 82.

38
Vgl. Munch im Kunsthaus Zürich, Abb. 10–12, 14, 15.

39
Glaser S. 70.

40
Landstrasse: Fritz Gurlitt, Berlin 1914, Kat.-Nr. 57. – Glaser S. 137, Abb. 24. – Zürich 1922 Kat.-Nr. 16. – Basel 1922 Kat.-Nr. 15. *Landstrasse (Aasgaardstrand):* Berlin 1927 Kat.-Nr. 78. *Gate in Aasgaardstrand:* Oslo 1927 Kat.-Nr. 131a.

41
1902 datiert in: Glaser S. 137, Abb. 24. – Zürich 1922 Kat.-Nr. 16. 1903 datiert in: Berlin 1927 Kat.-Nr. 78. – Oslo 1927 Kat.-Nr. 131a.

42
Georg Schmidt, Edvard Munch, I, in: National-Zeit, Nr. 490, 18. Oktober 1922. – Schmidt bezieht sich hier auf das Bild *Spielsaal* von 1892 (Eggum S. 78, Abb. 134; Heller S. 97, Abb. 64), das als Kat.-Nr. 6 in der Munch-Ausstellung der Kunsthalle Basel zu sehen war.

43
Munch im Kunsthaus Zürich S. 18 und 24, Anm. 3.

44
Hofmann (wie Anm. 27) S. 111–127. – Hofmann untersucht das Bildthema "Eifersucht".

45
Literarisches Tagebuch. – Zit. nach *Edvard Munch, Liebe, Angst, Tod,* Ausstellungskatalog Kunsthalle Bielefeld 1980, S. 170.

46
Paysages après l'Impressionisme, Ausstellungskatalog Galerie Beyeler, Basel 1975, Kat.-Nr. 52 mit Farbtafel.

47
Háj Studentu (Studenterlunden): Manes, XV. Vystava, Prag 1905, Kat.-Nr. 46.

Sommernacht: Zürich 1922 Kat.-Nr. 18. – Basel 1922 Kat.-Nr. 17. *Küssende Paare in Studenterlunden:* Eggum, Linde-Fries S. 7.

48
Zürich 1922 Kat.-Nr. 18: datiert Kristiania 1902.

49
Tereza Koseová hatte das Bild 1905 in der von der Prager Künstlervereinigung *Manes* organisierten Munch-Ausstellung erworben. 1922 war es in der Zürcher Munch-Ausstellung als verkäuflich angeschrieben und gelangte in Schweizer Privatbesitz.

50
Notizbuch, um 1918. – Zit. nach Krieger S. 13.

51
Eggum, Linde-Fries S. 7.

52
Eggum, Linde-Fries S. 56, Anm. 15.

53
Vgl. Eggum, Linde-Fries.

54
Vgl. Krieger.

55
1899/1900. Oslo, Nationalgalerie. – Eggum S. 168, Abb. 269.

56
1900. Oslo, Munch-Museet. – Eggum S. 167, Abb. 267.

57
1899. Oslo, Nationalgalerie. – Stang S. 168, Abb. 218; Eggum, Linde-Fries S. 7, Abb. 2.

58
Eggum, Linde-Fries S. 7.

59
Zit. nach Eggum, Linde-Fries S. 6.

60
Ist die als Kat.-Nr. 186 aufgeführte *Dorfstrasse* identisch mit *Landstrasse* (Kat.-Nr. 7)?

61
Hans Rosenhagen, Die *Fünfte Ausstellung der Berliner Secession,* in: Die Kunst für Alle, XVII. Jg., 1902, S. 458 und 461.

62
Georg Schmidt, Edvard Munch, II, in: National-Zeitung Nr. 490, 18. Oktober 1922.

63
Brief vom 8. August 1904. – Zit. nach Eggum, Linde-Fries S. 17.

64
Zit. nach Eggum, Linde-Fries S. 32. – In einem vom 4. Februar 1909 datierten Brief an Jappe Nilssen erinnert sich Munch des Vorfalls, täuscht sich indessen, wie in der Lithographie *Die Arretierung,* im Datum (vgl. Eggum, Linde-Fries S. 33): «1903 werde ich, während ich im Schlosspark male, von betrunkenen Strolchen belästigt, die

ich wegjage – die aber mit einem Polizeiwachtmeister zurück-
kommen, der vor meinen Augen Gierlöff mit einer Rute auf die
Hände schlägt und uns zwingt, mit all meinen Malsachen auf die
Wache zu gehen – ein Wagen wird uns verweigert.» (Zit. nach
*Edvard Munch, Höhepunkte des malerischen Werks im 20. Jahr-
hundert,* Ausstellungskatalog Kunstverein Hamburg 1984/85, S. 53.)

65
Eggum, Linde-Fries S. 40.

66
Ein *Travemünde* betiteltes Bild befand sich unter den Werken, die
Munch von Januar bis Februar 1904 in der *Wiener Secession* aus-
stellte (Kat.-Nr. 37). Demnach müssen die in Travemünde gemalten
Landschaften bereits 1903 entstanden sein und nicht erst 1904 oder
1906, wie bisher angenommen.

67
Gustav Lindtke (Hrsg.), Edvard Munch – Dr. Max Linde, Brief-
wechsel 1902–1928, Veröffentlichung VII, Amt für Kultur, Senat der
Hansestadt Lübeck (1974), S. 75, Abb. 10.

68
Krajina (Landschaft): Manes, XV. Vystava, Prag 1905, Kat.-Nr. 111.
Dieses Bild ist gelegentlich unter dem Titel *The Garden Wall* ausgestellt worden: The Institute of Contemporary Art, Boston 1950, Kat.-
Nr. 35. – Arts Council, London 1951, Kat.-Nr. 34. – Ist das Bild
identisch mit *Alte Bäume in Aasgaardstrand,* 1904, das als Leih-
gabe von J.B. Stang, Oslo, ausgestellt war in Berlin 1927 Kat.-Nr. 87
und in Oslo 1927 Kat.-Nr. 137?

69
Falls identisch mit *Sommernacht in Aasgaardstrand,* einem Bild
das als Kat.-Nr. 43 im Januar und Februar 1904 in der *Wiener
Secession* ausgestellt war, so müsste als Entstehungsdatum 1903
angenommen werden.

70
Glaser S. 37f.

71
Mannheim 1926/27 Kat.-Nr. 14: datiert 1904.

72
1899. Oslo, Nationalgalerie. – Stang S. 168, Abb. 218.

73
1898. Oslo, Privatbesitz. – Eggum S. 154, Abb. 247.

74
Verlag Friedrich Gottheimer, Berlin 1902. – Eine neue Ausgabe der
Schrift, die jetzt auf den Untertitel der Erstausgabe verzichtete,
erschien 1905 im selben Verlag.

75
Rolf Andree, Arnold Böcklin, Die Gemälde, Basel/München 1977,
Kat.-Nr. 316 *(Der Schatzhüter,* 1877); Kat.-Nr. 351 *(Ruggiero befreit
Angelica aus den Klauen des Drachen,* um 1880); Kat.-Nr. 417 *(Der
Kampf auf der Brücke,* 1889).

76
Emil Heilbut, die Sammlung Linde in Lübeck, in: Kunst und
Künstler, II, 1904, S. 6–20, 303–325.

77
Eggum, Linde-Fries Abb. XV. – Eggum S. 214, Abb. 329. – Claudie
Judrin, Acquistion pour le musée Rodin d'une peinture de Munch,
in: La revue du Louvre, XXX année, 5/6, 1981, S. 387–389.

78
Linde, Neue Ausgabe 1905 (wie Anm. 74), S. 14.

79
Lübeck, Behnhaus. – Eggum S. 193, Abb. 300; Heller S. 182 Abb.
149.

80
Carl Georg Heise, Edvard Munch, Die vier Söhne des Dr. Max
Linde, Stuttgart 1956, S. 6.

81
Halle, Landesgalerie, bzw. Oslo, Vermächtnis Rolf E. Stenersen. –
Eggum, Linde-Fries Abb. 25, 26. – Eggum S. 197, Abb. 307.

82
1903. Stockholm, Thielska Galleriet. – Eggum, Linde-Fries Abb. V.
– Eggum S. 195, Abb. 303.

83
Lindtke (wie Anm. 67) S. 10. – Gustav Lindtke, Edvard Munch und
Lübeck, in: Swissair Gazette, 12, 1982, S. 26.

84
Brief vom 28. August 1925. – Lindtke (wie Anm. 67) S. 55.

85
Mannheim 1926/27 Kat.-Nr. 12 und 13.

86
Dame in Weiss: Winterthur 1954 Kat.-Nr. 5. – *Munchs Tante:*
Schaffhausen 1968 Kat.-Nr. 38. Dieser Titel stammt vom jetzigen
Besitzer des Bildes, der eine Ähnlichkeit der Dargestellten mit
Munchs Tante Karen Bjölstad, feststellen zu können glaubte.

87
Winterthur 1954 Kat.-Nr. 5: datiert um 1900. – Schaffhausen 1968
Kat.-Nr. 38: datiert um 1904.

88
V. Ausstellung, IX. Jahrgang, Paul Cassirer, Berlin 1907, Kat.-Nr. 76
oder 82: *Kinderbildnis. – Internationale Kunstausstellung, Sonder-
bund,* Köln 1912, Kat.-Nr. 535: *Kinderbild.*

89
Eggum, Linde-Fries S. 31.

90
Vgl. Kat.-Nr. 3.

91
Um 1876. Washington, D. C., Freer Gallery of Art. – McLaren Young,
MacDonald, Spencer (wie Anm. 16) Kat.-Nr. 185, Abb. 154.

92
1878. Tokio, Bridgestone Gallery. – Rouart/Wildenstein (wie Anm. 17) Kat.-Nr. 277.

93
Eggum, Linde-Fries S. 34.

94
Brief an Frau Esche. – Zit. nach Heller S. 187.

95
Tilbakeblikk. – Zit. nach Heller S. 183.

96
Biographische Angaben nach Monica Knaben-Cossardt, in: Munch im Kunsthaus Zürich S. 50.

97
Reinhold A. Heller, Strömpefabrikanten, Van de Velde og Edvard Munch, in: Kunst og Kultur, 51. Jg., 2. Heft, 1968, S. 89–104. – Eggum S. 205, Abb. 316.

98
Heller (wie Anm. 97) Abb. S. 91. – Eggum S. 205, Abb. 317.

99
Krieger S. 124, Anm. 34.

100
Schiefler 74 und 171A.

101
Zit. nach Krieger S. 17.

102
Zit. nach Krieger S. 17.

103
Zit. nach Paal Hougen, in: Munch und Ibsen, Ausstellungskatalog Kunsthaus Zürich 1976, S. 11f. – Krieger S. 15.

104
Zit. nach Krieger S. 16.

105
Zit. nach Krieger S. 16.

106
Zit. nach Hougen (wie Anm. 103) S. 12.

107
Zit. nach Krieger S. 25.

108
Zit. nach Hougen (wie Anm. 103) S. 12.

109
Zit. nach Krieger S. 17.

110
Zit. nach Krieger S. 25.

111
Krieger S. 32–63.

112
An der Trave in Lübeck: XV. Ausstellung der Berliner Secession, Berlin 1908, Kat.-Nr. 181.
Hafen in Lübeck: Kunstsalon Fritz Gurlitt, Berlin 1914, Kat.-Nr. 44.
Lübecker Hafen: Edvard Munch – Ernst Barlach, Galerie Alfred Flechtheim, Düsseldorf 1914, Kat.-Nr. 7.
Hafen von Lübeck: Glaser S. 161, Abb. 48. – Zürich 1922 Kat.-Nr. 31.

113
Berlin, Neue Nationalgalerie. – Eggum S. 215, Abb. 331.

114
Eggum, Linde-Fries S. 52.

115
Eggum, Linde-Fries S. 52. – Eggum S. 214. – Arne Eggum, Edvard Munch und die Fauves, Vorläufer des Expressionismus im 20. Jahrhundert, in: Edvard Munch, Höhepunkte des malerischen Werks im 20. Jahrhundert (wie Anm. 64) S. 29–31.

116
Zürich 1922 Kat.-Nr. 41: datiert Kragerö 1911.

117
Brief an Ernest Thiel, ca. Oktober 1908. – Zit. nach Heller S. 198.

118
Brief an Jappe Nilssen, 3. Februar 1909. – Zit. nach Heller S. 204.

119
Maler des Expressionismus im Briefwechsel mit Eberhard Grisebach, Hamburg 1962, S. 15.

120
Edvard Munch, Arbeiterbilder 1910–1930, Ausstellungskatalog Kunstverein Hamburg 1978.

121
Oslo, Munch-Museet. – Eggum S. 245, Abb. 365: datiert gegen 1912. – Es war diese zweite Fassung, die 1914 im Kunstsalon Fritz Gurlitt in Berlin als Kat.-Nr. 77 ausgestellt war, und nicht die Zürcher Fassung (vgl. Munch im Kunsthaus Zürich S. 61).

122
Willoch Abb. 183. – Munch im Kunsthaus Zürich S. 65, Abb. 24 und S. 66, Anm. 1.

123
August L. Mayer, Von modernen amerikanischen Kunstsammlungen, in: Kunst und Künstler, XXI, 1921, S. 301: Damenbildnis. – Zürich 1922 Kat.-Nr. 45: Frau Professor Gl. – Mannheim 1926/27 Kat.-Nr. 43: Damenbildnis (Frau Prof. Gl.) – Berlin 1927 Kat.-Nr. 155: Frau Elsa Glaser.

124
Datierung aufgrund der Lithographie Schiefler 405.

125
Paul Westheim, Erinnerung an eine Sammlung, in: Das Kunstblatt, II. Jg., 1918, Abb. S. 241: Frauenbildnis.

126
Zur Datierung vgl. Hugo Perls, Warum ist Kamilla schön? Von Kunst, Künstlern und Kunsthandel, München 1962, S. 20.

127
Vormals in der von Westheim (wie Anm. 125) beschriebenen, nicht identifizierten Sammlung.

128
Darunter die hier ausgestellten Bilder *Travemünde,* Kat.-Nr. 9, und *Kinderbild,* Kat.-Nr. 14.

129
Postkarte an Kandinsky vom 25. September 1912. – Wassily Kandinsky, Franz Marc: Briefwechsel, hrsg., von Klaus Lankheit, München 1983, S. 190.

130
Brief an Jappe Nilssen, ca. 23. Mai 1912. – Zit. nach Edvard Munch, Höhepunkte des malerischen Werks im 20. Jahrhundert (wie Anm. 64) S. 21.

131
Dieses bot, wie Glaser 1917 konstatierte, «für das Studium von Munchs Graphik ... die vorläufig beste Gelegenheit.» (Glaser S. 113).

132
Vgl. die Munch-Bibliographie von Lucius Grisebach in Bock/Busch S. 229.

133
Yvonne Höfliger in Munch im Kunsthaus Zürich S. 72f.

134
Perls (wie Anm. 126) S. 57.

135
Perls (wie Anm. 126) S. 56.

136
Zürich 1922 Kat.-Nr. 43: *Doppelbildnis Perl (sic.) und Frau,* Kragerö 1912. – *Edvard Munch,* Ausstellungskatalog Galleri Bellman, New York 1982, Kat.-Nr. 10: *The Parting,* ca. 1912.

137
Glaser S. 106f.

138
Perls (wie Anm. 126) S. 20f.

139
Eggum S. 113, Abb. 193.

140
Perls (wie Anm. 126) S. 19.

141
Perls (wie Anm. 126) S. 29.

142
Grosse Küstenlandschaft: Paul Cassirer, Berlin 1921, Kat.-Nr. 8. – Galerie Caspari, München 1921, Kat.-Nr. 5. – Mannheim 1926/27 Kat.-Nr. 50.
Schärenlandschaft: Kunst und Künstler, XIX, 1921, S. 312.

143
Zum Vorstehenden ausführlicher Heller S. 206–212.

144
Heller S. 207, Abb. 170c.

145
Heller S. 207, Abb. 170a.

146
H. A. Pellegrini, Zwei Bilder von Edvard Munch, in: Basler Nachrichten, Nr. 29, 15. Juli 1928.

147
Apfelbaum: V.Z.K., Werke aus dem Besitze von Mitgliedern der Vereinigung Zürcher Kunstfreunde, Kunsthaus Zürich 1927, Kat.-Nr. 196. – Zürich 1932 Kat.-Nr. 23 *Der Apfelbaum.*

148
1895. Bergen, Rasmus Meyers Samlinger. – Eggum S. 134, Abb. 221.

149
Oslo, Kommunes Kunstsamlinger. – Stang S. 172, Abb. 223.

150
1894–95, 1918. Oslo, Munch-Museet. – Eggum S. 157, Abb. 250. – Heller S. 141, Abb. 104.

151
Zum Vorstehenden vgl. Eggum S. 156.

152
1898. Privatbesitz. – Eggum S. 154, Abb. 247.

153
Brief an Pola Gauguin. – Zit. nach Munch im Kunsthaus Zürich S. 10.

154
Zum Vorstehenden: René Wehrli, Wilhelm Wartmann zum Gedächtnis, in: Neue Zürcher Zeitung, Nr. 350, 31. Juli 1970, S. 17. – Jacqueline Burckhardt in Munch im Kunsthaus Zürich S. 88.

155
Jacqueline Burckhardt in Munch im Kunsthaus Zürich S. 94.

156
Oslo, Munch-Museet. – Munch im Kunsthaus Zürich S. 91, Abb. 35.

157
Oslo, Munch-Museet. – Munch im Kunsthaus Zürich S. 91, Abb. 36. Mannheim 1926/27 Kat.-Nr. 56: *Museumsdirektor Dr. Wartmann,* 1922. – Berlin 1927 Kat.-Nr. 188; Oslo 1927 Kat.-Nr. 245: *Dr. Wartmann Zürich,* 1922.

158
Zürich 1952 Kat.-Nr. 69: *Herrenbildnis,* 1923.

159
Berlin 1927 Kat.-Nr. 213: *Das rote Haus im Schnee,* 1925/26. – Oslo 1927 Kat.-Nr. 269: *Det röde hus i sne,* 1925/26. Das Bild befand sich 1927 noch im Besitze des Künstlers. – Bern 1958 Kat.-Nr. 34: *Landschaft mit rotem Haus.* – Schaffhausen 1968 Kat.-Nr. 92: *Das rote Haus,* 1925/26.

160
Brief an Ragnar Hoppe vom 29. Januar 1929. – Zit. nach Stang S. 24.

161
Glaser, Besuch bei Munch (wie Anm. 20) S. 203–209.

162
Es seien die folgenden Beispiele angeführt:
Das rote Haus, um 1920, Aquarell (Edvard Munch, Ausstellungskatalog Galleri Bellman, New York 1982, Kat.-Nr. 9)
Winter, Ekely, 1923/24 (Kunstverein Hamburg 1984/85 Kat.-Nr. 41, Abb. S. 132)
Auf der Veranda, 1923/24 (Kunstverein Hamburg 1984/85 Kat.-Nr. 43, Abb. S. 133)
Landschaft mit rotem Haus, 1926 (Mannheim 1926/27 Kat.-Nr. 71, Abb. S. 23. – Berlin 1927 Kat.-Nr. 219 mit Abb.)
Rotes Haus und Tannen, um 1927 (Eggum S. 277, Abb. 411).

163
Glaser, Besuch bei Munch (wie Anm. 20) S. 107.

164
Schneede S. 59.

165
Oslo, Munch Museet. – Eggum S. 242, Abb. 361.

166
Die erste Fassung von 1912 befand sich 1927 in Osloer Privatbesitz; vgl. Berlin 1927 Kat.-Nr. 151.

167
Regula Wingler in Munch im Kunsthaus Zürich S. 96–100.

168
Zit. nach Schneede S. 61.

169
Kinder im Märchenwald: Galerie Beyeler, Basel 1954, Kat.-Nr. 5. – Bern 1958 Kat.-Nr. 85. – *Märchenwald:* Basler Privatbesitz, Kunsthalle Basel 1957, Kat.-Nr. 231.

170
Eggum Abb. 1. – Eggum, Linde-Fries S. 23 und Abb. III – Das Bild *Wald* von 1927 abgebildet in: Edvard Munch, Ausstellungskatalog Galerie Beyeler, Basel 1954, Kat.-Nr. 4.

171
Arne Eggum, Edvard Munch og hans bilder fra eventyrskoven, Kastrupgaardsamlingen 1979. – Eggum, Linde-Fries S. 17–31.

172
Eggum, Linde-Fries S. 23.

173
Zit. nach Eggum, Linde-Fries S. 57, Anm. 29.

Zeichnungen

Dieter Koepplin

Mädchen am Fenster. 1894
Kat.-Nr. 35

29
Seine-Ufer bei Nacht. 1890   (Abb. S. 69)
Pastell
Unten links mit Kreide: E M
34,9 x 26,9 cm (Blatt)
Farbabb. im Kat. der Gal. Beyeler, Basel 1965, Nr. 1,
("Menton. 1895")
Bern, Graphische Sammlung des Kunstmuseums, über-
geben vom Verein der Freunde des Berner Kunstmuseums,
Inv. A 9546.

        Wahrscheinlich in St-Cloud von Munchs Zimmer aus
gemalt (vgl. Svenaeus 2, S. 44f.) in genau derselben Blick-
richtung wie das am sonnenhellen Tag gemalte, hellblaue
Bild *Die Seine bei St-Cloud* von 1890 (Eggum, Abb. 109).
Zwei Gaslaternen lassen ihr Licht im Wasser spiegeln ähnlich den Sternen auf dem Bild der *Sternennacht* von 1893
(Eggum Abb. 167), das in der Lithographie *Anziehung* von
1896 (Kat.-Nr. 68) weiterwirkt: Ein Grundmotiv Munchs ist
als Pariser Impression und mit französischer Sensualität formuliert, gewiss auch in Kenntnis der Kunst Whistlers. Der
von einem Mann geführte Gaul im Vordergrund und die
Menschenfigur links vom Baum sind typisch munchische
Schattengestalten. Verwandte Nachtstimmungen auf den
Kaltnadelarbeiten *Mädchen am Fenster* (Kat.-Nr. 35) und
Mondschein (Kat.-Nr. 41) von 1894/95 und den entsprechenden Bildern von 1890/91 (Svenaeus 1, Abb. 15 und 17).

Seine-Ufer bei Nacht. 1890
Kat.-Nr. 29

30
Eine über dem Kopf eines alten Mannes sich aufrichtende
nackte Frau. Um 1897
Mit grüner Kreide auf grauem, ursprünglich wohl
bläulichen Papier
Am Rand links von fremder Hand mit Bleistift:
Vampyr 1894?; auf der Rückseite mit Kugelschreiber:
Fra Edvard Munchs Kissebok [Skizzenbuch], Oslo 25/6-62,
Berta Folkedal.
36,0 x 25,2 cm (Blatt)
Bern, Graphische Sammlung des Kunstmuseums,
Geschenk 1970, Inv. A 8740

      Thematisch scheint die in scharfem Grün ausgeführte
Zeichnung etwa in den Kreis der Salome-Paraphrasen zu
gehören, ebenso in den Zusammenhang der Darstellungen
von Urnen, bei denen eine nackte Frau sich über dem Kopf
eines alten Mannes erhebt (Svenaeus 2, Abb. 246, 248). Vgl.
auch die Werkgruppe Heller 1984, Abb. 97, 99, 101, 103
(1893/95). Grün als Farbe des reifen Lebens (Heller, S. 140)
könnte in diesem Zusammenhang bewusst gewählt sein.
Stilistisch steht der Zeichnung ein um 1897 entstandenes
Aquarell nahe, das ein nacktes, frontal gesehenes Mädchen
über einem grossen Schlangenleib zeigt (Eggum Abb. 230).
Merkwürdig und anders ist aber auf unserer Zeichnung der
verlorene Blick und die Anschneidung des Kopfes durch die
obere Einfassungslinie.

*Eine über dem Kopf eines alten Mannes sich
aufrichtende nackte Frau. Um 1897*
Kat.-Nr. 30

31
Junges Mädchen am Strand den Mond oder die Sonne
betrachtend. Um 1907
Pastell auf braunem Papier
Unten links mit Bleistift: EMunch
16,9 x 10,7 cm (Blatt)
Basel, Privatbesitz

Stilistisch dem 1907 für Max Reinhardt gemalten
Lebensfries nahestehend (Kat. Berlin 1978). Das weiss
gekleidete Mädchen trägt einen gelben Hut in derselben
Farbe wie der Mond (oder die Sonne), der sich im hellblauen
Meer spiegelt. Die Steine vorn in rosa, schwarzblau und
schwarz.

Junges Mädchen am Strand den Mond oder
die Sonne betrachtend. Um 1907
Kat.-Nr. 31

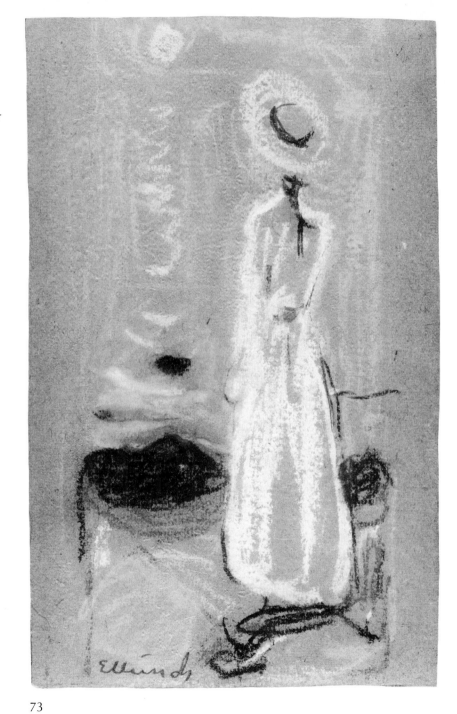

Druckgraphik

Gustav Coutelle und Dieter Koepplin

32

Das Mädchen und der Tod. 1894
(Abb. S. 132)
Kaltnadelarbeit
Schwarz auf Chine collé
Druck von Angerer oder Sabo, Berlin
30,7 x 21,8 cm (Platte); (Blatt dem Platten-
rand entlang beschnitten)
Schiefler 3a. – Abb. Willoch 3
Basel, Kupferstichkabinett, Inv. 1929.27

Seitenverkehrte graphische Version des
motivisch gleichen Gemäldes von 1893
(Langaard/Revold Taf. 6). Das Thema "Mädchen und Tod" taucht im druckgraphischen
Werk von Munch noch mehrfach auf (vgl.
die Kaltnadelarbeit von 1896, Schiefler 44,
Willoch 36; die Lithographie von 1899,
Schiefler 119, Timm 1, Taf. 74; mit letzterer
vgl. auch die Lithographie von 1913, Schiefler 413, Timm 1, Taf. 151)

33

Das Mädchen und der Tod. 1894
Kaltnadelarbeit
Schwarz auf gelblichem Velin
Druck von Felsing, Berlin
Unter der Darstellung rechts mit Bleistift:
Edv. Munch
30,6 x 22,0 cm (Platte); 48,5 x 36,5 cm (Blatt)
Schiefler 3 b. – Abb. Willoch 3
Zürich, Graphik-Sammlung ETH, Inv.
1960.24

34

Harpyie (Vampyr). 1894
Kaltnadelarbeit
Schwarz auf weissgrauem Velin
Druck von Angerer oder Sabo, Berlin
Unter der Darstellung rechts mit Bleistift:
E. Munch 7t Dr.-2t Z. 1894
30,1 x 22,2 cm (Platte)
Schiefler 4 II. – Abb. Willoch 4
Bern, Privatbesitz

In einer Lithographie von 1900 (Schiefler
137, Sarvig Abb. S. 56; zweifarbiges Exemplar: Stang Abb. 153) formulierte Munch
dasselbe Thema in dramatischer Zuspit-
zung. Siehe ferner Svenaeus 2, S. 155, Abb.
146 und 150.

35

Mädchen am Fenster. 1894
(Abb. S. 68)
Kaltnadelarbeit
Schwarz auf gelblichem
Japanbüttenpapier
Druck von Angerer, Berlin
Unter der Darstellung rechts mit Bleistift:
Edvard Munch 7
22,0 x 15,8 cm (Platte); 48,0 x 33,0 cm (Blatt)
Schiefler 5 V b. – Abb. Willoch 5
Zürich, Graphische Sammlung des
Kunsthauses, Inv. 1933.1

Blatt 1 (7/10) der von Julius Meier-Graefe
1895 herausgegebenen Mappe mit 8 Radierungen von Munch. Seitenverkehrte graphische Version des motivisch gleichen Gemäldes von 1891 (Svenaeus 1, Abb. 17).

36

Trost. 1894
Kaltnadelarbeit mit Aquatinta
Schwarz auf gelblichem Velin
Druck von Felsing, Berlin
Unter der Darstellung rechts mit Bleistift:
Edv. Munch; links: O Felsing Berlin gdr
21,8 x 32,1 cm (Platte); 35,0 x 51,0 cm (Blatt)
Schiefler 6 b. – Abb. Willoch 6
Zürich, Graphik-Sammlung ETH,
Inv. 1953.13

Munch hat das Motiv mehrfach graphisch
und malerisch gestaltet. Vgl. die Kohlezeichnung von 1894 (Timm 1, Taf. 4) und
das Gemälde von 1907 (Eggum Abb. 343).

37

Das kranke Mädchen. 1894
(Abb. S. 143)
Kaltnadelarbeit
Schwarz auf gelblichem Velin
Druck von Felsing, Berlin
38,8 x 29,2 cm (Platte); 43,8 x 33,0 cm (Blatt)
Schiefler 7 V d. – Abb. Willoch 7
Basel, Kupferstichkabinett, Inv. 1931.123

Seitenverkehrte graphische Version des in
Gemälden von 1885 bis 1927 mehrfach gestalteten Motivs (siehe die Monographie zu
diesem Thema von Schneede; Munch-Kat.
Bielefeld 1980, Abschnitt *Das kranke Kind*,
S. 197-206). Munch hat in der vorliegenden,
auf ein Gemälde von 1885/86 der Nationalgalerie Oslo zurückgehenden Kaltnadelarbeit unter die Darstellung im Sinne einer

kontrastierenden Remarque skizzenhaft
eine den Frühling und das Leben symbo-
lisierende Landschaft gesetzt (vgl. Heller
1984, S. 150). Mit dieser Ergänzung füllte er
die verglichen mit dem Gemälde gestreck-
ter hochformatige Kupferplatte aus.

38

Modellstudie. 1894/95
(Abb. S. 141)
Kaltnadelarbeit
Schwarz auf gelbbraunem Japanpapier
Druck von Felsing, Berlin
Unter dem unteren Plattenrand rechts mit
Bleistift: Edv. Munch; unter der Darstellung
links: O Felsing Berlin gdr
28,4 x 20,9 cm (Platte); 51,0 x 35,0 cm (Blatt)
Schiefler 9 II b. – Abb. Willoch 8
Privatbesitz

Munch hat die Kaltnadelarbeit in einer Kohlezeichnung vorbereitet (Abb. bei Willoch).
Motivisch steht sie mit *Pubertät* in einem
gewissen Zusammenhang (Lithographie
von 1894: Schiefler 8, Timm 1, Taf. 10;
Radierung von 1902 Kat.-Nr. 101). Der
beängstigende Schatten gleicht einer übergrossen, im Profil sich nähernden Männer-
gestalt.

39

Christiania-Bohème I. 1895
Radierung mit Aquatinta
Schwarz auf gelblichem Japan-
büttenpapier
Druck von Angerer, Berlin
Unter der Darstellung rechts mit Bleistift:
Edvard Munch 7
22,0 x 30,0 cm (Platte); 47,0 x 65,0 cm (Blatt)
Schiefler 10 II b. – Abb. Willoch 9
Zürich, Graphische Sammlung des
Kunsthauses, Inv. 1933.3

Blatt 3 (7/10) der von Julius Meier-Graefe
1895 herausgegebenen Mappe mit 8 Radierungen von Munch. Am linken Bildrand,
halb sichtbar, stellte sich Edvard Munch
selber dar. Munch hat dieses Blatt nach dem
1885 unter grossem Aufsehen erschienenen
Roman: *Christiania-Bohème* von Hans
Jaeger benannt. Vgl. zu diesem Thema das
Gemälde *Das erste Glas Schnaps* von
1905/06 (Kat. Stockholm 1977, Abb. S. 114)

40

Tête-à-tête (Plauderstunde). 1895

Radierung
Schwarz auf gelblichem Japanbüttenpapier
Druck von Angerer, Berlin
Unter der Darstellung rechts mit Bleistift:
Edvard Munch 7
22,0 x 33,0 cm (Platte); 47,0 x 65,0 cm (Blatt)
Schiefler 12 III b. – Abb. Willoch 11
Zürich, Graphische Sammlung des
Kunsthauses, Inv. 1933.4

Blatt 4 (7/10) der von Julius Meier-Graefe
1895 herausgegebenen Mappe mit 8 Radierungen von Munch. Graphische Version
des motivisch gleichen Gemäldes von 1885
(Eggum Abb. 73). Der Pfeife rauchende
Mann stellt Munchs Freund, den norwegischen Maler Karl Jensen-Hjell (1861–1888)
dar.

41

Mondschein. 1895

Kaltnadelarbeit mit Aquatinta
Schwarz auf gelblichem Velin
Druck von Felsing, Berlin
Auf der Rückseite mit Bleistift: 2/5
35,5 x 26,8 cm (Bild); 38,8 x 33,9 cm (Blatt)
Schiefler 13 III d. – Abb. Willoch 12
Winterthur, Stiftung Oskar Reinhart

Seitenverkehrte graphische Version des Gemäldes *Nacht in St. Cloud* von 1890 (Thiis
Abb. S. 32)

42

Badende Mädchen. 1895

Kaltnadelarbeit mit Aquatinta
Hellbraun, dunkelbraun und schwarz auf
gelblichem Velin
Druck von Felsing, Berlin
Unter der Darstellung rechts mit Bleistift:
Edv. Munch; links: O Felsing Berlin gdr
22,1 x 32,2 cm (Platte)
Schiefler 14 b III. – Abb. Willoch 13
Schweizer Privatbesitz, Sammlung C. K.

Munch hat das Thema "Badende Mädchen"
in einem Gemälde von 1901/02 weiter ausgestaltet (Eggum Abb. 293).

43

Der Tag danach. 1895

Kaltnadelarbeit
Schwarz auf gelblichem, dünnem
Japanpapier
Druck von Angerer oder Sabo, Berlin
Auf der Darstellung unten Mitte mit
Bleistift: E. Munch 1894
19,3 x 27,4 cm (Platte); Blatt beschnitten
Schiefler 15 a I. – Abb. Willoch 14
Basel, Kupferstichkabinett, Inv. 1929.72

Seitenverkehrte graphische Version des motivisch gleichen Gemäldes von 1894 (Timm
2, Taf. 6). Das Bild skandalisierte Publikum
und Presse bei der ersten Ausstellung und
noch 1908, als es von der Nationalgalerie
Oslo erworben wurde. Kommentar eines
Kritikers: «Jetzt können die Bürger der Stadt
nicht mehr ihre Töchter in die Nationalgalerie mitnehmen. Wie lange soll die Dirne
Edvard Munch's ihren Rausch in der staatlichen Nationalgalerie ausschlafen dürfen?»
(Stenersen S. 20).

44

Der Tag danach. 1895

Kaltnadelarbeit
Schwarz auf gelblichem Velin
Druck von Felsing, Berlin
Unter der Darstellung rechts mit Bleistift:
Edv. Munch; links: O Felsing Berlin gdr
20,4 x 29,1 cm (Platte); 43,9 x 60,0 cm (Blatt)
Schiefler 15 IV d. – Abb. Willoch 14
Bern, Graphische Sammlung des
Kunstmuseums, Inv. E 6446

45

Liebespaar am Strand (Anziehung). 1895
(Abb. S. 149)

Radierung und Kaltnadel
Schwarz auf gelbbraunem Japanpapier
Druck von Felsing, Berlin
Unter dem unteren Plattenrand rechts mit
Bleistift: Edv. Munch; unter der Darstellung
links mit Bleistift: O Felsing Berlin gdr
26,7 x 33,6 cm (Platte); 39,0 x 48,0 cm (Blatt)
Schiefler 18 a. – Abb. Willoch 17
Privatbesitz

In einer Lithographie von 1896 (Schiefler
65, Kat.-Nr. 68) hat Munch das in der hier
gezeigten Radierung dargestellte Paar in die
Landschaft seines Gemäldes *Sternennacht*

von 1893 (Messer Taf. 19) gesetzt. Die Radierung *Liebespaar am Strand* I von 1895
(Schiefler 17, Willoch 16) zeigt das Paar im
Gegensinn in der ebenfalls spiegelbild-
lichen Landschaft des Gemäldes *Sternennacht*. Die von Munch 1896 geschaffene,
verwandte Lithographie *Zuneigung* (Schiefler 66, Messer Abb. 1) ist das Gegenstück
der fast formatgleichen Lithographie *Loslösung* II aus dem gleichen Jahre (Kat.-Nr.
69).

46

Zwei Menschen (Die Einsamen). 1895

Kaltnadelarbeit
Schwarz auf braungelbem Velin
Druck von Angerer, Berlin
16,8 x 22,7 cm (Platte); 34,5 x 48,0 cm (Blatt)
Schiefler 20 b. – Abb. Willoch 19
Zürich, Privatbesitz

Vorzugsdruck der von Julius Meier-Graefe
1895 herausgegebenen Mappe mit 8 Radierungen von Munch. Die vorliegende Kaltnadelarbeit und der Farbholzschnitt von
1899 (Kat.-Nr. 88) basieren auf einem ver-
schollenen Gemälde von 1891 (Munch-Kat.
Bielefeld 1980, Abb. S. 139). Munch hat das
Motiv auch auf einem Gemälde in dem
1906–1907 für Max Reinhardt ausgeführten
Zyklus *Lebensfries* dargestellt (Ausst. Kat.
Der Lebensfries Berlin 1978, Taf. XI). Zum
Thema siehe Munch-Kat. Bielefeld 1980,
Abschnitt *Die Einsamen* (Eggum) S.
139–149.

47

Das Weib. 1895 (Abb. S. 144)

Kaltnadelarbeit mit Aquatinta
Schwarz auf weissem Karton
Druck von Angerer oder Felsing, Berlin
Unter der Darstellung rechts mit Bleistift:
Edv. Munch; links: Andre Tilstand
29,7 x 34,8 cm (Platte)
Schiefler 21 B. – Abb. Willoch 21
Basel, Privatbesitz

Graphische Version des motivisch ähnlichen Gemäldes von 1893/94 (Eggum Abb.
213), ohne den beiseite stehenden Mann
und die blutende Blume. Es gibt von der
Kaltnadelarbeit (Schiefler 21) zwei Ausführungen. Auf der ersten (Schiefler 21 A, Willoch 20) hält die schwarz gekleidete Frau

Bildnis Harry Graf Kessler. 1895
Kat.-Nr. 50

einen Männerkopf in den Händen, der auf
unserer zweiten Version weggelassen wurde.
Der Kaltnadelarbeit von 1895 steht die Lithographie von 1899 nahe (Kat.-Nr. 83, 84).
Das Motiv der Frau in drei Erscheinungsformen taucht auch im Zyklus *Alpha und
Omega* von 1909, nämlich in der Vignette II
Die giftige Blume auf (Kat.-Nr. 127.4). Siehe
auch Munch-Kat. Bielefeld 1980, Abschnitt
Das Weib (Eggum) S. 49–55 und Heller
1984, Abb. 83, 97 und 116.

48

Der Kuss. 1895   (Abb. S. 157)

Kaltnadelarbeit
Schwarz auf bräunlichem Velin
Druck von Felsing, Berlin
Unter der Darstellung rechts mit Bleistift:
Edv. Munch
34,5 x 27,8 cm (Platte); 60,2 x 44,0 cm (Blatt)
Schiefler 22 b. – Abb. Willoch 22
Bern, Graphische Sammlung des
Kunstmuseums, Inv. E 5601

Graphische Version des motivisch ähnlichen Gemäldes von 1892 (Glaser Abb. 17;
Svenaeus 2, Abb. 152). Munch hat das Thema "Der Kuss" über Jahre in vielen Zeichnungen, Graphiken und Gemälden variiert,
wobei er, ausgehend von einer naturalistischen Darstellung (Bleistiftzeichnung
Adieu von 1889) das Motiv schrittweise
über verschiedene Stadien bis zur 4. Variante
des Holzschnitts von 1897–1902 verdichtet
hat (Kat.-Nr. 99). Siehe auch Munch-Kat.
Bielefeld 1980, Abschnitt *Der Kuss* (Eggum)
S. 19–28.

49

Bildnis Dr. Max Asch. 1895

Kaltnadelarbeit
Schwarz auf gelblichem Velin
Druck von Felsing, Berlin
26,5 x 19,0 cm (Platte); 39,0 x 28,2 cm (Blatt)
Schiefler 27 II d. – Abb. Willoch 27
Basel, Kupferstichkabinett, Inv. 1931.124

Dr. Asch, ein Arzt in Berlin, war mit Munch
und Strindberg befreundet und half beiden
in finanziellen Notlagen. Munch hat später
sein Porträt gemalt (Bock/Busch, S. 15 und
47).

50

Bildnis Harry Graf Kessler. 1895

Lithographie mit Kreide (Schabeisen)
Grauschwarz auf gelblichem Karton
Druck von Liebmann, Berlin
Auf der Darstellung unten links im Stein:
E. Munch; rechts neben der Signatur mit
Bleistift: 1895
22,0 x 19,5 cm (Bild); 32,0 x 24,0 cm (Blatt)
Schiefler 29.1
Bern, Graphische Sammlung des Kunst-
museums, Inv. E 3527

Harry Graf Kessler (1868–1937), von dem
Munch 1895 noch eine zweite, skizzen-
hafte Lithographie schuf (Schiefler 30,
Timm 1, Taf. 26), war zuerst Mitglied des
Aufsichtsrates, dann Mitredaktor der seit

1895 in Berlin erscheinenden Zeitschrift
PAN, auf deren ersten Seiten Nietzsches *Za-
rathustra* zitiert wird, und in der auch Holzschnitte von Vallotton erschienen sind, so
das im Typus (schwarzer Grund, Schriftband) mit Munchs *Selbstbildnis* (Kat.-Nr. 51)
vergleichbare Bildnis des Komponisten
Robert Schumann (im 1. Heft 1895 vor S.
24). Auf Einladung von Harry Graf Kessler
besuchte Munch 1904 Weimar, wo er Frau
Elisabeth Förster-Nietzsche traf. Zu jener
Zeit und nochmals 1906 porträtierte er
Harry Graf Kessler (Eggum Abb. 304;
Bock/Busch, Taf. II vor S. 28) und arbeitete
daneben an einem *Nietzsche-Porträt* (Eggum
Abb. 315). Siehe auch die Bemerkungen
zum *Hamsun-Porträt* (Kat.-Nr. 62).

51

Selbstbildnis. 1895

Lithographie mit Kreide und Tusche
Schwarz auf gelblichem Velin
Druck von Lassally, Berlin
Über der Darstellung auf dem Stein
EDVARD MUNCH 1895; unter der Darstellung rechts mit Bleistift: E. Munch 1895
No 10
45,5 x 32,0 cm (Bild); 62,1 x 45,7 cm (Blatt)
Schiefler 31. – Timm 1, Taf. 1
Bern, Graphische Sammlung des Kunstmuseums, Inv. E 2321

Das erste graphische Selbstbildnis des Künstlers. Es fasziniert durch die Isolierung des frontalen Kopfes auf dunklem Grund und durch die Eingrenzung des Kopfes durch Knochenarm und Schriftband. Zur Vergleichbarkeit mit den Bildnisholzschnitten von F. Vallotton siehe die Bemerkungen zu Kat.-Nr. 50. Von den frühen gemalten Selbstbildnissen stehen der Lithographie die *Selbstporträts* von *1892* und *1895* am nächsten (Langaard/Revold Taf. 5; Messer Taf. 23). Siehe auch Munch-Kat. Bielefeld 1980, Abschnitt *Selbstbildnisse* (Eggum) S. 151–156. Vgl. die Bemerkungen zu Kat.-Nr. 78.

52

Selbstbildnis. 1895   Frontispiz

Lithographie mit Kreide und Tusche
Schwarz auf Japanpapier
Druck von Lassally, Berlin
Über der Darstellung auf dem Stein:
EDVARD MUNCH 1895; unter der Darstellung rechts mit Bleistift: E. Munch
45,7 x 32,0 cm (Bild/Blatt)
Schiefler 31. – Timm 1, Taf. 1
Basel, Kupferstichkabinett, Inv. 1933.213

Das eng beschnittene Exemplar (1933 auf der Auktion Perls in Berlin zusammen mit der *Madonna,* Kat.-Nr. 96 erworben), ist durch die auf den Knochenarm gesetzte Bleistiftsignatur von Munch anerkannt worden.

53

Selbstbildnis. 1895

Lithographie
Schwarz auf Transparentpapier
Drucker unbekannt
45,8 x 42,2 cm (Bild); 54,4 x 39,6 cm (Blatt)
Schiefler 31 (nicht erwähnter Zustand). – Abb. Kornfeld, Bern 1984, Aukt. 186, Nr. 8
Zürich, Graphische Sammlung des Kunsthauses, Inv. 1922.80

Dieser bei Schiefler 31 nicht erwähnte Zustand zeigt nicht mehr den Schriftbalken und die Knochenhand.

54

Geschrei. 1895   (Abb. S. 154)

Lithographie mit Tusche
Schwarz auf gelblichem Japanpapier
Druck von Liebmann, Berlin
Unter der Darstellung rechts mit Bleistift verwischt: Edv. Munch[?]
35,2 x 25,0 cm (Bild)
Schiefler 32. – Timm 1, Taf. 28
Basel, Privatbesitz

Auf dem Stein unter der Darstellung stehen (hier vom Passepartout verdeckt, für uns nicht nachprüfbar) die Worte: «Geschrei/ Ich fühlte das grosse Geschrei/durch die Natur» Die Lithographie ist die graphische Version der beiden Gemälde von 1893 (Messer Taf. 17 und Timm 2, Taf. 5) und steht einem Pastell von 1893 besonders nahe (Munch-Kat. Bielefeld 1980, Abb. 90; siehe auch Svenaeus 1, S. 27 ff. und Eggum Abb. 8.12). Vgl. die Lithographie *Verzweiflung* aus dem Zyklus *Alpha und Omega* von 1909 (Kat.-Nr. 127.20).

Schiefler 33 A b 1, *Madonna:*
siehe Kat.-Nr. 96, 97.

Schiefler 34 II b, *Vampyr:*
siehe Kat.-Nr. 98.

55

Brustbild eines ganz jungen Mädchens (Ingeborg Heiberg). 1895

Kaltnadelarbeit
Schwarz auf gelblichem Velin
Druck von Felsing, Berlin

Unter der Darstellung rechts mit Bleistift:
Edv. Munch
38,2 x 28,4 cm (Platte); 52,5 x 40,0 cm (Blatt)
Schiefler 38 II. – Abb. Willoch 29
Zürich, Graphik-Sammlung ETH, Inv. 1956.40

56

Mädchenakt. 1896

Schabkunst auf Zinkplatte
Dunkelblau, hellblau und weissgelb auf dünnem Papier (aufgeklebt)
Druck von Edvard Munch bei Porcabœuf, Paris
Unter der Darstellung rechts mit Bleistift:
E. Munch 96; auf dem linken unteren Blattrand Sammlerstempel: Dr. H. Stinnes (Lugt 1376a)
14,8 x 12,8 cm (Bild)
Schiefler 39 b. – Abb. Willoch 31
Schweizer Privatbesitz, Sammlung C. K.

Während seines Aufenthaltes in Paris hat Munch in der noch selten angewandten Technik der farbigen Schabkunst auf Zinkplatten (Mezzotinto) im Atelier von Alfred Porcabœuf mehrer verwandte Werke geschaffen. Sie wurden alle in nur wenigen Exemplaren mit leichten Farbvarianten gedruckt (zur ganzen Gruppe und zum Drucker siehe Kornfeld, Aukt. 186, Bern 1984 bei Nr. 11). Vgl. das Zitat zu Kat.-Nr. 59.

57

Mädchenakt (Badendes Mädchen). 1896

Schabkunst auf Zinkplatte
Monotypieartig gedruckt von Porcabœuf, Paris
Unter der Darstellung rechts mit Bleistift:
E. Munch 4te Druck
Sammlerstempel Dr. H. Stinnes
(Lugt 1376a) 14,9 x 13,0 cm (Bild);
Ecken abgeschrägt
Schiefler 40 b. – Abb. Willoch 32; Kat. Basel 1975, Nr. 150 und Salzburg 1984, Nr. 128
Bern, Privatbesitz

58

Liegender weiblicher Akt. 1896

Schabkunst auf Zinkplatte
Graubraun, gelbbraun und grün auf
dünnem, aufgeklebtem Papier; Ecken
abgeschrägt
Druck von Felsing, Berlin
Unter der Darstellung rechts mit Bleistift:
E. Munch; links: O Felsing Berlin gdr
22,0 x 28,8 cm (Bild)
Schiefler 41 b. – Abb. Willoch 33
Bern, Privatbesitz

59

*Junges Mädchen am Strand (Die Einsame).
1896*

Schabkunst auf Zinkplatte
Monotypieartig farbig gedruckt von
Porcaboeuf, Paris in gelb, rosa und
verschiedenen Blautönen für die Figur
Unter der Darstellung rechts mit Bleistift:
Edv. Munch
28,7 x 21,7 cm (Bild)
Schiefler 42 b. – Abb. Willoch 34. Ausst.
Kat. Basel 1975, Nr. 148 a und Salzburg
1984 Nr. 127
Bern, Privatbesitz

Zu der von Munch angewandten Technik
siehe Glaser 1917, S. 56:
«Auch die zu jener Zeit in Paris viel ge-
übte Farbenradierung machte er seinen
Zwecken dienstbar. Er arbeitete Zinkplatten
in Schabkunst und tönte sie zum Abdruck
in blassen Farben. Wie ein leichter Schleier
liegt es über diesen Blättern. Sie haben
etwas Wirklichkeitsfernes. Zarte Frauenakte
bildete Munch in dieser Technik. Die Stimmung einer müden Trauer webt in den Gestalten. Die Frau, die aufs Meer hinaus-
blickt, wiederholt er in einer solchen Farbenradierung, und er liess den Mann fort,
denn er wollte in den verschwimmenden
Tönen die Melancholie der Einsamkeit
nochmals sprechender zeichnen. Und das
Bild einer Badeanstalt wird ihm zu einem
seltsam süssen Akkord zager Farben und
still in der Fläche schwingender Formen. Es
gibt nur wenige Drucke von diesen Platten,
die mehr Monotypien ähneln als eigentlich
graphischen Arbeiten. Denn die radierten
Formen geben nur das Gerüst. Und jedes-
mal ist die Platte zum Abdruck neu gemalt.»*

Farbig andere Drucke: Heller 1984, Abb. 114
(Chicago, The Art Institute) und unsere Kat.-
Nr. 60.*

60

*Junges Mädchen am Strand (Die Einsame).
1896*

Schabkunst auf Zinkplatte
Monotypieartig farbig gedruckt von
Porcaboeuf, Paris
28,8 x 21,8 cm (Bild)
Schiefler 42 b. – Abb. Ausst. Kat. Basel
1975, Nr. 148 c; Timm 1, Taf. 21
Westschweizer Privatbesitz

61

Aktstudie (Mädchen am Ofen). 1896

Radierung
Schwarz auf weissem, dünnem
Japanpapier
Druck von Felsing, Berlin
Unter der Darstellung rechts mit Bleistift:
Edv. Munch; links: O Felsing Berlin gdr
29,2 x 19,7 cm (Platte); 43,5 x 28,9 cm (Blatt)
Schiefler 46 b. – Abb. Willoch 38
Basel, Kupferstichkabinett, Inv. 1938.152

62

Bildnis Knut Hamsun. 1896

Kaltnadelarbeit
Schwarz auf gelblichem van Gelder Bütten
Druck von Geografiske Opmaaling,
Christiania
29,5 x 20,0 cm (Platte); 32,2 x 22,2 cm
(Blatt)
Schiefler 52. – Abb. Willoch 44
Basel, Kupferstichkabinett, Inv. 1944.88

Durch Vermittlung von Harry Graf Kessler
(siehe Kat.-Nr. 50) hat die Berliner Zeitschrift *PAN* 1896 im 2. Heft des 2. Jahrganges
(vor S. 173) eine Heliographie nach dieser
Kaltnadelarbeit publiziert. Sie steht einem
Artikel von Christian Morgenstern mit dem
Titel *Ein Seitenblick auf die jüngere norwegische Literatur* voran.

63

Eifersucht (kleine Fassung). 1896

Lithographie mit Kreide und Tusche;
Schabeisen
Schwarz auf gelblichem Velin
Druck von Clot, Paris
Unter der Darstellung rechts mit Bleistift:
E. Munch
33,0 x 45,5 cm (Bild)
Schiefler 57. – Messer Abb. 104
Basel, Privatbesitz

Beide lithographischen Versionen der *Eifersucht* (siehe Kat.-Nr. 64) gehen auf ein Gemälde von 1895 zurück (Messer Taf. 22;
Eggum Abb. S. 221). Als Modell für den
Mann mit dem Spitzbart verwendete Munch
in freier Weise das Bildnis Przybyszewski
(siehe Kat.-Nr. 78). Das Thema "Eifersucht"
hat Munch über viele Jahre verfolgt. Vgl. die
zwischen 1920 und 1930 entstandenen
Lithographien *Eifersucht III* und *IV* im
Munch-Kat. Bielefeld 1980, Abschnitt
Eifersucht (Eggum) S. 103–114, Taf. 56 und
57.

64

Eifersucht (grosse Fassung). 1896

Lithographie mit Tusche; Schabeisen
Schwarz auf gelblichem Japanpapier
Druck von Clot, Paris
Unter der Darstellung rechts mit Bleistift:
Edv. Munch; links: Eifersucht (gross)
47,0 x 57,5 cm (Bild); 60,4 x 70,7 cm (Blatt)
Schiefler 58. – Timm 1, Taf. 55
Basel, Privatbesitz

65

Das kranke Mädchen. 1896   (Abb. S. 143)

Lithographie
Hellgraugrün, dunkelrot, rosa und ziegel-
rot auf gelblichem Japanpapier
Druck von vier Steinen von Clot, Paris
Auf dem Stein unten rechts: E. Munch;
unter der Darstellung rechts mit Bleistift:
E. Munch
42,3 x 57,5 cm (Bild)
Schiefler 59. – Timm 1, Taf. 43; Kornfeld,
Bern 1973, Aukt. 150, Nr. 14
Privatbesitz

Die Lithographie isoliert, ebenso wie eine
kleine Radierung von 1896 (vgl. Kat.-Nr.

66), aus dem berühmten Gemälde von 1885/86 (Timm 2, Taf. 1; Stang, Abb. 74) die Büste des Mädchens vor dem im Lehnstuhl aufgerichteten Kissen. Vgl. die Kaltnadelarbeit von 1894 (Kat.-Nr. 33). Munch über sein Gemälde: «Der Kopf wurde in gewisser Weise zum Bild. Auf dem Bild kamen Wellenlinien zum Vorschein – Peripherien – mit dem Kopf als Mittelpunkt. – Diese Wellenlinien benutzte ich später öfters» (Svenaeus 2, S. 157). Zum vielfach aufgegriffenen Thema des "Kranken Mädchens" siehe Schneede und Munch-Kat. Bielefeld 1980, Abschnitt *Das kranke Kind* (Eggum) S. 197–206.

65a
Das kranke Mädchen. 1896

Lithographie
Gelb, gelbgrün, grauschwarz und rot
Druck von vier Steinen von Clot, Paris
Auf dem Stein unten rechts: E. Munch;
unter der Darstellung rechts mit Bleistift:
E. Munch/3ter Zustand/Druck v. 4 Farben
42,5 x 46,5 cm (Bild)
Schiefler 59 c. – Abb. Ausst. Kat. Salzburg 1984, Nr. 126; Timm 1, Taf. 43; Kornfeld, Bern 1973 Aukt. 150, Nr. 14
Bern, Privatbesitz

Der Maler Paul Herrmann, der zu gleicher Zeit mit Munch in Paris war, berichtete: *«Ich wollte bei Clot drucken, da hiess es: geht nicht, Herr Munch ist vorgemeldet. Die lithographischen Steine mit dem grossen Kopf lagen auch schon nebeneinander in Reih und Glied zum Druck bereit. Munch kommt, stellt sich vor die Reihe, macht seine Augen fest zu und dirigiert mit dem Finger blind durch die Luft: ‹Drucken Sie ... grau, grün, blau, braun.› Macht die Augen auf, sagt zu mir: ‹Komm, eine Schnaps trinken...› So druckte der Drucker, bis Munch wieder ankam und blind neu befahl: ‹Gelb, rosa, rot...›, und so noch ein paarmal...»* (Thiis 1934, S. 92).

66
Das kranke Mädchen. 1896

Radierung
Schwarz auf weissem Velin
Druck von Lemercier, Paris
Unter der Darstellung rechts mit Bleistift:
Edv. Munch/krankes Mädchen klein
13,8 x 18,0 cm (Platte); 25,0 x 37,3 cm (Blatt)
Schiefler 60. – Abb. Willoch 47
Privatbesitz

Vergleiche Kat.-Nr. 65 und 65 a

67
Angstgefühl. 1896   (Abb. S. 154)

Lithographie mit Pinsel
Rot und schwarz auf gelblichem Velin
Druck von einem in zwei Zonen eingefärbten Stein von Clot, Paris.
Unter der Darstellung rechts mit Bleistift:
28 E. Munch
51,5 x 40,8 cm (Bild/Blatt)
Schiefler 61 b II. – Timm 1, Taf. 29
Zürich, Graphik-Sammlung ETH, Inv. 1954.69

Die Lithographie entspricht seitenverkehrt einem Gemälde von 1894 (Messer Taf. 21). Nachdem Munch 1895 in Paris seine ersten druckgraphischen Arbeiten geschaffen hatte, lud ihn Ambroise Vollard ein, am ersten von ihm herausgegebenen *Album des Peintres-Graveurs* mitzuwirken. *Angstgefühl* war Munchs Beitrag neben Blättern von Redon, Bonnard, Vallotton u. a. Künstlern. Siehe auch Munch-Kat. Bielefeld 1980 Abschnitt *Angstgefühl* (Eggum) S. 177–186.

68
Anziehung. 1896   (Abb. S. 151)

Lithographie mit Kreide und Tusche
Schwarz auf gelblichem Japanpapier
Druck von Clot, Paris
Unter der Darstellung rechts mit Bleistift:
Edv. Munch
47,0 x 36,0 cm (Bild)
Schiefler 65. – Abb. Sarvig S. 196
Bern, Privatbesitz

Siehe den Kommentar zu Kat.-Nr. 45 und Munch-Kat. Bielefeld 1980 Abschnitt *Anziehung* (Eggum) S. 79–86

69
Loslösung. 1896   (Abb. S. 140)

Lithographie mit Kreide
Blau, gelb, rotgelb und schwarz auf gelblichem Velin
Druck von vier Steinen von Clot, Paris
Auf dem Stein unten rechts signiert und datiert: E. Munch 96; unter der Darstellung rechts mit Bleistift: E. Munch 98
41,8 x 63,5 cm (Bild); 43,5 x 64,5 cm (Blatt)
Schiefler 68 b oder c. – Timm 1, Taf. 45
Basel, Kupferstichkabinett, Inv. 1949.109

Komprimierte, seitenverkehrte graphische Fassung des ganzfigurigen Gemäldes von 1894 (Eggum Abb. 196; vgl. auch Messer Abb. 5). Munch hat das gleiche Motiv noch mehrfach gemalt und graphisch gestaltet, siehe das Gemälde von 1896 (Eggum Abb. 210); die Lithographie von 1896 (Schiefler 67, Messer Abb. 108); die Federzeichnung von 1897 (Svenaeus 2, Abb. 210); die Tuschzeichnung von 1901 (Svenaeus 2, Abb. 281); die Radierung von 1902 (Schiefler 153 F, Willoch 68 F). Siehe auch Munch-Kat. Bielefeld 1980, Abschnitt *Loslösung* (Eggum) S. 89–99.

70
Todeskampf. 1896   (Abb. S. 134)

Lithographie mit Tusche, Schabeisen
Schwarz auf gelblichem Japanpapier
Druck von Clot, Paris
Am unteren Blattrand links und rechts: Prägestempel von Horst Harald Halvorsen, Oslo
40,0 x 51,0 cm (Bild)
Schiefler 72. – Timm 1, Taf. 39
Bern, Privatbesitz

Graphische Version des motivisch gleichen Gemäldes von 1895 (Eggum Abb. 281). Siehe auch Munch-Kat. Bielefeld 1980 Abschnitt *Am Totenbett* (Eggum) S. 209–222.

71
Das Sterbezimmer (Der Tod im Krankenzimmer). 1896   (Abb. S. 160)
Lithographie mit Kreide und Tusche
Schwarz auf weissem, dünnem Japanpapier
Druck von Clot, Paris

Auf der Darstellung unten rechts mit
Bleistift: Edv. Munch
39,5 x 56,5 cm (Bild/Blatt)
Schiefler 73. – Timm 1, Taf. 40
Basel, Kupferstichkabinett, Inv. 1929.30

Graphische Version des motivisch gleichen
Gemäldes von 1892 *Der Tod im Kranken-
zimmer* (Messer Taf. 11). Siehe auch Munch-
Kat. Bielefeld 1980, Abschnitt *Der Tod im
Krankenzimmer* (Eggum) S. 225–235.

72
Bildnis August Strindberg. 1896

Lithographie mit Kreide und Tusche,
Schabeisen
Schwarz auf dünnem gelblichem
Japanpapier
Druck von zwei Steinen von Clot, Paris
Unter der Darstellungen rechts mit
Bleistift: Edvard Munch Strindberg
50,0 x 36,0 cm (Bild); 57,5 x 41,0 cm (Blatt)
Schiefler 77 I. – Abb. Thiis S. 101
Zürich, Graphische Sammlung des
Kunsthauses, Inv. 1922.81

Der Zustand I der Lithographie weist noch
nicht die Umrahmung mit der Frauengestalt
und den Wellen- und Zickzacklinien auf.
Vgl. Kornfeld, Bern 1984, Aukt. 186., Nr. 19.
Munch begegnete Strindberg zuerst in Berlin, wo er 1892 sein Porträt malte (Svenaeus
2, S. 96 ff. und Abb. 155), und erneut
1895/96 in Paris (Svenaeus 2, S. 173 ff.).

73
Bildnis August Strindberg. 1896
(Abb. S. 137)

Lithographie mit Kreide und Tusche
Graugrün auf dünnem, grauem Papier
Druck von Clot, Paris
Rahmeneinfassung betitelt:
A. STINDBERG (sic!); unter der Darstellung
rechts mit Bleistift: Edv. Munch
60,5 x 56,0 cm (Bild); 62,5 x 47,5 cm (Blatt)
Schiefler 77 II. – Timm 1, Taf. 49
Zürich, Graphik-Sammlung ETH,
Inv. 1963.53

Neben dem hier gezeigten Zustand II gibt es
noch einen weiteren Zustand III mit dem
berichtigten Titel: A. Strindberg

74
Bildnis Stéphane Mallarmé. 1896

Lithographie
Graubraun auf gelbbraunem Japanpapier
Druck von Clot, Paris
Unter der Darstellung rechts mit Bleistift:
Edvard Munch
46,0 x 30,0 cm (Bild); 58,5 x 39,0 cm (Blatt)
Schiefler 79 a. – Abb. Sarvig S. 78
Bern, Graphische Sammlung des Kunst-
museums, Inv. H 9, Stiftung Professor
Max Huggler

Dazu Gerhard Gerkens (Bock/Busch 1973,
S. 133): «Vermittler der Beziehungen Munchs
zum Nabis-Kreis in Paris selbst war vor
allem Stéphane Mallarmé», der von Przy-
szewski bewunderte symbolistische Dichter (1842–1898).

Schiefler 81 B, *Mondschein*:
siehe Kat.-Nr. 95.

75
Ibsen mit Leuchtturm. 1897

Lithographie
Grauschwarz auf braungelbem
Japanpapier
Drucker unbekannt
Auf der Darstellung unten Mitte mit
Bleistift: E. Munch
21,5 x 31,7 cm (Bild); 25,5 x 36,3 cm (Blatt)
Schiefler 171 a. (Nachtrag in Bd. 2, S. 149).
– Abb. Sarvig S. 83
Zürich, Privatbesitz

Munch hat die Lithographie mit Schriftauf-
druck als Frontispiz in *La Critique* zur An-
zeige der Aufführung des Dramas *John
Gabriel Borkman* von Hendrik Ibsen im
Pariser *Théatre de l'Oeuvre* gezeichnet
(Ausst. Kat. *Der Lebensfries* Berlin 1978,
Abb. 94); Svenaeus 2, S. 248; G. Gerkens in:
Bock/Busch 1973, S. 143). Schon 1896 ent-
warf Munch für das *Théatre de l'Oeuvre* das
lithographische Plakat zu Ibsens *Per Gynt*
(Svenaeus 2, Abb. 323; Eggum Abb. 245).
Späteres *Ibsen-Bildnis* siehe Kat.-Nr. 104.
Vgl. ferner Kat.-Nr. 140.

76
Zum Walde. 1897

Holzschnitt
Schwarz auf weissgrauem Japanpapier
Druck von Edvard Munch
Am linken unteren Blattrand Sammler-
stempel Dr. H. Stinnes (Lugt 1376a)
49,5 x 61,5 cm (Bild); 51,7 x 65,0 cm (Blatt)
Schiefler 100 a. – Timm 1, Taf. 58
Basel, Kupferstichkabinett, Inv. 1954.103

Der «Wald, der das Leben aus den Toten
saugt» und für Munch «das Bild der starken
tragenden Kräfte des Lebens» ist, bildet den
Hintergrund für das Liebespaar (Timm 2, S.
53; siehe auch Munch-Kat. Bielefeld 1980
Abschnitt *Zum Walde* (Eggum) S. 151–156.
Erste graphische Gestaltung des bis 1915
mehrfach wiederholten und variierten
Motivs. Siehe die Lithographie von 1909
(Kat.-Nr. 127.7); die Lithographie von 1909
(Schiefler 329, Schiefler/Arnold Taf. 70) und
den auf der gleichen Platte weiterbearbeiteten Holzschnitt von 1915 (Kat.-Nr. 136).

77
Zum Walde. 1897

Holzschnitt
Blau, gelb, grün und schwarz auf
weissgrauem, dünnem Japanpapier
Druck von dem in drei Teile zerlegten
Holzstock von Lemercier, Paris; unter der
Darstellung rechts mit Bleistift: Edv. Munch
52,5 x 64,7 cm (Bild); 59,5 x 80,0 cm (Blatt)
Schiefler 100 b. – Abb. Greve S. 93
Basel, Kupferstichkabinett, Inv. 1954.88

Der Farbholzschnitt von 1915 ist von derselben, stark weiterbearbeiteten Platte gedruckt: siehe Kat.-Nr. 136.

Schiefler 102 D, *Der Kuss*:
siehe Kat.-Nr. 99.

78
Bildnis Stanislaw Przybyszewski. 1898
(Abb. S. 137)

Lithographie mit Kreide und Tusche
Grauschwarz auf gelblichem Velin
Druck von Lassally, Berlin

Unter der Darstellung rechts mit Bleistift:
Edv. Munch Przsybisewsky (sic!)
54,5 x 44,0 cm (Bild); 72,0 x 55,0 cm (Blatt)
Schiefler 105. – Timm 1, Taf. 61
Basel, Kupferstichkabinett, Inv. 1923.18

Graphische Version des motivisch gleichen
Pastells von 1895 (Langaard/Revold Taf 9).
Munch hat den charakteristischen Kopf des
polnischen, damals in Berlin lebenden
Schriftstellers Stanislaw Przybyszewski
(1868–1927) für die Darstellung des Themas
Eifersucht (Kat.-Nr. 63,64) verwendet (W. Ja-
worska in Bock/Busch 1973, S. 47 ff.). Auf
einem 1894/95 gemalten Porträt von Przybyszewski hat Munch, wie auf seinem aus
der gleichen Zeit stammenden *Selbstbildnis* (Kat.-Nr. 51), unter dem frontalen Kopf
Knochen dargestellt (Svenaeus 2, Abb.
149).

79
Rouge et Noir. 1898

Holzschnitt
Schwarz auf gelblichem, dünnem
Japanpapier
Druck von Edvard Munch
18,3 x 17,2 cm (Bild); 29,5 x 22,0 cm (Blatt
beschnitten)
Schiefler 115. – Abb. Greve S. 16
Basel, Kupferstichkabinett, Inv. 1928.92

Munch hat den Holzstock in 2 Teile zerlegt.
Der hier gezeigte Abdruck der Frau stammt
von dem schwarz eingefärbten Teil des
Holzstockes. Der andere, rot eingefärbte
Teil des Holzstockes mit dem eng um-
schlungenen Liebespaar ist früh verloren
gegangen. Die Reproduktion eines vollständigen Abdruckes von *Rouge et Noir*
findet sich in Timm 1, Taf. 66.

80
Frauen am Meeresufer. 1898

Holzschnitt
Grün, rostrot, stahlblau und schwarz auf
dünnem Japanpapier
Druck von einem in drei Teile zerlegten
Holzstock
45,5 x 51,2 cm (Bild)
Schiefler 117 2 b. – Langaard/Revold
Taf. 19. Vgl. Kornfeld, Bern 1973, Aukt. 150,
Nr. 23; Stang S. 13
Bern, Privatbesitz

Seitenverkehrte graphische Version des
motivisch ähnlichen Gemäldes *Mutter und
Tochter* von 1897 (Messer Taf. 25). Siehe
auch Munch-Kat. Bielefeld 1980, Abschnitt
Frauen am Meeresstrand (Eggum) S.
159–165.

81
Grosse Schneelandschaft. 1898

Holzschnitt
Schwarz auf weissem, dünnem
Japanpapier
Druck von Edvard Munch
Unter der Darstellung rechts mit Bleistift:
Edv. Munch Trykt 1906–1907 Berlin
32,2 x 45,8 cm (Bild); 40,5 x 58,0 cm (Blatt)
Schiefler 118 a. – Abb. Greve S. 146
Basel, Kupferstichkabinett, Inv. 1944.85

82
Asche II (Nach dem Sündenfall). 1899

Lithographie mit Kreide und Tusche
Schwarz auf gelbbraunem Velin
Druck von Petersen & Waitz, Christiania
35,4 x 45,6 cm (Bild); 50,0 x 65,0 cm (Blatt)
Schiefler 120. – Timm 1, Taf. 76
Zürich, Privatbesitz

Seitenverkehrte graphische Version des
motivisch gleichen Gemäldes von 1894
(Svenaeus 2, Abb. 311). Auf einer ersten
lithographischen Version von 1896 (Schiefler 96, Sarvig Abb. S. 219; Svenaeus 2, Abb.
327) steht ein grosser frontaler Frauenkopf
über dem ähnlichen Zweifigurenbild.
Munch: «Ich fühlte unsere Liebe wie einen
Aschenhaufen auf dem Boden liegend».

83
Das Weib (Die Sphynx). 1899

Lithographie mit Kreide und Tusche,
Schabeisen
Schwarz auf gelblichem Velin
Druck von Petersen & Waitz, Christiania
Unter der Darstellung rechts mit Bleistift:
E. Munch
46,0 x 59,5 cm (Bild); 50,0 x 65,0 cm (Blatt)
Schiefler 122. – Timm 1, Taf. 23
Basel, Kupferstichkabinett. – Inv. 1929.26

Variante der Kaltnadelarbeit von 1895
(Kat.-Nr. 47).

84
Das Weib (Die Sphynx). 1899

Lithographie mit Kreide und Tusche
Schwarz auf gelblichem Japanpapier
Druck von Petersen & Waitz, Christiania
Unter der Darstellung mit Bleistift rechts:
E. Munch; links: Drei Weiber Litho
Rückseitig der Stempel des Munch-
Museums in Oslo mit Datum 1968
45,7 x 58,8 cm (Bild); 49,3 x 64,5 cm (Blatt)
Schiefler 122. – Abb. Kornfeld, Bern 1984,
Aukt. 186, Nr. 26 (gleiches, nicht
identisches Exemplar).
Genf, Cabinet des Estampes

Im Vergleich zur vorhergehenden Lithographie zeigen sich kleine Unterschiede: Die
Binnenzeichnung z.B. bei der nackten
Frau ist an den hellen Stellen abge-
schwächt, die dunklen Randpartien sind
verstärkt und dann wieder aufgekratzt, dabei wurde die weisse Fehlstelle im Rand
unter der rechts stehenden, bekleideten
Jungfrau ausgefüllt; das Format des Drucks
ist um einige Millimeter kleiner. All dies
erklärt sich dadurch, dass Munch einen auf
Umdruckpapier gemachten Abdruck vom
ersten auf einen zweiten Stein übertragen
und dann leicht überarbeitet hat, dies vermutlich einige Jahre nach 1899. Schiefler
(Bd. 2, S. 23 und 31) berichtet für die Zeit seit
1906: «Munch bedient sich nur noch des
Umdruckpapiers, von diesem auf den Stein
übertragen, zum Teil dann auf diesem weiter bearbeitet.» Zu der 1909 erschienenen
Mappe *Alfa og Omega* (Kat.-Nr. 127) ver-
merkt Schiefler (Bd. 2, S. 30): «Der Künstler
hat sich vorbehalten, noch eine weitere Auflage folgen zu lassen. Zwar sind die ursprünglichen Steine abgeschliffen, aber die
Zeichnung ist auf neue Steine übertragen,
so dass sie von neuem abgezogen werden
kann.»
Frau Gerd Woll, die im Munch-Museum in
Oslo einen neuen Gesamtkatalog der
Munch-Graphik erarbeitet hat (er soll bald
erscheinen), konstatierte, dass der Stein zu
Das Weib verloren gegangen sei; eigentlich
hätte man ihn in Munchs Nachlass erwartet, da der Druck in Oslo ausgeführt wurde
und in solchen Fällen die Steine erhalten
geblieben sind. Die Verkleinerung des For-
mates erklärt sich wohl durch das Befeuch-
ten des Umdruckpapiers.

85

Der alte Schiffer. 1899

Holzschnitt
Druck von Edvard Munch
Unter der Darstellung rechts mit Bleistift:
Edv. Munch
44,0 x 36,0 cm (Bild)
Schiefler 124. – Abb. Greve S. 84
Bern, Privatbesitz

86

Mädchen am Strand. 1899

Holzschnitt
Grün, orange und rotbraun auf
weissgrauem, dünnem Japanpapier
Druck von Edvard Munch
Unter der Darstellung rechts mit Bleistift:
E. Munch
46,8 x 41,2 cm (Bild); 53,0 x 45,7 cm (Blatt)
Schiefler 129 b. – Abb. Greve S. 18
Basel, Kupferstichkabinett, Inv. 1950.243

87

Frauenkopf. 1899

Holzschnitt
Rot und schwarz auf gelblichem
Japanbüttenpapier
Druck von Lassally, Berlin
Unter der Darstellung rechts mit Bleistift:
Edv. Munch
25,0 x 18,0 cm (Bild); 34,0 x 29,0 cm (Blatt)
Schiefler 130. – Abb. Greve S. 163
Zürich, Graphische Sammlung des Kunst-
hauses, Inv. 1950.20

88

Zwei Menschen (Die Einsamen). 1899

Holzschnitt
Grün und schwarz auf Japanpapier
Druck von Edvard Munch
Unter der Darstellung rechts mit Bleistift:
E. Munch
39,5 x 55,0 cm (Bild)
Schiefler 133. – Abb. Ausst. Kat. Basel
1975, Nr. 152 und Salzburg 1984, Nr. 130;
Abb. Greve S. 9
Bern, Privatbesitz

Vgl. Kaltnadelarbeit von 1895 (Kat.-Nr. 46).
Vermutlich Druck von 1917 von dem in drei
Teile zerlegten Holzstock (1. Wasser, 2.
Frau, 3. Strand mit dem Mann). Munch hat

den Holzstock später in zwei Zuständen
weiterbearbeitet (Munch-Kat. Bielefeld
1980, 1. Zustand Abb. 73, 2. Zustand Abb.
70 und 71 in Farbvarianten, 3. Zustand Abb.
72).

89

Das Herz (Coeur saignant). 1899
                                              (Abb. S. 161)
Holzschnitt
Grün, rot und schwarz auf braungelbem
Velin
25,0 x 18,5 cm (Bild); 61,0 x 46,0 cm (Blatt)
Schiefler 134. – Abb. Greve S. 95
Basel, Kupferstichkabinett, Inv. 1949.82

Munch hat das Thema des vom Mädchen
gehaltenen, ausblutenden Herzens des
Mannes seit 1895/96 in zahlreichen
Zeichnungen und Graphiken dargestellt.
Vgl. die Radierung von 1896 (Schiefler 48,
Willoch 40); die die Radierung vorberei-
tende Tuschzeichnung von ca. 1896 (Rosenblum, Kat. Washington 1978, Abb. S. 208),
die bei Willoch ohne nähere Angaben abgebildete Tuschzeichnung (unsere Abb. S.
161); die Kreidezeichnung von 1896 (Timm
2, Taf. 11) und eine Zeichnung aus der Zeit
um 1903 (Svenaeus 2, Abb. 345).

90

Begegnung im Weltall. 1899   (Abb. S. 153)

Holzschnitt
Grün, rot und schwarz auf dünnem
Chinapapier
Druck von dem in drei Teile zerlegten
Holzstock
Unter der Darstellung rechts mit Bleistift:
Edv. Munch
18,5 x 25,2 cm (Bild)
Schiefler 135. – Abb. Ausst. Kat. Salzburg
1984, Nr. 129; Abb. Greve S. 83
Bern, Privatbesitz

Munch hat das Motiv 1902 in einer Radie-
rung wiederholt (Schiefler 151, Sarvig Abb.
S. 39), um 1899 auch als Zeichnung im
Rund (Svenaeus 1, Abb. 124).

91

Nachtcafé. 1901

Radierung auf gelbbraunem Japanpapier
Druck von Felsing, Berlin
Unter der Darstellung rechts mit Bleistift:
Edv. Munch

14,8 x 19,7 cm (Platte); 31,5 x 45,0 cm (Blatt)
Schiefler 138. – Abb. Willoch 57
Zürich, Graphische Sammlung des
Kunsthauses, Inv. 1922.52

92

Die tote Mutter und das Kind. 1901

Radierung
Schwarz auf dünnem, Japanpapier
(aufgezogen)
Druck von Felsing, Berlin
Unter der Darstellung rechts mit Bleistift:
E. Munch; links: O Felsing Berlin gdr
32,2 x 49,3 cm (Platte); 41,8 x 57,8 cm (Blatt)
Schiefler 140 II. – Abb. Willoch 59
Zürich, Privatbesitz

Seitenverkehrte graphische Version des
motivisch gleichen Gemäldes von 1899
(Thiis Abb. S. 65). Beide, die Radierung und
das Gemälde gehen auf das *Der Tod und
das Kind* benannte Gemälde von 1897/99
zurück, auf dem um das Bett der toten
Mutter fünf Familienmitglieder versammelt
sind. (Munch-Kat. Bielefeld 1980, Abb. S.
363; Eggum Abb. 259).

93

*Weibliche Aktfigur (später betitelt:
Die Sünde). 1901*   (Abb. S. 147)

Lithographie
Grauschwarz auf gelblichem Japanpapier
Druck von Lassally, Berlin
Unter der Darstellung rechts mit Bleistift:
E. Munch
70,5 x 40,3 cm (Bild)
Schiefler 142a. – Abb. Ausst. Kat. Oslo
1971, Nr. 45
Basel, Privatbesitz

94

*Weibliche Aktfigur (später betitelt:
Die Sünde). 1901*
Mädchen mit roten Haaren und
grünen Augen

Lithographie mit Kreide und Tusche
Ocker, ziegelrot und grün auf dünnem
graugelbem Pergament
Druck von Lassally, Berlin
Unter der Darstellung rechts mit Bleistift:
E. Munch
69,7 x 40,0 cm (Bild)

Schiefler 142 c. – Abb. Sarvig S. 132
Basel, Privatbesitz

Ein Lithograph hat gegenüber Kornfeld die Ansicht vertreten, dass der farbige Abdruck dieser Lithographie nicht vom selben Stein, von dem der scharf zeichnende schwarze Druck abgezogen wurde, gedruckt sein könne. Vielmehr habe Munch mit Umdruckpapier Farbauszüge auf drei Steine rapportiert und danach leicht überarbeitet. Die Verwendung von Umdruckpapier zur Herstellung eines neuen Steins ist auch sonst für Munch bezeugt (siehe die Bemerkungen zu Kat.-Nr. 84). Das Modell war wahrscheinlich die mit Munch befreundete Schauspielerin Tulla Larsen, die Munch um 1901 als Aktfigur mit offenen Haaren auch malte und photographierte (Bock/Busch 1973, Abb. 147–148; Stang Abb. 228; Eggum Abb. 276; vgl. auch Kat. Hamburg 1984, S. 33 ff.).

95

Mondschein (2. Fassung). 1901

Holzschnitt
Hellblau, dunkelblau, hellbraun, hellgrau und hellgrün auf braungelbem Velin
Druck von zwei Holzstöcken, von denen einer in mehrere Teile zerlegt ist, von Clot oder Lemercier, Paris
40,0 x 46,8 cm (Bild); 50,5 x 63,0 cm (Blatt)
Schiefler 81 B. – Abb. Greve S. 77
Basel, Kupferstichkabinett, Inv. 1949.111

Seitenverkehrte graphische Version des motivisch gleichen Gemäldes von 1893, das die Frauenfigur jedoch in Dreiviertelgrösse vor einem Lattenzaun zeigt (Messer Taf. 16). Vgl. die Bleistiftzeichnung von 1891/92 (Eggum Abb. 128). In einem anderen Holzschnitt von 1901 (Schiefler 143, Greve Abb. S. 148) hat Munch das Landschaftsbild erweitert. Siehe auch Munch-Kat. Bielefeld 1980, Abschnitt *Mondschein* (Eggum) S. 123–128.

96

Madonna (Liebendes Weib). 1895–1902
(Abb. S. 155)

Lithographie mit Kreide und Tusche
Blau, rot und schwarz auf weissem, dünnem Japanpapier

Druck von drei Steinen von Lassally, Berlin
Unter der Darstellung rechts mit Bleistift:
E. Munch
60,5 x 43,8 cm (Bild); 69,8 x 49,0 cm (Blatt)
Schiefler 33 A b 1. – Timm 1, Taf. 31
Basel, Kupferstichkabinett, Inv. 1933.212

Der Stein mit der schwarzen Zeichnung entstand 1895 in Berlin, die Farbsteine kamen 1902 hinzu. Graphische Version der motivisch gleichen Gemälde von 1893/94 (Messer Taf. 20, Thiis Abb. S. 53). Der Lithographie ging im selben Jahr 1895 eine Kaltnadelarbeit voraus (Schiefler 16, Willoch 15). Auf ihr ist die Madonna gleichfalls mit Spermatozoen und Embryonen umgeben. Die Arme der Madonna sind aber nicht erhoben, sondern vor dem Leib verschränkt Zur zeichnerischen Vorarbeit siehe die Kohle-Bleistiftzeichnung von 1893/94 (Eggum Abb. 188), sowie die Ausführungen bei Svenaeus 1, S. 129 ff. Siehe ferner die Beiträge von Eggum und Heller im Munch-Kat. Bielefeld 1980, S. 31, 45 und 301 ff. Zum Titel *Madonna* berichtet, vielleicht etwas legendär, Rolf Stenersen (E. Munch, Zürich 1949, S. 95): «Munch forderte oft Kritiker oder Kunsthändler auf, seine Bilder zu taufen. Er sah es gern, wenn sie einen literarischen Titel bekamen. ‹Zwei Menschen›, ‹Die Begegnung›, ‹Das Liebesmeer›, ‹Der Tanz des Lebens›, ‹Trost›, ‹Vampyr›, ‹Marats Tod›, ‹Asche› usw. Viele haben mehrere Namen. Das Bild, das zuerst ‹Liebendes Weib› und ‹Die Empfängnis› genannt wurde, brachte Direktor Jens Thiis durch eine List in die Nationalgalerie, er taufte es ‹Madonna›. Selbst wenn jemand ‹Die Liebeswelle› vorgeschlagen hätte, wäre Munch einverstanden gewesen.»

97

Madonna (Liebendes Weib). 1895–1902

Lithographie mit Kreide und Tusche
Schwarz, blau und rot auf grünem Velin
Druck von drei Steinen von Lassally, Berlin
Unter der Darstellung rechts mit Bleistift:
E. Munch; links: Liebendes Weib
60,5 x 44,0 cm (Bild)
Schiefler 33 B. – Abb. Ausst. Kat. Basel 1975, Nr. 147 und Salzburg 1984, Nr. 125; Timm 1, Taf. 31
Bern, Privatbesitz

Nach der Reduktion des Zeichnungssteines, auf dem die Rahmung wegfiel (vgl. Kornfeld, Bern 1981, Aukt. 175, Nr. 39).

98

Vampyr. 1895–1902
(Abb. S. 133)

Lithographie mit Kreide und Tusche, und Holzschnitt
Braunrot, dunkelblau, gelb, grünblau und schwarz auf Japanpapier
Druck von zwei Steinen und einem in drei Teile zerlegten Holzstock von Lassally, Berlin
Unter der Darstellung rechts mit Bleistift:
Edv. Munch
38,2 x 55,0 cm (Bild)
Schiefler 34 II b. – Abb. Ausst. Kat. Salzburg 1984, Nr. 124; Timm 1, Taf. 35
Bern, Privatbesitz

Der Stein mit der Zeichnung wurde 1895, der zweite Stein und der Holzstock 1902 hergestellt. Seitenverkehrte graphische Version des motivisch gleichen Gemäldes von 1893/94 (Eggum Abb. 193). Munch hat das Thema über viele Jahre verfolgt. Vgl. die Federzeichnung von 1892 (Svenaeus 1, Abb. 188); das Pastell von 1893 (Messer Abb. 6); die Zeichnung von 1895 (Svenaeus 1, Abb. 194). Siehe auch Munch-Kat. Bielefeld 1980 Abschnitt *Vampir* (Eggum) S. 67–69.

99

Der Kuss. 1902
(Abb. S. 158)

Holzschnitt mit Figuren- und Hintergrundplatte
Graubraun und schwarz auf dünnem, weissem Japanpapier
Druck von Munch oder Lassally, Berlin
Unter der Darstellung rechts mit Bleistift:
Edv. Munch
46,6 x 46,6 cm (Bild)
Schiefler 102 D. – Abb. Greve S. 91
Privatbesitz, Bern

Wiederholung eines Holzschnittes von 1898 (=Version C; die Versionen A und B von 1897/98 waren noch aus einem einzigen Stock geschnitten). Voraus gingen Gemälde desselben Motivs von 1892/97 und die Kaltnadelarbeit von 1895 (Kat.-Nr. 48). Siehe Munch-Kat. Bielefeld 1980, S. 19–28 (Eggum) und S. 419 ff. (Winter).

100

Kopf eins jungen Mädchens. 1902

Kaltnadelarbeit
Schwarz auf gelblichem Japanpapier
Druck von Felsing, Berlin
Unter der Darstellung rechts mit Tinte:
E. Munch; links mit Bleistift: O Felsing
Berlin gdr
29,0 x 21,6 cm (Platte); 45,0 x 36,0 cm (Blatt)
Schiefler 162 II. – Abb. Willoch 77
Zürich, Graphik-Sammlung ETH,
Inv. 1950.18

101

Bei Nacht (Pubertät). 1902   (Abb. S. 152)

Radierung
Schwarz auf gelblichem Velin
Druck von Felsing, Berlin
Unter der Darstellung rechts mit Bleistift:
Edv. Munch; links: O Felsing Berlin gdr
19,8 x 16,5 cm (Platte); 35,0 x 25,5 cm (Blatt)
Schiefler 164. – Abb. Willoch 79
Basel, Kupferstichkabinett, Inv. 1929.29

Munch hat das Motiv graphisch 1894 in
seiner ersten Lithographie gestaltet, welche
auf zwei Gemälde von 1889/93 und 1894
zurückgeht (Svenaeus 1, Abb. 46; Timm 2,
Taf. 7; Eggum Abb. 208). In der hier gezeigten Radierung von 1902 hat Munch den
übergrossen Schatten durch das Licht einer
angedeuteten Kerze gleichsam motiviert.
Technisch und motivisch geriet Munch mit
dieser Radierung in die Nähe zu Rem-
brandts Clair-obscur-Radierungen.

102

Alte Frau. 1902

Radierung mit Aquatinta
Braunschwarz auf gelbbraunem Velin
Druck von Felsing, Berlin
Unter der Darstellung mit Bleistift rechts:
Edv. Munch; links: O Felsing Berlin gdr
50,7 x 33,6 cm (Platte); 59,9 x 44,0 cm (Blatt)
Schiefler 168 III. – Abb. Willoch 83
Bern, Graphische Sammlung des Kunst-
museums, Inv. E 2322

103

Bildnis Walter Leistikow und Frau. 1902

Lithographie
Schwarz auf gelblichem, dünnem
Japanpapier
Druck von Lassally, Berlin
52,0 x 56,5 cm (Bild); 54,5 x 65,5 cm (Blatt)
Schiefler 170. – Timm 1, Taf. 90
Basel, Kupferstichkabinett, Inv. 1944. 86

Der in Berlin tätige Maler und Schriftsteller
Walter Leistikow (1865–1908), ein Freund
Liebermanns, betrieb seit 1898/99 die
Gründung einer Secession und «verteidigt
den verfemten Edvard Munch in einer ebenso starken wie schwelgerischen Jugend-
sprache» (Julius Elias im Katalog der
Nachlass-Ausstellung Leistikow im Kunstsalon Schneider in Frankfurt a. M. 1909, S. 8).
Die Schliessung der Munch-Ausstellung
1892 im *Verein Berliner Künstler* hatte den
Gedanken an eine *Berliner Secession* zuerst aufkommen lassen.

104

*Ibsen im Café. (Henrik Ibsen im Café des
Grand Hotel in Christianina). 1902*
(Abb. S. 38)

Lithographie mit Kreide
Schwarz auf weissem, dünnem
Japanpapier
Druck von Lassally, Berlin
Unter der Darstellung rechts mit Bleistift:
E. Munch
43,0 x 59,5 cm (Bild); 53,0 x 73,5 cm (Blatt)
Schiefler 171. – Timm 1, Taf. 77
Basel, Kupferstichkabinett, Inv. 1956.114

Graphische Version des motivisch gleichen
Gemäldes von 1898 (Benesch Taf. 40). Mög-
licherweise benutzte Munch eine Photo-
graphie als Vorlage (J. A. Schmoll gen.
Eisenwerth in Bock/Busch 1973, S. 193).
Munch malte das Porträt Ibsens ähnlich,
aber die Zeitung lesend und von Rauch um-
flossen nochmals um 1908 (Svenaeus 2,
Abb. 407; Kat. *Munch und Ibsen*, Kunsthaus
Zürich 1976, Abb. 2).

Schiefler 171a, *Ibsen mit Leuchtturm:*
siehe Kat.-Nr. 75.

105

Bildnis Frau Marie Linde. 1902

Kaltnadelarbeit
Schwarz auf gelbbraunem Velin
Druck von Felsing, Berlin
35,4 x 26,5 cm (Platte); 60,0 x 44,0 cm (Blatt)
Schiefler 177. – Abb. Willoch 84
Bern, Graphische Sammlung des Kunst-
museums, Inv. E 5988

Blatt 2 der Mappe: *Aus dem Hause Max
Linde.* Munch hat Frau Linde 1902 auch in
zwei Lithographien (Schiefler 190 u. 192)
porträtiert. Die Mappe *Aus dem Hause Max
Linde* umfasst 16 druckgraphische Blätter.

106

Bildnis Dr. Max Linde. 1902   (Abb. S. 30)

Kaltnadelarbeit
Schwarz auf gelbbraunem Japanpapier
Druck von Felsing, Berlin
Unter der Darstellung mit Bleistift rechts:
Edv. Munch; links: O Felsing Berlin gdr
34,6 x 24,4 cm (Platte); 35,5 x 41,4 cm (Blatt)
Schiefler 178. – Abb. Willoch 85
Bern, Graphische Sammlung des Kunst-
museums, Inv. E 3438

Blatt 3 der Mappe: *Aus dem Hause Max
Linde.* Der Lübecker Arzt Dr. Max Linde
lernte Munch 1902 durch Albert Kollmann
(vgl. Kat.-Nr. 6) kennen, der Linde bei dem
Aufbau seiner bedeutenden Sammlung von
Skulpturen von Rodin und Werken von
Munch beriet und ihm bei der Abfassung
seiner bereits 1902 und 1905 publizierten
Schrift Edvard Munch und die Kunst der Zu-
kunft behilflich war (vgl. *Edvard Munch im
Kunsthaus Zürich*, Zürich 1977, S. 41).
Munch hat Linde mehrmals porträtiert, so
in einer Kaltnadelarbeit von 1902 (Schiefler
179), in einer Lithographie desselben Jahres
(Schiefler 191) und in einem Gemälde von
1904 (Eggum 307). Siehe auch Gustav
Lindtke, Edvard Munch-Dr. Max Linde,
Briefwechsel 1902–1928, Lübeck o.J.

107

Veranda. 1902

Radierung
Schwarz auf gelblichem Velin
Druck von Felsing, Berlin

Unter der Darstellung mit Bleistift rechts: E. Munch; links: O Felsing Berlin gdr.
19,6 x 27,8 cm (Platte)
Schiefler 184. – Abb. Willoch 91
Basel, Kupferstichkabinett, Inv. 1937.60

Blatt 9 der Mappe: *Aus dem Hause Max Linde*. Die abgebildete Skulptur ist ein Bronzeguss der im Garten des Hauses Linde aufgestellten *Knienden Faunin* von Auguste Rodin aus dem Jahre 1884 (Bock/Busch 1973, S. 101, Aufsatz von J. A. Schmoll gen. Eisenwerth über Munch und Rodin; Emil Heilbut, Die Sammlung Linde in Lübeck, in: Kunst und Künstler, II, 1904, Abb. S. 311 und 317).

108
Der Garten. 1902

Radierung
Schwarz auf gelblichem Velin
Druck von Felsing, Berlin
Unter der Darstellung mit Bleistift: rechts: Edv. Munch; links: O Felsing Berlin gdr
49,5 x 64,6 cm (Platte); 58,5 x 78,8 cm (Blatt)
Schiefler 188. – Abb. Willoch 95
Basel, Kupferstichkabinett, Inv. 1934.110

Blatt 13 der Mappe: *Aus dem Hause Max Linde*

109
Lübeck. 1903

Radierung, Aquatinta und Kaltnadel
Braunschwarz auf gelblichem Velin
Druck von Felsing, Berlin
Unter der Darstellung links mit Bleistift:
O Felsing Berlin gdr
49,5 x 63,9 cm (Platte); 62,8 x 78,0 cm (Blatt)
Schiefler 195. – Abb. Willoch 99
Bern, Graphische Sammlung des Kunstmuseums, Inv. E 5459

110
Männerporträt. 1903

Radierung
Schwarz auf gelblichem Velin
Druck von Felsing, Berlin
Unter der Darstellung rechts mit Bleistift:
Edv. Munch
49,3 x 32,2 cm (Platte); 73,5 x 56,0 cm (Blatt)
Schiefler 201 a. – Abb. Willoch 105
Zürich Graphische Sammlung des Kunsthauses, Inv. 1922.53

Die Radierung gehört in den wichtigen Themenkreis der Arbeiterdarstellungen (Kat. Hamburg 1978, S. 40).

111
Geigenkonzert. 1903

Lithographie mit Kreide und Tusche
Schwarz auf gelblichem, dünnem Japanpapier
Druck von Lassally, Berlin
Unter der Darstellung rechts mit Bleistift:
E. Munch
46,5 x 54,0 cm (Bild); 58,5 x 65,5 cm (Blatt)
Schiefler 211 II. – Timm 1, Taf. 104
Basel, Kupferstichkabinett, Inv. 1944.87

Die Lithographie zeigt Eva Mudocci mit der Violine und Bella Edvards am Klavier. Von dieser Lithographie gibt es auch einen nur in den Umrissen angelegten Zustand I (Korn-feld, Bern 1981, Aukt. 175, Nr. 55). Munch hat Eva Mudocci (Evangeline Hope Mud-dock 1885–1953) noch in anderen graphi-schen Werken porträtiert (Schiefler 212 und 213, Timm 1, Taf. 102 und 103).

112
Mädchen auf einer Landungsbrücke. 1905

Radierung mit Aquatinta
Schwarz auf gelblichem Velin
Druck von Edvard Munch
Unter der Darstellung rechts mit Bleistift:
Edv. Munch unverstählte Platte
18,8 x 26,3 cm (Platte); 30,7 x 47,8 cm (Blatt)
Schiefler 200 III. – Abb. Willoch 104
Basel, Kupferstichkabinett, Inv. 1950.264

Seitenverkehrte graphische Version des mo-tivisch gleichen Gemäldes von 1900 (Be-nesch Taf. 44). In dem späteren Gemälde von 1909 (Thiis Abb. S. 75) hat Munch die Mädchengruppe wie auf der Radierung dar-gestellt. Siehe auch Munch-Kat. Bielefeld 1980, Abschnitt *Mädchen auf der Brücke* (Eggum) S. 169–174. Vgl. Kat.-Nr. 130, 141, 142.

113
Kinderkopf. 1905

Kaltnadelarbeit
Schwarz auf Chine collé
Druck von Felsing, Berlin
17,5 x 12,7 cm (Platte); 32,3 x 23,7 cm (Blatt)
Schiefler 220. – Abb. Willoch 113
Basel, Kupferstichkabinett, Inv. 1938.165

Zu diesem Kinderbildnis stand die Tochter von Herbert Esche aus Chemnitz Modell. (Vgl. Kat.-Nr. 14)

114
Kopf an Kopf. 1905

Holzschnitt
Blau, braunrot, grün und rot auf gelblichem Velin
Druck von Edvard Munch
Unter der Darstellung rechts mit Bleistift:
Edv. Munch und eine unleserliche Widmung
39,5 x 54,0 cm (Bild); 56,5 x 74,5 cm (Blatt)
Schiefler 230 a. – Timm 1, Taf. 105
Zürich, Graphische Sammlung des Kunsthauses, Inv. 1950.18

Auf einer motivisch entsprechenden Zeich-nung, die ebenso wie ein Gemälde dieses Motivs 1905 entstand, wird das Liebespaar von Totenköpfen und grinsenden Masken umrahmt (Svenaeus 2, Abb. 566 und 568). Druckgraphische Varianten von 1905: Schiefler 222, Willoch 115; und Schiefler 231, Greve Abb. S. 82. Zum Gemälde von 1905: Gotthard Jedlicka, in: Wallraf-Richartz-Jahrbuch, XXX, 1958, S. 238.

115
Alter Mann (Der Urmensch). 1905

Holzschnitt
Schwarz auf gelblichem Velin
Druck von Munch oder Lassally, Berlin
Unter der Darstellung rechts mit Bleistift:
Edv. Munch
68,3 x 45,8 cm (Bild); 81,0 x 62,3 cm (Blatt)
Schiefler 237. – Timm 1, Taf. 109
Basel, Kupferstichkabinett, Inv. 1934.111

Verdichtete graphische Version einer Öl-skizze von 1905 (Ausst.-Kat. *Der Lebensfries*, Berlin 1978, Abb. 80).

116

Bildnis Gustav Schiefler. 1905/06

Kaltnadelarbeit
Schwarz auf gelblichem Velin
Druck von Felsing, Berlin
Unter der Darstellung rechts mit Bleistift:
Edv. Munch; links: O Felsing Berlin gdr
24,5 x 19,8 cm (Platte)
Schiefler 238a. – Abb. Willoch 123
Bern, Privatbesitz

Der Hamburger Landesgerichtsdirektor
Gustav Schiefler (1857–1933) publizierte
1905 und 1926 in zwei Bänden den Katalog
der bis dahin entstandenen Druckgraphik
von Munch. Schiefler hatte 1902 im Hause
Linde (Kat.-Nr. 106) zum ersten Mal druckgraphische Werke von Munch gesehen und
lernte den Künstler am Ende desselben
Jahres in Berlin kennen. Vermittler war Kollmann (Kat.-Nr. 6). Munch malte 1905 ein
Porträt von Schiefler (Ausst. Kat. *Der Lebensfries* Berlin 1978, S. 79–81, mit Abb.).

117

Männerkopf. 1906

Kaltnadelarbeit
Schwarz auf gelblichem Velin
Druck von Felsing, Berlin
11,5 x 8,8 cm (Platte); 24,5 x 17,5 cm (Blatt)
Schiefler 243. – Abb. Willoch 128
Basel, Bibliothek der Öffentlichen
Kunstsammlung

Als Frontispiz der Munch-Monographie
von Curt Glaser, Verlag von Bruno Cassirer,
Berlin 1917, verwendet.

118

*Mädchenbildnis (Tochter von
Bruno Cassirer). 1906*

Kaltnadelarbeit
Schwarz auf gelblichem Japanpapier
Druck von Felsing, Berlin
Mit Bleistift unter der Darstellung rechts:
Edv. Munch; links: O Felsing Berlin gdr
40,0 x 29,6 cm (Bild); 63,0 x 45,0 cm (Blatt)
Schiefler 248. – Abb. Willoch 129
Winterthur, Stiftung Oskar Reinhart

119

Knabenbildnis Andreas Schwarz. 1906

Kaltnadelarbeit
Schwarz auf gelblichem Japanpapier
Unter der Darstellung rechts gedruckt:
Bruno Cassirer Verlag
19,5 x 13,5 cm (Platte); 31,0 x 24,5 cm (Blatt)
Schiefler 250 II b. – Abb. Willoch 131
Basel, Bibliothek der Öffentlichen
Kunstsammlung

Beilage in: Kunst und Künstler, Berlin 1925
Bd. XXIII, vor S. 167.
Die Berliner Zeitschrift Kunst und Künstler
hatte seit Beginn ihres Erscheinens Beiträge
über Munch gebracht, 1914 einen etwas kri-
tischen, im ganzen aber lobenden Artikel
des Redaktors Karl Scheffler (Munch als Maler ein «Improvisator», zu gewaltsam, aber
hervorragender Graphiker) und Aufsätze
von Curt Glaser und Gustav Schiefler.

120

Berliner Mädchen. 1906

Lithographie
Rötel auf Japanpapier
Druck von Nielsen, Oslo 1913/14
Unter der Darstellung rechts mit Bleistift:
Edv. Munch
44,5 x 35,0 cm (Bild); 64,3 x 45,5 cm (Blatt)
Schiefler 253 II. – Abb. Sarvig S. 119
Basel, Kupferstichkabinett, Inv. 1928.122

Vgl. *Tod des Marat*, Kat.-Nr. 121

121

Der Tod des Marat. 1906/07

Lithographie
Grün und rot auf gelblichem Japanpapier
Druck von Lassally, Berlin
Unter der Darstellung rechts mit Bleistift:
E. Munch
43,7 x 35,5 cm (Bild); 64,3 x 47,8 cm (Blatt)
Schiefler 258 b 2. Auflage. – Timm 1,
Taf. 117
Basel, Kupferstichkabinett, Inv. 1954.104

Ungefähr entsprechend einem motivisch
gleichen Gemälde von 1907 (Langaard/
Revold Taf. 37; vgl. auch Svenaeus 2, Abb.
346). Zum Thema und seinen in Munchs
Leben liegenden Hintergründen siehe Kat.
Der Lebensfries, Berlin 1978, S. 113 ff. und
Kat. Hamburg 1984, S. 33 ff. (Eggum).

122

*Die Mörderin (Der Tod des Marat). Um
1907*

Lithographie
Braungelb, gelb, grauschwarz, grün und rot
auf Velin
Druck von Nielsen, Oslo(?)
42,5 x 39,0 cm (Bild); 65,5 x 50,0 cm (Blatt)
Nicht bei Schiefler Abb. Sarvig S. 273
Zürich, Graphische Sammlung des
Kunsthauses, Inv. 1950.19

Seitenverkehrte graphische Version des motivisch gleichen Gemäldes von 1907 (Ausst.
Kat. Stockholm 1977, Abb. S. 75; vgl. auch
Eggum Abb. 327 und Ausst. Kat. *Der Lebensfries*, Berlin 1978, Abb. 140 und 141)

123

*Frauenakt am Bett (Weinendes Mädchen)
Um 1907*

Lithographie
Grauschwarz auf gelblichem Velin
Drucker unbekannt
Unter der Darstellung rechts mit Bleistift:
Edv. Munch
40,0 x 36,5 cm (Bild); 60,5 x 48,0 cm (Blatt)
Nicht bei Schiefler. – Abb. Sarvig S. 273
Zürich, Graphik-Sammlung ETH,
Inv. 1967.35

Seitenverkehrte graphische Version des
motivisch gleichen Gemäldes von 1906/07
(Eggum Abb. 338). Vgl. auch Ausst. Kat.
Hamburg 1984 S. 33 ff. (Eggum).

124

Kleine Norwegische Landschaft. 1907

Kaltnadelarbeit
Schwarz auf gelblichem Velin
Druck von Sabo, Berlin
9,1 x 13,0 cm (Bild); 14,2 x 22,8 cm (Blatt)
Schiefler 260. – Abb. Willoch 133
Winterthur, Stiftung Oskar Reinhart

125

Norwegische Landschaft. 1908/09

Kaltnadelarbeit
Schwarz auf gelblichem Büttenpapier
Druck von der Nordischen Reproduktions-
anstalt, Kopenhagen
11,1 x 15,7 cm (Platte); 17,5 x 23,1 cm (Blatt)
Schiefler 268 I b. – Abb. Willoch 139
Basel, Kupferstichkabinett, Inv. 1948.258

Beilage aus: Die Kunst des Radierens, ein
Handbuch von Herm. Struck, Berlin 1909

126

Der Lumpensammler. 1908/09

Radierung
Schwarz auf gelblichem Velin
Druck von Felsing, Berlin
Unter der Darstellung rechts mit Bleistift:
Edv. Munch; links: O Felsing Berlin gdr
58,8 x 43,8 cm (Platte); 65,0 x 49,5 cm (Blatt)
Schiefler 272. – Abb. Willoch 143
Basel, Kupferstichkabinett, Inv. 1927.480

Der Radierung folgten der motivisch ähnliche Holzschnitt von 1909 (Schiefler 340,
Greve Abb. S. 24); die Federzeichnung von
1909/10 (Svenaeus 2, Abb. 518) und das Gemälde von 1910 (Svenaeus 2, Abb. 508).

127

Alfa og Omega (Alpha und Omega). 1909

Mappe mit 18 Lithographien, Titelblatt,
Inhaltsverzeichnis und 2 Vignetten
Eines von 20 Exemplaren der auf
Japanpapier gedruckten und vom
Künstler signierten Vorzugsausgabe
65,0 x 48,0 cm (Mappe)
Schiefler 306–327 und Schiefler Bd. 2, S.
18 und 30. – Abb. Kat. Edvard Munch:
Alpha and Omega, Oslo, The Munch
Museum, 1981
Basel, Kupferstichkabinett, Inv. 1950.411.
1–22

Eine satirische Darstellung des Lebens der
ersten Menschen in Wort und Bild von
Edvard Munch. «Liebe und Eifersucht, Un-
treue und Tod geben wie früher die Motive,
aber der Künstler steht nun über seinem
Stoffe, den er nicht ohne einen leisen Zug
von Humor gestaltet. Alte Bildthemen klingen auch hier wieder an, aber sie erscheinen gereinigt und gleichsam zu freierem
Ausdruck verklärt» (Curt Glaser: Die Graphik der Neuzeit, Berlin 1922, S. 525). The-
matisch entsprechende Zeichnungen waren schon 1904 unter dem Titel *Die ersten
Menschen* ausgestellt worden (Svenaeus 2,
S. 265). In der Berliner Zeitschrift Kunst und
Künstler (vgl. die Bemerkungen zu Kat.-Nr.
119) hat Gustav Schiefler (siehe Kat.-Nr. 116)
im Jahrgang 8 von 1910 (S. 409–413) die
Mappe Blatt für Blatt beschrieben und zuvor bemerkt, Munch «sei über Erlebnisse,
die ihn gequält haben, Herr geworden» (S.
410), «eine merkwürdige Mischung nach-
denklicher Grübelei, ironischer Selbstver-
spottung, beissender Satyre und selbstherr-
licher Grübelei» (S. 409).
Munchs Text nach der Übersetzung in: Kat.
Edvard Munch, Berlin, Staatliche Museen,
1964, lautet:
*«Alpha und Omega waren die ersten Men-
schen auf der Insel. Alpha lag im Grase und
träumte. Omega nahte sich ihm voll Neugierde. Sie brach einen Farnwedel und berührte ihn, dass er erwachte.*
*Alpha liebte Omega. Am Abend sassen sie
eng aneinandergeschmiegt und schauten
die goldene Säule des Mondes im Spiegel
des Meeres, das sich leise bewegte.*
*Sie wanderten in dem tiefen Walde, der voll
sonderbarer Tiere und Pflanzen war. Ein
geheimnisvolles Dunkel herrschte. Am
Boden erblühten zahllose herrliche Blumen.
Einmal erschrak Omega und flüchtete jäh in
Alphas Arme. Viele Tage leuchtete heller
Sonnenschein über der Insel.*
*Einmal lag Omega draussen vor dem Walde
im Sonnenschein. Alpha sass im Schatten
der Bäume, da erhob sich eine gewaltige
Wolke aus dem Meere und breitete sich
über den Himmel und überschattete die
Insel.*
*Alpha rief Omega, aber Omega hörte nicht.
Da sah Alpha, dass Omega den Kopf einer
Schlange in ihren Händen hielt und starr in
ihre funkelnden Augen blickte, eine riesige
Schlange, die zwischen den Farnen an ih-
rem Körper emporgeglitten war. Plötzlich
strömte Regen hernieder, und Alpha und
Omega erfasste ein Schrecken.*
*Eines Tages begegnete Alpha der Schlange
auf dem Felde, er rang mit ihr und tötete sie.
Omega schaute von weitem. Und Omega
begegnete dem Bären. Sie erschauerte, als
das weiche Fell ihren Körper berührte. Sie
legte ihren Arm um den Hals des Bären,
und ihr Arm verschwand in den dichten
Haaren.*
*Omega begegnete der Dichter-Hyäne. Ihr
Fell war struppig und ungepflegt. Ihre bana-
len Liebesworte rühren sie nicht, aber sie
windet einen Lorbeerkranz mit ihren kleinen weichen Händen und krönt sie, ihr
süsses Gesicht zärtlich an den bösen Kopf
geschmiegt.*
*Der Tiger näherte sein grausam wildes
Haupt Omegas lieblichem Köpfchen.
Omega zitterte nicht. Sie liess ihre Hand in
dem Rachen ruhen und streichelte seine
Zähne.*
*Als der Tiger dem Bären begegnete, spürte
er Omegas Geruch, den Duft der bleichen
Apfelblüte, die Omega an jedem Morgen
bei Sonnenaufgang küsste. Sie gingen einander an und zerrissen einander. Plötzlich
ändern gleich wie auf einem Schachbrett
die Figuren ihren Platz. Omega lehnt sich
an Alpha. Neugierig und ohne zu verstehen
recken die Tiere ihren Hals und schauen
das Spiel.*
*Die Augen Omegas waren wechselnd von
Farbe. An gewöhnlichen Tagen waren sie
blau wie der Himmel, aber wenn sie ihren
Liebsten erblickte, wurden sie schwarz, und
es blitzte rot in ihren Tiefen, und dann geschah es, dass sie ihren Mund in einer Blume
verbarg. Omegas Herz war wandelbar. Eines
Tages sah Alpha sie am Bache sitzen und
einen Esel küssen, der in ihrem Schoss lag.
Da holte Alpha den Strauss und lehnte sich
an seinen Hals. Aber Omega hob nicht die
Augen von ihrem liebsten Amt des Küssens.
Omega fühlte sich müde, und es quälte sie,
nicht alle Tiere der Insel zu besitzen. Sie
kauerte im Grase nieder und weinte heftig,
dann erhob sie sich und irrte umher auf der
Insel. Da traf sie das Schwein. Sie kniete hin
und verbarg ihren Körper in ihrem langen
schwarzen Haar. Und Omega und das
Schwein erkannten einander.*
*Aber Omega langweilte sich, eines Nachts,
als die goldene Säule des Mondes sich in
dem Spiegel, des Wassers wiegte, entfloh*

Die giftige Blume.
Vignette II aus Alpha und Omega. 1909
Kat.-Nr. 127.4

sie auf dem Rücken eines Hirsches über das Meer, nach den hellgrünen Ufern unter dem Monde. Alpha blieb allein zurück auf der Insel.

Eines Tages kamen die Kinder Omegas zu ihm, ein neues Geschlecht war auf der Insel erwachsen, sie sammelten sich um Alpha und nannten ihn Vater. Es waren kleine Schweine, kleine Schlangen, kleine Affen, kleine Raubtiere und andere Wechselbälge des Weibes. Er verzweifelte. Er lief am Strande hin. Himmel und Meer waren rot wie Blut. Er hörte Schreie in der Luft und hielt seine Ohren. Erde, Himmel und Meer schwankten und er verspürte eine tiefe Angst. Eines Tages brachte der Hirsch Omega zurück. Alpha sitzt am Strande. Sie kommt ihm entgegen. Alpha hört das Blut in seinen Ohren sausen, die Muskeln seines Körpers schwellen, und er schlug Omega mit seinen Händen zu Tode. Als er sich dann über sie beugte und ihr Antlitz sah, erschrak er.

Es blickte ihn an wie damals im Walde, als er sie am meisten geliebt hatte.

So war er noch im Anschauen versunken, als ihn die Bastarde und Tiere der Insel überfielen. Und sie zerrissen ihn. Das neue Geschlecht erfüllte die Insel.»

127.1
Titelblatt
26,0 x 19,0 cm (Bild); 33,0 x 42,0 cm (Blatt)
Schiefler 306

127.2   (Abb. S. 90)
Inhaltsverzeichnis
23,5 x 19,0 cm (Bild); 30,5 x 22,7 cm (Blatt)
Schiefler 307

127.3
Vignette I (Satyrkopf)
18,5 x 13,0 cm (Blatt); 30,5 x 24,2 cm (Blatt)
Schiefler 308

127.4
Vignette II (Die giftige Blume)
30,0 x 19,0 cm (Bild); 35,8 x 24,5 cm (Blatt)
Schiefler 309
Vgl. Kat.-Nr. 47 und die *Symbolische Studie*, eine Gouache von 1893 (Heller 1984, Abb. 97).

127.5
Alpha und Omega
25,0 x 44,0 cm (Bild); 28,3 x 50,2 cm (Blatt)
Schiefler 310

127.6
Mondaufgang
21,0 x 43,5 cm (Bild); 27,5 x 49,0 cm (Blatt)
Schiefler 311

127.7
Der Wald
33,5 x 42,0 cm (Bild); 36,5 x 48,8 cm (Blatt)
Schiefler 312
Vgl. Kat.-Nr. 76

127.8
Schatten
25,0 x 49,5 cm (Bild); 28,0 x 53,5 cm (Blatt)
Schiefler 313

127.9
Die Schlange wird erwürgt
21,5 x 32,5 cm (Bild); 25,0 x 37,5 cm (Blatt)
Schiefler 314

127.10
Der Bär
23,0 x 19,0 cm (Bild); 28,5 x 45,0 cm (Blatt)
Schiefler 315

127.11
Der Tiger
31,5 x 37,5 cm (Bild); 33,5 x 43,0 cm (Blatt)
Schiefler 316

127.12
Tiger und Bär
24,5 x 46,0 cm (Bild); 28,0 x 48,8 cm (Blatt)
Schiefler 317

127.13
Omega und die Blumen
26,5 x 18,5 cm (Bild); 31,5 x 24,0 cm (Blatt)
Schiefler 318
Vgl. Kat.-Nr. 150.

127.14
Omegas Augen
23,0 x 18,0 cm (Bild); 31,5 x 21,8 cm (Blatt)
Schiefler 319

127.15
Omega und der Esel
23,5 x 35,0 cm (Bild); 28,5 x 40,8 cm (Blatt)
Schiefler 320

127.16
Omega und das Schwein
32,8 x 46,5 cm (Bild); 34,8 x 48,5 cm (Blatt)
Schiefler 321

127.17
Omega weint
27,5 x 18,5 cm (Bild); 31,6 x 21,8 cm (Blatt)
Schiefler 322

127.18
Omegas Flucht
24,5 x 49,0 cm (Bild); 28,0 x 53,5 cm (Blatt)
Schiefler 323

127.19
Alphas Nachkommen
25,5 x 50,0 cm (Bild); 28,5 x 54,2 cm (Blatt)
Schiefler 324

127.20
Die Verzweiflung
42,5 x 33,0 cm (Bild); 43,5 x 37,0 cm (Blatt)
Schiefler 325
Vgl. Kat.-Nr. 54.

127.21
Omegas Tod
30,0 x 53,0 cm (Bild); 33,8 x 55,0 cm (Blatt)
Schiefler 326

127.22
Alphas Tod
28,5 x 48,5 cm (Bild); 34,0 x 53,0 cm (Blatt)
Schiefler 327

128
Celline mit Hut. 1912
Kaltnadelarbeit
Schwarz auf gelblichem Japanpapier
Druck von Edvard Munch (?)
Unter der Darstellung rechts mit Bleistift:
Edv. Munch
26,0 x 19,8 cm (Platte); 45,5 x 32,5 cm (Blatt)
Schiefler 356 (a?). – Abb. Willoch 145
Zürich, Graphische Sammlung des
Kunsthauses, Inv. 1922.55

Vgl. *Celline nackt* (Schiefler 355, Willoch
144) und *Celline ohne Hut* (Schiefler 357,
Willoch 146).

129
Bildnis Tor Hedberg. 1912
Lithographie
Grauschwarz auf gelblichem Japanpapier
Druck von Petersen & Waitz, Oslo
Unter der Darstellung rechts mit Bleistift:
Edv. Munch
30,5 x 24,0 cm (Bild); 64,8 x 49,4 cm (Blatt)
Schiefler 360. – Abb. Sarvig S. 89; Glaser
Abb. S. 82
Zürich, Privatbesitz

130
Mädchen auf der Brücke. 1912
Lithographie
Schwarz auf gelblichem Velin
Druck von Petersen & Waitz, Oslo
Unter der Darstellung rechts mit Bleistift:
Edv. Munch; darunter Paraphe des
Druckers?
38,5 x 52,3 cm (Bild)
Schiefler 380 b. – Abb. Sarvig S. 225
Basel, Privatbesitz

Seitenverkehrte graphische Version des
motivisch ähnlichen Gemäldes von 1903
(Eggum Abb. 303). Munch hat das Motiv
unter Hinzufügen weiterer Personen mehrfach wieder aufgegriffen. Siehe Munch-Kat.
Bielefeld Abschnitt *Mädchen auf der
Brücke* (Eggum) S. 169–174. Vgl. Kat.-Nr.
112, 141, 142

131
Mädchenporträt. 1912
Holzschnitt
Schwarz auf gelblichem Velin
Druck von Nielsen, Oslo (?)
Unter der Darstellung rechts mit Bleistift:
E. Munch No 5
55,5 x 34,5 cm (Bild); 64,5 x 47,3 cm (Blatt)
Schiefler 388 b. – Abb. Greve S. 130
Bern, Graphische Sammlung des
Kunstmuseums, Inv. E 3878

132
Mann mit Pferd. 1915   (Abb. S. 162)
Radierung
Schwarz auf braungelbem Japanpapier
Unter der Darstellung rechts mit Bleistift:
Edv. Munch; in der unteren rechten Ecke:
7 1916
29,7 x 48,5 cm (Platte);
60,0 x 78,0 cm (Blatt)
Schiefler 429 b. – Abb. Willoch 170
Zürich, Graphische Sammlung des
Kunsthauses, Inv. 1922.56

Gerd Woll im Ausst. Kat. *Edvard Munch:
Arbeiterbilder 1910–1930*, Kunstverein
Hamburg 1978, S. 76: «Munch legte grossen
Wert darauf, ein Pferd zu halten, das aber
ausschliesslich als Modell und nicht für
praktische Arbeit benutzt wurde. Nicht nur
die Landarbeit inspirierte Munch, auch die

Forstarbeit in den Wäldern nahe den munchschen Landsitzen veranlasste ihn zu mehreren grossformatigen Bildern».

133
Adam und Eva. 1915

Radierung
Schwarz auf gelblichem Japanpapier
Druck von Scheel, Oslo
Unter der Darstellung rechts mit Bleistift:
Edv. Munch
26,2 x 37,0 cm (Platte); 58,0 x 78,5 cm (Blatt)
Schiefler 430 a. – Abb. Willoch 174
Zürich, Graphische Sammlung des
Kunsthauses, Inv. 1922.57

Radierte Wiederholung des Motives eines Gemäldes von 1908 (Stang Abb. 223).

134
Schlägerei. Um 1915

Radierung mit Aquatinta
Schwarz auf gelblichem Velin
Druck von Edvard Munch (?)
Unter der Darstellung rechts mit Bleistift:
Edv. Munch, Schlagerei in helle Sommer-nacht (sic!). Zusatz von fremder Hand:
um 1930
33,5 x 39,5 cm (Platte); 56,0 x 80,5 cm (Blatt)
Nicht bei Schiefler. – Abb. Sarvig S. 181;
Kat. Oberlin (Ohio) 1983, Abb. 99.
Zürich, Graphische Sammlung des
Kunsthauses, Inv. 1932.90

Die Datierung «1905» von Sarvig ist zweifel-haft. Mit Themen der Gewalttätigkeit be-schäftigte sich Munch vor allem seit 1906/07: Gemälde *Der Schuss auf Karsten* von 1906 (Stenersen 1949, Abb. S. 116, Text S. 38 und 126), *Marats Tod* (Kat.-Nr. 121, 122), dann ein Gemälde *Der Mörder* von 1910 (Kat. Hamburg 1984, Abb. S. 116), Ge-mälde *Die Schlägerei auf einer Dorfstrasse* (Svenaeus 2, Abb. 539).

135
Der Baum. 1915

Lithographie
Schwarz auf gelblichem Velin
Druck von Nielsen, Oslo (?)
Unter der Darstellung rechts mit Bleistift:
Edv. Munch

22,0 x 36,3 cm (Bild); 37,5 x 50,2 cm (Blatt)
Schiefler 433. – Abb. Sarvig S. 167
Winterthur, Stiftung Oskar Reinhart

«Als Munch 1915 in einer Lithographie die Weltereignisse kommentiert, geschieht das mit dem *Baum der Geschichte* als Ausgangs-punkt (Wandbild in der Aula der Universität von Oslo [Abb. S. 48]; aber jetzt wächst dieser aus einem Hügel verwester Leiber hervor. In einer Variante wird der Baum des Lebens zu dem, was er in der ekklesiasti-schen Ikonographie einmal war, einem Kreuz». (Svenaeus 2, S. 300, Abb. 559 und Abb. 560).

136
Zum Walde. 1915

Holzschnitt
Blau, hellblau, graugrün, dunkelgrün, orangerot, violettrot und schwarz auf dünnem Japanpapier
Druck von Munch oder Nielsen, Oslo
51,0 x 64,5 cm (Bild)
Schiefler 444. – Abb. Greve S. 120 (farblich leicht anders)
Bern, Privatbesitz

Wie bereits von Kornfeld (Auktion 162, Bern 1977, Nr. 648, Farbtafel 11) vermutet und jetzt von Gerd Woll, Kuratorin des Munch-Museums, Oslo, bestätigt wurde, handelt es sich um eine stark eingreifende Weiterbear-beitung des Holzschnittes von 1897 (Kat.-Nr. 76, 77) unter Verwendung des alten Holzstockes und mit reicherer, auch irisie-rende Effekte benutzender Einfärbung. Munch "bekleidete" die Frau, indem er diese Stelle mit dem Hohleisen weiter auf-lichtete. Vgl. auch Heller 1984, farbige Abb. 120.

137
Liegender Löwe. 1916

Lithographie
Schwarzgrau auf gelbbraunem Velin
Druck von Nielsen, Oslo?
Unter der Darstellung mit Bleistift rechts:
Edv. Munch; links: Bln: 2
Auf der Rückseite: Rundstempel mit
Schriftband HLAVNI CELNI URAD V
PRAZE
34,8 x 44,7 cm (Bild); 48,5 x 64,3 cm (Blatt)
Schiefler 455 b. – Schiefler/Arnold Taf. 80
Bern, Graphische Sammlung des
Kunstmuseums, Inv. E 2319

Lithographien mit Tierdarstellungen ent-standen zuerst 1908/09 im Zusammenhang mit der Mappe *Alfa og Omega* (Kat.-Nr. 127). Munch zeichnete damals im Zoo von Kopenhagen (Glaser S. 83; Timm 1, S. 75). Noch vorher, 1903, plante und begann Munch eine Karikaturen-Serie *Von Men-schen und Tieren* (Schiefler 205, Timm 1, Taf. 99). Sternersen 1949, S. 120: «Munch liebte Tiere nicht, und doch hat er einige schöne Tierbilder gemalt, hauptsächlich Pferde und Hunde. Nach einigen Besuchen im Zirkus Hagenbeck füllte er eine ganze Mappe mit Zeichnungen von wilden Tieren, meistens nur in wenigen Strichen, aber diese Zeichnungen sprühen von Leben». Im November 1912 publizierte die Berliner Avantgardezeitschrift *Der Sturm* auf der Titelseite von Heft Nr. 134/135 eine "Origi-nalzeichnung" von Munch, *Affenfamilie* (wie Schiefler 292). Damals hatte Munch in der *Berliner Secession* ausgestellt und kurz zuvor in der Kölner *Sonderbund-Aus-stellung*.

138
Bildnis einer jungen Frau. 1920

Lithographie mit Kreide
Schwarz auf gelblichem Japanpapier
Druck von Nielsen, Oslo(?)
Auf der Darstellung unten rechts mit
Bleistift: Edv. Munch
48,0 x 34,0 cm (Bild); 64,5 x 50,5 cm (Blatt)
Schiefler 478
Basel, Kupferstichkabinett, Inv. 1949.110

139

Feuersbrunst. 1920

Lithographie mit Kreide
Schwarz auf gelblichem Velin
Druck von Nielsen, Oslo
Unter der Darstellung rechts mit Bleistift:
Edv. Munch
55,0 x 75,5 cm (Bild); 77,0 x 100,0 cm (Blatt)
Schiefler 483 b. – Timm 1, Taf. 160
Basel, Kupferstichkabinett, Inv. 1923.19

140

Osvald. 1920

Lithographie
Grauschwarz auf gelblichem Velin
Druck von Nielsen, Oslo (?)
Unter der Darstellung mit Bleistift links:
Ed. Munch; rechts: No 16 Osvald
39,0 x 50,0 cm (Bild); 50,1 x 65,0 cm (Blatt)
Schiefler 487. – Timm 1, Taf. 167
Zürich, Graphische Sammlung des
Kunsthauses, Inv. 1922.59

Die Lithographie zeigt die Schlussszene des
Dramas *Gespenster* von Henrik Ibsen (vgl.
Kat.-Nr. 15 u. 16). Der im Sessel sitzende
Osvald fällt in Wahnsinn, während seine
Mutter, Helene Alving, am Boden kniet
(«Mutter, gib mir die Sonne»). Munch hat
den Zusammenbruch Osvalds auch in
einem Gemälde von 1906 dargestellt (vgl.
Kat. *Der Lebensfries,* Berlin 1978, Abb. 19
und 20).

141

Mädchen auf der Brücke. 1920

Holzschnitt
Schwarz auf gelblichem Japanpapier
Druck von Munch oder Nielsen, Oslo
Unter der Darstellung rechts mit Bleistift:
Edv. Munch
49,5 x 43,0 cm (Bild); 70,5 x 58,8 cm (Blatt)
Schiefler 488 a. – Timm 1, Taf. 169
Zürich, Graphische Sammlung des
Kunsthauses, Inv. 1922.62

Es gibt neben diesem Druck in Schwarz
noch einen Farbdruck (Kat.-Nr. 142).
Munch hat das gleiche Motiv über viele
Jahre gestaltet, zuerst in einem Gemälde
von 1899 (Messer Taf. 27), dann in dem Gemälde von 1901 (Glaser Abb. 50); der Radierung von 1905 (Kat.-Nr. 112); der Lithogra-

phie von 1905 (Schiefler 233, Greve Abb. S.
106); der Lithographie von 1912 (Kat.-Nr.
130) und dem Gemälde von 1935 (Eggum
Abb. 408). Siehe auch Munch-Kat. Bielefeld
1980 Abschnitt *Mädchen auf der Brücke*
(Eggum) S. 169–174.

142

Mädchen auf der Brücke. 1920

Holzschnitt und Lithographie
Blau, gelb, grün und ziegelrot auf
gelblichem Velin
Druck von dem Holzstock (Bildträger) und
zwei Steinen von Nielsen, Oslo (?)
50,0 x 42,8 cm (Bild)
Schiefler 488 b. – Abb. Greve S. 134; Kat.
Basel 1975, Nr. 154, und Salzburg 1984,
Nr. 132 (mit Präzisierung der Zustände und
farbiger Abb.)
Westschweizer Privatbesitz

143

Der panische Schreck. 1920 (Abb. S. 163)
Holzschnitt

Schwarz auf gelblichem Japanpapier
Druck von Munch oder Nielsen, Oslo
Unter der Darstellung mit Bleistift:
Edv. Munch
Darunter bezeichnet: Panischer Schrecken
38,4 x 54,0 cm (Bild); 52,5 x 70,0 cm (Blatt)
Schiefler 489. – Timm 1, Taf. 171
Zürich, Graphische Sammlung des
Kunsthauses, Inv. 1922.61

144

Die letzte Stunde. 1920

Holzschnitt
Schwarz auf gelblichem Velin
Druck von Munch oder Nielsen, Oslo
Unter der Darstellung rechts mit Bleistift:
Edv. Munch
42,5 x 58,0 cm (Bild); 60,0 x 80,7 cm (Blatt)
Schiefler 491. – Timm 1, Taf. 172; Kat.
Munch und Ibsen, Kunsthaus Zürich 1976,
Abb. 26.
Zürich, Graphische Sammlung des
Kunsthauses, Inv. 1922.63

145

Sterbesakramente. 1920

Holzschnitt
Schwarz auf gelblichem Japanpapier
Druck von Edvard Munch
Unter der Darstellung rechts mit Bleistift:
Edv. Munch/Auf eigener Presse gedruckt
36,3 x 59,0 cm (Bild); 59,8 x 70,7 cm (Blatt)
Schiefler 492 a. – Abb. Greve S. 157
Zürich, Graphische Sammlung des
Kunsthauses, Inv. 1953.62

146

Café in Wiesbaden. 1920

Lithographie
Grauschwarz auf gelblichem Velin
Druck von Nielsen, Oslo?
Auf der Darstellung unten rechts mit
Bleistift: Edv. Munch, darunter: Café in
Wisbaden (sic!)
37,0 x 48,0 cm (Bild); 65,2 x 50,3 cm (Blatt)
Schiefler 493. – Abb. Sarvig S. 276
Zürich, Graphische Sammlung des
Kunsthauses, Inv. 1922.60

147

Selbstbildnis (Nach einer Krankheit). 1920

Lithographie
Druck von Nielsen, Oslo (?)
Unter der Darstellung rechts mit Bleistift:
Edv. Munch
41,5 x 60,0 cm (Bild); 50,0 x 66,3 cm (Blatt)
Schiefler 503. – Timm 1, Taf. 175
Zürich, Graphische Sammlung des
Kunsthauses, Inv. 1932.94

Graphische Version des motivisch gleichen
Gemäldes von 1919 (Ragnvald Vaering:
Edvard Munchs Selvportretter, Oslo 1947,
Taf. 45). Die Umdruckzeichnung hat sich
erhalten: Kat. *E. Munch, Das zeichnerische
Werk,* Kunsthalle Bremen 1970, Abb. 80.

148

Italienische Dorflandschaft (Como). 1922.

Lithographie
Grauschwarz auf gelblichem Velin
Druck von Nielsen, Oslo (?)
Auf der Darstellung rechts mit Bleistift:
E. Munch
35,5 x 28,7 cm (Bild); 49,8 x 37,7 cm (Blatt)
Schiefler 506
Zürich, Privatbesitz

Nach der Beschriftung eines Druckexemplares im Munch-Museum in Oslo, kann das Dorf mit Como identifiziert werden. Nach Angabe des Druckers ist die Lithographie am 29. 8. 1922 entstanden (Mitteilung von Frau Gerd Woll, Oslo).

149
Sternennacht. 1920 oder später

Lithographie
Grauschwarz auf gelblichem Japanpapier
Druck von Nielsen, Oslo (?)
Unter der Darstellung rechts mit Bleistift:
E. Munch
40,5 x 37,0 cm (Bild); 67,5 x 50,5 cm (Blatt)
Nicht bei Schiefler. – Abb. Sarvig S. 247
(dort mit Rosmersholm bez.)
Zürich, Graphische Sammlung des
Kunsthauses, Inv. 1932.95

Schlussszene des Dramas *John Gabriel Borkman* von Henrik Ibsen mit dem auf der Bank liegenden toten Borkman und den Schatten seiner Frau Gunhild und seiner Schwägerin Ella *(Ein Toter und zwei Schatten)*. Entsprechend dem motivisch gleichen Gemälde von 1923/24 (Messer Taf. 45). Vergleiche hierzu auch die Kohlezeichnung von 1916–1923 (Messer Abb. 146). Munch hat die *Sternennacht* bereits 1893 auf einem Gemälde dargestellt (Messer Taf. 19), und in den Folgejahren das Landschaftsbild als Hintergrund für die Themen *Liebespaar* und *Anziehung* benutzt (Kat.-Nr. 45, 68).

150
Plakat Edvard Munch, Kunsthaus Zürich, Juni–Juli 1922

Lithographie
Grauschwarz auf gelblichem Papier
Druck von Wolfsberg, Zürich Ex. 319
Auf der Darstellung unten rechts auf dem
Stein: Edv. Munch
129,0 x 91,0 cm (Blatt)
Schiefler 507. – Abb. Kat. *Alpha and Omega*. Oslo, The Munch Museum, 1981
Nr. 119
Basel, Gewerbemuseum

Munch hat für das Plakat und für den Umschlag des Zürcher Ausstellungskataloges (offenbar eine photomechanische Verkleinerung des mit Umdruckpapier hergestellten Plakates und mit veränderter Schrift dar-

unter, Abb. S. 145) das Motiv *Omega und die Blumen* verwendet und weiter ausgestaltet (Kat.-Nr. 127.13).

151
Bildnis Dr. Wilhelm Wartmann. 1922
(Abb. S. 52)

Lithographie
Grauschwarz auf gelblichem Velin
Druck von Nielsen, Oslo (?)
Unter der Darstellung rechts mit Bleistift:
Edv. Munch/an den (...) mit freundlichem
Gruss 24/8 1922; links: No 10. 24/8 1922
33,5 x 25,5 cm (Bild); 49,8 x 37,9 cm (Blatt)
Schiefler 509. – Abb. Sarvig S. 96
Zürich, Privatbesitz

Vgl. Kat.-Nr. 24 und 25

152
Selbstbildnis mit Weinflasche. 1925/26
(Abb. S. 95)

Lithographie
Grauschwarz auf graugelbem Japanpapier
Druck von Kildeborg, Oslo
Unter der Darstellung rechts mit Bleistift:
Edv. Munch; links: Tryk m. 12 Kildeborg
42,0 x 51,5 cm (Bild); 49,5 x 60,5 cm (Blatt)
Nicht bei Schiefler. – Timm 1, Taf. 174
Zürich, Privatbesitz

Seitenverkehrte graphische Version des motivisch gleichen Gemäldes von 1906 (Messer Taf. 34; Ausst. Kat. Hamburg 1984, Abb. S. 67). Siehe auch Munch-Kat. Bielefeld 1980, Abschnitt *Selbstbildnisse, Selbstdarstellungen* (Eggum) S. 245–268.

153
Die Hochzeit des Bohémien. 1926

Lithographie
Grauschwarz auf braungelbem Papier
Unter der Darstellung rechts mit Bleistift:
Edvard Munch
34,0 x 49,5 (Bild); 48,3 x 63,8 cm (Blatt)
Nicht bei Schiefler. – Kat. Oberlin (Ohio)
1983, Abb. 270
Zürich, Privatbesitz

Graphische Version des motivisch ähnlichen Gemäldes von 1925 (Eggum Abb. 402), ohne den im Vordergrund sitzenden, an das Selbstbildnis von 1919 erinnernden Mann.

154
Birgitte III. 1931

Holzschnitt
Graubraun, rotbraun und schwarz;
Lippen, Stirn und Haare leicht mit
Farbkreide überarbeitet; auf weissem
Japanpapier
Druck von dem in zwei Teile zerlegten
Holzstock von Edvard Munch
50,7 x 32,2 cm (Bild)
Nicht bei Schiefler. – Abb. Greve S. 66;
Kornfeld, Bern 1973 Aukt. 150, Nr. 51
Bern, Privatbesitz

Munch hat das von ihm so genannte "gotische Mädchen" in zwei weiteren Holzschnitten dargestellt: Birgitte I, 1930 (Greve Abb. S. 136) und Birgitte II, 1930 (Greve Abb. S. 54). Modell war Birgitte Prestöe, geb. Olsen (vgl. ein Aquarell von ca. 1930: Ausst. Kat. Hamburg 1984, Abb. S. 140).

Munch und Zürich – Spuren einer Begegnung

Yvonne Höfliger

«Am Nachmittage nach der Eröffnung versammelte sich am Zürichberg im Hause des Architekten Haefeli, eines der ersten Baumeister in Zürich, ein kleiner Kreis von Männern und Frauen, die mit dem Kunstleben der Stadt in engster Berührung standen. Der Künstler selbst, um den es sich handelte, hatte sich in der ihm eigenen sensiblen Scheu, obwohl er in der Stadt anwesend war, von allen seiner Kunst geltenden Veranstaltungen ferngehalten. Die Anwesenden waren unter den Eindrücken des Vormittags von einer gehobenen Stimmung beherrscht, und keiner von ihnen konnte sich genug tun, die Bilder zu rühmen, welche ihn am meisten gepackt hatten. Der eine das grosse Schneebild von Kragerö, dessen verschneite Flächen und Talsenkungen gleichsam von einem Spitzengewebe zarter weisser, gelblicher, hellblauer und hellgrüner Nuancen übersponnen sind; der andere ein Hafenbild, auf dem gelbbraune Masten vor einer grünbewachsenen Bergwand und den in ihr verstreuten Rechtecken weisser Häuser emporragen; ein Dritter jenes faszinierende Porträt des Nervenarztes Dr. Jacobsen, der wie der Typ willensstarker, schwächere Gemüter bändigender Seelenärzte dasteht. Und in der Tat: *alle* hatten recht, denn hier war – durch die unermüdliche Werbekraft des Dr. Wartmann, des Leiters des Zürcher Kunsthauses, eine Schau von Werken des nordischen Künstlers vereinigt, wie sie noch keine Stadt, auch seines Heimatlandes, gesehen hat, und der ... Einfühlungskraft des Zürcher Malers Righini verdanken wir eine Hängung, welche jedes Gemälde zu seinem Recht kommen liess und seine Qualitäten hervorhob. 73 Ölbilder aus allen Schaffensperioden des Künstlers waren vereinigt; sie entstammen öffentlichem und privatem Besitz deutscher und skandinavischer Museen und Sammler. Die schönen hellen Räume des neuen Zürcher Kunsthauses sind für diese Ausstellung wie geschaffen: Zuerst betritt der Besucher einen quadratischen Kuppelsaal mit gedämpftem Licht, dessen Wände leider alle vier durch Türen und Durchgänge zerrissen sind. Hier hängen vornehmlich die Bilder früherer Zeit: das erstaunliche Bildnis des im Grand Café Kristiania sitzenden Ibsen, neben dessen gewaltigem, von künstlichem Licht rötlich beleuchtetem Kopf der Blick durch das Fenster in das dämmerige Blaugrau des abendlichen Strassengewimmels gleitet; der Spielsaal von Monte Carlo; der Kuss am Fenster; das von gehaltenem Pathos getragene Bildnis der Frau Thaulow; nebeneinander die Rue Rivoli in Paris und der sitzende Mädchenakt auf roter Bettdecke vor grünlichem Hintergrund; und an der Eingangswand zwei in ihrer Gegensätzlichkeit merkwürdig eindrucksvolle Frauenbildnisse: das frühe der Frau Aase Nörregaard in dunklem Kleid und das in Hamburg wohlbekannte Bildnis des in weissem Kostüm in ganzer Gestalt dastehenden Fräulein Warburg deren dunkle Augen sich dem Beschauer unauslöschlich einprägen.»[1]

Ich versuche mir die kleine Gesellschaft vorzustellen, die an jenem Nachmittag des 18. Juni 1922 im Hause des Architekten Ernst Max Häfeli am Zürichberg das Glas erhob und sich für das glückliche Gelingen einer mühsam zustande gekommenen Ausstellung zuprostete, die viel mehr als ein Lokalereignis werden sollte. Die Schau im Kunsthaus wird bis Anfang August über 17 000 Besucher aus dem In- und Ausland anlocken, und Munch selber wird sich bis zuletzt begeistert an seine erste Retrospektive erinnern: – Ich nehme an, der 18. Juni 1922 war ein heisser Sommertag. Die Jalousien der Villa am Zürichberg sind heruntergelassen, damit es in den Räumen drin angenehm kühl bleibt. Im Garten vernimmt man heiteres Stimmengewirr. Da ist Gustav Schiefler zu hören, der Verfasser des oben zitierten Zeitungsberichtes, ein Gönner des Künstlers, der schon früh Munchs Graphik gesammelt und katalogisiert hat. Die schlanke Gestalt des bereits erwähnten Kunsthausdirektors Wilhelm Wartmann und die füllige Figur seines Kollegen Sigismund Righini aus dem Vorstand der Zürcher Kunstgesellschaft sind zu erkennen. Sicher ist Curt Glaser mit von der Partie. Munch jedenfalls freute sich schon Wochen vor der Vernissage in einem an Eberhard Grisebach gerichteten Brief auf das Erscheinen des versierten Kunsthistorikers und Museumsleiters aus Berlin, der 1917 die erste grundlegende Monographie über sein Werk publiziert hatte, und der wenige Tage später, am 6. Juli anlässlich der Ausstellung einen Vortrag über sein Schaffen halten wird. Das helle Lachen, das da eben ertönt, stammt wohl von seiner Frau Else, die ihn als begeisterte Kunst- und Künstlerfreundin auch diesmal wieder begleitet. Geistesgegenwärtig, immer wie auf dem Sprung, so wie sie Munch 1913 auf dem Bild

(Abb. S. 45) festgehalten hatte, das heute zur Sammlung des Zürcher Kunsthauses gehört, und das 1922 ebenfalls ausgestellt war. Möglicherweise beteiligt sich auch der Zürcher Sammler Kurt Sponagel, der aus der Ausstellung eine ganze Anzahl graphischer Blätter erwerben wird, an den angeregten Gesprächen. Fast sicher bin ich, dass es Alfred Rütschi ist, der sich vorhin so begeistert über das *Bildnis Fräulein Warburgs* (Abb. S. 33) äusserte. Die dunklen Augen der Dargestellten nahmen ihn jedenfalls so gefangen, dass er das Bild besitzen musste, und noch zwei andere dazu: die im zitierten Zeitungsartikel ebenfalls ausführlich beschriebene *Schiffswerft* (Abb. S. 43) und den *Apfelbaum* (Abb. S. 51) – zwei Werke Munchs, die seine späte Schaffensphase repräsentieren, in der er sich der äusseren Wirklichkeit zuwandte, den Bauern und den Arbeiter, die Früchte der Erde und den werktätigen Menschen darstellte. Rütschi sicherte sich auch eines der beiden *Bildnisse Wilhelm Wartmanns* (Abb. S. 54), das Porträt seines Freundes, der sich 1923 während Munchs zweitem Zürcher Aufenthalt im Grand-Hotel Dolder vom norwegischen Künstler malen liess – mit angriffslustig blitzenden Augen stellte er sich scheinbar nur für einen flüchtigen Augenblick in gespielt lässiger Haltung an der Tischkante im Ambiente eines unpersönlichen Hotelzimmers in Pose.

Alfred Fortunatus Rütschi, ein Zürcher Seidenfabrikant, hatte sich schon Jahre vor der Munch-Ausstellung um das Zürcher Kunsthaus in besonderem Masse durch Schenkungen von Gemälden Vallets und Hodlers verdient gemacht, und die durch ihn initiierte Gründung der Vereinigung Zürcher Kunstfreunde, die sich für Ankäufe zur Vermehrung und Ergänzung der Sammlung engagiert. Die vier Munch-Gemälde kamen nach seinem Tod im Jahre 1929 in den Besitz des Kunsthauses. Durch dieses Vermächtnis bestärkt und beflügelt, konnte es Wartmann 1931 wagen, die *Winterlandschaft im Mondschein* (Abb. S. 19), ein Bild aus der symbolistischen Phase des Künstlers, zu erwerben und 1932 aus der zweiten Munch-Ausstellung in Zürich das Bild *Winter in Kragerö* (Abb. S. 57). In den vierziger Jahren wurden schliesslich noch aus der Sammlung Curt Glaser, der nach der nationalsozialistischen Machtübernahme aus Deutschland in die USA emigrierte, vier weitere Werke zur sinnvollen Ergänzung erworben: Die *Musik auf der Karl Johan-Strasse* (Abb. S. 15), ein Frühwerk, das noch den Einfluss französischer Malerei aus der Pariserzeit verrät; das *Bildnis des Hamburger Kunsthändlers und frühen Munch-Förderers Albert Kollmann* (Abb. S. 21) mit den mephistophelischen Zügen, mit dem sich Munch als feiner Psychologe zu erkennen gibt; der *An der Trave in Lübeck* (Abb. S. 41), in

dessen dissonanten Farbklängen sich Munch als Vater der deutschen Expressionisten zeigt, und schliesslich das *Bildnis Else Glaser* (Abb. S. 45).

Munch konnte sich nur sehr schwer von seinen Bildern trennen. Er brauche sie für seine Arbeit, äusserte er sich einmal dazu. «Was soll ich zwölf Bilder im Jahr verkaufen, wenn der Erlös von dreien mir genügt, um ruhig leben und arbeiten zu können, und meine Bilder für mich nun einmal wichtiger sind als Geld?» – Munch dachte in musikalischen Dimensionen. Er stellte seine Werke gerne nach symphonischen Gesichtspunkten zusammen, verarbeitete sie in grösseren Kompositionen, um aus ihrem vielfältigen Klang schliesslich den *Lebensfries* (Abb. S. 138) entstehen zu lassen. Nach seinem Tod hinterliess er im Freiluft-Atelier seines Hauses in Ekely hunderte von Meisterwerken, die er alle seiner Heimatstadt Oslo vermachte. Zahlreiche Gemälde, die schon früh in öffentliche und private Sammlungen Deutschlands gelangt waren, wurden vom norwegischen Staat bereits kurz vor dem Krieg zurückgekauft, als Munch von den Nationalsozialisten zu den verfemten Künstlern gezählt wurde. – So wurde die Zürcher Munch-Kollektion mit 10 Gemälden zur grössten und bedeutendsten Sammlung ausserhalb Skandinaviens.

Doch kehren wir ins Jahr 1922 zurück, zu jenem Nachmittag nach der Vernissage der ersten umfassenden Munch-Ausstellung. Wo der Künstler sich wohl aufhält, während man ihn so ausgiebig feiert? Munch war schon Wochen vor der Eröffnung im Kunsthaus in Zürich eingetroffen. Er stellte sich bereitwillig für die Mitarbeit am grossen Katalog zur Verfügung, er zeichnete bei Wolfensberger das Plakat und ging im übrigen seine eigenen Wege. Von Wilhelm Wartmann erfahren wir, dass der Künstler es besonders liebte, vom Hotel zum Bauschänzli zu pilgern, wo er sich am Wasser, unter den schattigen Bäumen, bei Musik und dem fröhlichen Geplauder der Menschen in der Gartenwirtschaft auch meistens zu den Besprechungen mit den Leuten aus dem Kunsthaus getroffen hat. Seine Streifzüge als einsamer Stadtwanderer kann man sich vielleicht so vorstellen, wie ihn ein deutscher Kunstfreund in Erinnerung hatte: «Im November 1902 und gelegentlich immer wieder in den folgenden Jahren konnte man in der Lübecker Altstadt der schlanken, stattlichen Gestalt eines Fremden begegnen, der durch sein absonderliches Gebaren die Aufmerksamkeit der Passanten auf sich zog. So mancher ehrbare Bürger der Freien und Hansestadt mag sich kopfschüttelnd nach ihm umgeblickt haben, wenn dieser Fremde mit dem Nietzsche-Schnurrbart im blassen, scharfgeschnittenen Gesicht einmal ruckartig in seinem Schlendergang innehielt, hastig seine Taschen zu durchsuchen begann und dabei überhaupt nicht wahrnahm, wie Papiere, Briefe, Geldscheine auf das Strassenpflaster flatterten – und dort liegenblieben. Ihr Eigentümer aber schritt weiter wie im Traume befangen. So wanderte er schauend, staunend, der Stunde entrückt durch die engen Strassen...».[2]

Munch war kauzig und menschenscheu. Seine Verletztheit und sein Misstrauen trug er noch aus den Jahren um 1892 in sich, als seine erste Ausstellung in Deutschland von den Berliner Veranstaltern wieder geschlossen wurde, und man seine Werke mit Schmähungen bedachte. Seit der Kölner *Sonderbundausstellung* von 1912 zwar international hoch geachtet, blieb Munch dennoch in sich gekehrt, blieb im Grunde der, der er schon immer war: ein stiller Beobachter, der sich schon in seiner Jugendzeit in den Bohème-Kreisen von Kristiania stets im Hintergrund gehalten hatte, um aber plötzlich in einem unerwarteten Augenblick die gesamte Gesellschaft mit einer besonders treffenden Bemerkung zu erstaunen und mit seinem trockenen Humor aufzuheitern. Ein lithographiertes *Selbstbildnis* aus dem Jahre 1920, (Kat.-Nr. 147), also kurz vor seiner Begegnung mit Zürich, zeigt den Künstler in einer selten spontanen und offenen Haltung frontal, ganz nahe an den vorderen Bildrand gerückt. Ein gütiger Ausdruck spielt in seinem Gesicht, die gespannten Züge verraten aber auch eine Spur von Unerbittlichkeit. Trotz des offenen Blickes scheint sich eine gläserne Wand zwischen den Dargestellten und den Betrachter zu schieben. Die Augen des Künstlers blicken den Tatsachen unerschrocken ins Gesicht, aber sie schauen auch müde. Seine Erscheinung wirkt einsam vor dem leeren grossen Zimmer, in dem sich Leinwände stapeln und ein zerwühltes Bett wie ein zuschnappendes Tier lauert. Eine grosse Verletzlichkeit kommt in den leicht zusammengezogenen Schultern zum Ausdruck, über die wie ein Schutz ein dunkler Umhang gelegt ist. Munchs schwieriger und eher verschlossener Charakter, um den sich zusätzlich viele Gerüchte und Legenden rankten, trug gewiss dazu bei, dass sich vor Zürich noch kein Institut an eine grössere Munch-Ausstellung gewagt hatte. Sein Freund Eberhard Grisebach, der in dieser Zeit oft bei Kirchner in Davos weilte, hatte den Künstler schon vor Jahren auf die Möglichkeit einer Ausstellung in der Schweiz aufmerksam gemacht. So schrieb er ihm am 3. Juli 1909 aus Jena: «In Zürich war der Kunstverein sehr bereit, eine Ausstellung Ihrer Arbeiten zu arrangieren, aber weder ich noch der Sekretär erhielten eine Antwort. In der Schweiz gibt es sehr viele Kunstsammler, die Ihre Bestrebungen mit Interesse verfolgen...» und am 28. August 1910 meldete er aus Davos: «Meine Reise führte mich über Frank-

furt und Darmstadt nach Zürich. (...) In Zürich hat die Kunst schon ein anderes Gesicht. Die Stadt baute ein neues Künstlerhaus, einfach und geschmackvoll. Da herrschte eine Farbenfreudigkeit. Hodler, Amiet, Giacometti, Trachsel, Auberjonois, Blanchet etc. Viele gute Ansätze, viel Kampf; ich glaube die Schweiz hat Deutschland besiegt. Dort gehörten Ihre Bilder hin, dort würden Sie gut verstanden...».[3]

Im Vorstand der Zürcher Kunstgesellschaft hat man jedoch erst 1921 zum erstenmal offiziell die Möglichkeit einer Munch-Ausstellung diskutiert[4]: Am 4. Mai orientierte Direktor Wartmann die zuständige Kommission über eine Ausstellung von Gemälden und Druckgraphik des norwegischen Künstlers bei Cassirer in Berlin. Er wusste weiter zu berichten, dass diese Kollektion anschliessend nach Paris, und von da möglicherweise noch nach London reisen sollte. Wartmann unterbreitete den Vorschlag, die Bilder auf dem Hin- oder Hertransport für Zürich zu übernehmen. Wie ein Brief vom 18. Mai aus Berlin bestätigt, schien Cassirer von dieser Idee angetan. In Zürich wurde darauf der Monat September im Ausstellungsprogramm für Munch reserviert.

In der Zwischenzeit haben die ausländischen Organisatoren die geplante Tournée der Munch-Ausstellung aus unbekannten Gründen mehrmals verschoben und schliesslich ganz aufgegeben. Die Zürcher mussten ihren Terminplan immer wieder ändern, blieben aber mit Cassirer im Gespräch, der die Bilder nun im Januar oder Februar des kommenden Jahres in die Schweiz schicken lassen wollte. Nicht wissen konnten die Zürcher, dass Munch in dieser Zeit mit dem Berliner Galeristen Cassirer in geschäftliche Querelen verwickelt war und die Kommunikation zwischen den beiden entsprechend gestört war. Nur so ist es zu erklären, dass Munch am 8. Oktober 1921 einem Freund immer noch von seiner baldigen Abreise in die Schweiz schrieb: «Es ist ja Hochgebirge, ich für mein bronchistisch-asthmatisches Leiden haben musz» radebrechte er über den bevorstehenden Zürcher Aufenthalt, mit dem er offenbar gleich noch etwas für seine Gesundheit zu tun gedachte.[5]

In Zürich wusste man aber noch nichts Verbindliches: «...da über die geplante Munch-Ausstellung immer noch kein bestimmter Bericht vorliegt, ersucht der Präsident, Herr Dr. Wartmann, womöglich einen Weg zu suchen, der uns in direkten Verkehr mit dem Künstler bringt, damit die Situation endlich geklärt werden könne».[6] Darauf hat sich nun Curt Glaser als Vermittler eingeschaltet. Am 9. Januar 1922 lag ein Telegramm vor, in dem dieser mitteilte, dass die nun für Februar vorgesehene Ausstellung zu diesem Zeitpunkt noch nicht realisiert werden könne, da erst ein Teil der wünschbaren Kollektion zur Verfügung stünde. In Zürich hatte man sich nämlich unterdessen entschlossen, eine umfassende Ausstellung des norwegischen Meisters zu zeigen. Anfang Februar drängte plötzlich Cassirer, die Bilder, die immer noch bei ihm lagerten, sofort nach Zürich schicken zu können, da er sie sonst nach Kristiania zurückspedieren müsste. «Herr Wartmann beantragt, dieses Opfer zu bringen [gemeint sind die Speditionskosten] und die Bilder von Berlin kommen zu lassen, da sonst die ganze Ausstellung für lange Zeit in Frage gestellt würde. – Er schlägt ferner vor, dass ein Vertreter der Zürcher Kunstgesellschaft demnächst nach Berlin reise, um von dort und von dort aus durch persönliche Rücksprache mit den Besitzern von Munch-Werken den Teil auf Privatbesitz für die Ausstellung in möglichst umfangreichem Masse zu sichern».[7] Im Protokoll vom 6. März heisst es dann: «Der Vorstand genehmigt, dass Herr Dr. Wartmann im Interesse dieser Ausstellung eine Deutschland-Reise unternehme».[8]

Einen Monat später, am 10. April, ist man endlich einen Schritt weiter gekommen: «Herr Dr. Wartmann berichtet über das Ergebnis seiner Deutschland-Reise. Danach ist auf eine sehr umfangreiche, komplette Ausstellung zu hoffen. (...) Munch selbst hofft man in Zürich zu sehen».[9] Erst jetzt sind sich Munch und Wartmann auch persönlich begegnet: «Am 26. April 1922 traten in Bad Nauheim das Zürcher Kunsthaus und der nordische Fremdling, hinter dessen Ruhm für die Schweiz sowohl seine Person wie seine Werke bisher zurückgeblieben waren, zum erstenmal einander gegenüber. Ruhig hörte der hochgewachsene Mann die Vorschläge des eher etwas eingeschüchterten zürcherischen Abgesandten über den Plan einer noch nirgends unternommenen Gesamtausstellung seines gemalten und gezeichneten Werkes und bestätigte am Schluss der Unterredung mit der Zustimmung zur Ausstellung auch das Versprechen tätiger Mithilfe. (...) Im nächsten Sommer kam er wieder. Das Baur au Lac vertauschte er mit dem ruhigen und höher gelegenen Dolder, dem ‹Zürcher Holmenkollen›! Es hatte sich ein freundschaftliches Verhältnis zu dem Gönner des Kunsthauses und Sammler Alfred Rütschi gebildet. Munch zeichnete seinen Kopf in farbiger Kreide und malte ein anderes Herrenbildnis in drei Fassungen [gemeint ist das *Bildnis Wilhelm Wartmann*] (Abb. S. 54). Mit hin und her blieben die Beziehungen lebendig im Briefwechsel über seine Beteiligung an der Internationalen Ausstellung von 1925. Sie brachte 14 für Zürich neue Bilder, zum grossen Teil aus dem schwer zugänglichen Besitz seiner norwegischen Freunde. Im Herbst 1926 baute das Baur au Lac jenseits des Schanzengrabens eine Garage für den Wagenpark seiner Gäste. Munch, der sich wieder eingefunden hatte, notierte

aus seinem Fenster das Balkentragen, Wandaufstellen, Bodenlegen der Handwerker in einer Folge von lichten bildmässigen Aquarellen, die er als Unterlagen für einen *Hausbau* im Osloer Rathaus zu verwenden gedachte». [10]

Munch arbeitete schon seit 1910 am *Arbeiterfries*, einem Bilderprogramm, das ihn wie der *Lebensfries* (Abb. S. 138) einen ganzen Lebensabschnitt lang beschäftigen sollte. Die beiden grossen Dekorationen, die Munch beabsichtigte als Krönung seines Werkes auszuführen, blieben im Entwurfsstadium stecken. Die Skizzen, die als Gelegenheitsarbeiten in Zürich entstanden sind, wurden im Herbst 1926 in der Kunsthaus-Bibliothek in einer kleinen improvisierten Ausstellung gezeigt. Dabei waren auch Aquarelle vom Hollandia-Ball im Hotel Baur au Lac zu sehen, an dem Munch in seiner ihm eigenen Weise, allein in einem Sessel

in einer Ecke sitzend, die eleganten Damen und ihre Kavaliere beobachtend, eifrig zeichnend, teilgenommen hatte. Diese kleinen Kunstwerke sind bis heute leider verschollen.[11]

Das Zürcher Kunsthaus besitzt indessen eine andere bleibende Erinnerung an die freundschaftliche Beziehung, die sich aus der Begegnung Munch und Zürich ergeben hat. Als das Kunsthaus 1932 *Winter in Kragerö* (Abb. S. 57) bezahlen wollte, verzichtete Munch auf einen Teil des Erlöses. Man solle mit dem Geld eine Arbeit eines Zürcher Künstlers kaufen, denn es gebe wie überall gewiss auch in Zürich begabte junge Maler, die dringend Geld brauchten. Seit 1933 figuriert die grosse *Sitzende Frau* von Max Gubler (Abb. S. 100) als "Schenkung Edvard Munch" in der Zürcher Sammlung.

Eine zufällige Fügung des Schicksals? Max Gubler wurde in der zeitgenössischen Kritik oft als "schweizerischer Munch" bezeichnet. Fest steht, dass der junge Zürcher, der 1922 sein erstes Atelier an der Rousseaustrasse bezog, die Munch-Ausstellung im Kunsthaus gesehen hat, und davon tief beeindruckt war: «Jetzt ist im Kunsthaus eine grosse Munch-Ausstellung. Ich war gestern dort. Viel Schönes... ein ehrlicher Mensch», schrieb er seinem Bruder Ernst nach München.[12] Doch für Max Gubler wie für seine beiden Brüder Ernst und Eduard war die grosse Zürcher Ausstellung französischer Malerei vom Sommer 1917 das ausschlaggebende Erlebnis für die eigene Kunst gewesen. Die Präsentation des Lebenswerkes von Edvard Munch fünf Jahre

später war für sie mehr Bestätigung denn Anstoss für das eigene Schaffen. 1922 war Munch bereits eine historische Figur – auch wenn die Gesamtwürdigung seines Schaffens so spät erfolgte. Seine Bilder waren aus den Kunstzeitschriften bekannt und in Publikationen weit verbreitet. Sein Werk war verfügbar, seine Leistung kunsthistorisch aufgearbeitet. Bereits hatte sich auch der deutsche Expressionismus ausgelebt, jene Bewegung, als deren eine Vaterfigur Munch eigentlich dasteht.

Zürich war 1916, mitten im Ersten Weltkrieg, unvermittelt zum Schauplatz dieser Kunst geworden. Nicht als Modeströmung, sondern ganz aus dem beklemmenden Zeitgefühl heraus geboren. Die Gebrüder Gubler, Fritz Pauli, Otto Baumberger, Gregor Rabinovitch, Johannes Robert Schürch hiessen die Exponenten; der Dichter Karl Stamm war ihre geistige Leitfigur. In ihren Werken haben sie Randexistenzen, die politischen Umtriebe rund um den

Max Gubler. Bildnis Dr. W. Schnyder (stehend). 1944
Oel auf Leinwand, 100 x 74 cm
Solothurn, Kunstmuseum

Max Gubler. Bildnis Dr. W. Schnyder (sitzend). 1944
Oel auf Leinwand, 73 x 92 cm
Solothurn, Kunstmuseum

Generalstreik, Angst und Tod, Not und Pein dargestellt, ihren eigenen Gefühlen und ihrem persönlichen Ringen bildhaft Ausdruck verliehen, Leben als Synonym von Leiden dargestellt. Dazu haben sie nicht auf Munch warten müssen. Auch war der norwegische Einzelgänger keine Führergestalt – nicht wie Kirchner, der sofort eine Schülerschar an sich

Interessant ist aber doch die viel später wahrzunehmende Wirkung Munchs auf die beiden Gubler Brüder Max und Eduard: Bei Max Gubler ist es die Munch verwandte innere Tragik, die ihn zu ähnlichen Bildformulierungen führte. Es ist vor allem der gestische Pinselduktus und die zerrissene Bildstruktur im Spätwerk beider Künstler, die eine

Eduard Gubler. Steigender Nebel. 1948
Oel auf Leinwand, 85 x 98 cm
Zürich, Kunsthaus

zog, als dessen Kunst 1924 in Basel auf eine ganz andere Situation treffen sollte und in dieser noch von Böcklin geprägten Kunstlandschaft eine fast explosionsartige Wirkung haben konnte, die sich in der Künstlergruppe *Rot-Blau* manifestierte. Munch hatte wohl in einzelnen Fällen auch seinen Einfluss ausgeübt. Bezeichnenderweise waren dies ausnahmslos Basler Maler: Albert Müller, Otto Staiger haben auf die erste, Walter Kurt Wiemken und Max Haufler auf die zweite Zürcher Munch-Ausstellung vom Sommer 1932 unmittelbar reagiert.

grosse, innere Gemeinsamkeit verrät. Gubler wie Munch beschäftigen sich mit dem Selbstbildnis als dem prozesshaften Aufzeigen des Alterns, der Auseinandersetzung mit der Krankheit und dem nahenden Tod. Die Bildnisse Gublers von seinem Mäzen *Dr. Walter Schnyder* (Abb. S. 101) im Kunstmuseum Solothurn ähneln in Farbigkeit und Zeichenstil in verblüffender Weise den letzten locker hingemalten Porträts Munchs. Gublers *Atelierbild bei Nacht,* in dem er den Tod der Mutter vorausgeahnt hat, ist das Dokument einer ähnlichen medialen Sensibilität.

Ganz anders Max Gublers Bruder Eduard: Er hat sich in den vierziger und fünfziger Jahren in seinen Riedertallandschaften, die nur aus der Erinnerung früherer Aufenthalte im Zürcher Atelier entstanden sind, auf den frühen, den mythischen Munch bezogen. «Da ist die Natur, die ein anderes Zeitmass kennt als der Mensch, der achtzig wird, wenn's hoch kommt».[13] Im Gemälde *Steigender Nebel* von 1948, das sich in der Sammlung des Zürcher Kunsthauses befindet, formen sich Wolken und Dunst zu wallenden, körperhaften Wesen, und vermitteln kosmisches Naturgefühl. In der hellen Farbigkeit wie in der ovalen Gesamtkomposition erinnert das Bild auch an Hodler, der ja zur Zeit des Symbolismus in der Kunstliteratur gerne in einem Atemzug mit Munch genannt wurde. Munch und Hodler, das ist eine Kunst, die ganz im 19. Jahrhundert wurzelt und dennoch in ihrer Spätfolge auf die viel jüngere Generation der beiden Gubler Brüder ihre innovative Auswirkung zeigte.

Anmerkungen

1
Gustav Schiefler, Edvard Munch und seine Ausstellung in Zürich, in: Hamburger Zeitung, Nr. 309, 6. 7. 1922

2
Gustav Lindtke (Hrsg.), Edvard Munch – Dr. Max Linde, Briefwechsel 1902–1928, Lübeck (Amt für Kultur) o.J., S. 3

3
Lothar Grisebach (Hrsg.), Maler des Expressionismus im Briefwechsel mit Eberhard Grisebach, Hamburg 1962

4
Protokolle der Ausstellungskommission der Zürcher Kunstgesellschaft, Archiv des Kunsthauses Zürich

5
wie Anmerkung 2, Brief Nr. 51

6–9
wie Anmerkung 4

10
Wilhelm Wartmann, Edvard Munch zum 70. Geburtstag, in: Neue Zürcher Zeitung, Nr. 259, 12. Dezember 1933

11
Doris Wild, Die Bildnisse von Edvard Munch im Kunsthaus Zürich, in: Neue Zürcher Zeitung, Nr. 42, 6. Januar 1963. – Danach sollen diese Aquarelle als Vermächtnis Munchs aus dem Nachlass der Stadt Zürich geschenkt worden sein, doch sind im Kunstbesitz der Stadt Zürich keinerlei Arbeiten Munchs je inventarisiert worden. Doch könnten sich unter den nicht näher identifizierten Zeichnungen, die sich im Munch-Museum in Oslo befinden, durchaus Blätter aus dem Zürcher-Skizzenbuch befinden.

12
Zit. nach Daisy Sigerist, Max Gubler, Lausanne (Editions Rencontre) 1970, S. 52

13
Meditationsraum Riedertal – Eduard, Ernst und Max Gubler, Ausst.-Kat. Höfli-Kaserne Altdorf, 1982

Edvard Munch und die Basler Kunst

Martin Schwander
Für Ruth Lieb

1932, zehn Jahre nach der ersten grossen Munch-Ausstellung in der Schweiz, veranstaltete das Zürcher Kunsthaus die zweite Einzelausstellung zum Werk von Edvard Munch. Georg Schmidt (1896–1965) besprach als Kunstkritiker der *National-Zeitung* die Ausstellung in dieser Basler Tageszeitung. Dreiviertel seines kurzen Artikels gelten aber nicht der mehrheitlich mit Werken aus den zehner und zwanziger Jahren zusammengestellten Munch-Ausstellung. Schmidt nimmt die Zürcher Präsentation zum Anlass, Rechenschaft über die Wirkung, die die Munch-Ausstellung von 1922 in der Schweiz gehabt hatte, abzulegen: «Sehr aufschlussreich ist die verschiedene Wirkung, die jene erste Munch-Ausstellung in Zürich und Basel gefunden hat. In Zürich war die offizielle Wirkung sehr positiv: Vier Bilder haben den Weg in die Sammlung des Zürcher Kunsthauses gefunden, und Munch ist mit dem Kunsthaus seither befreundet geblieben; die heutige Ausstellung ist gleichsam die Feier des zehnjährigen Jubiläums dieser Freundschaft. An der jungen Zürcher Kunst aber ist Munch spurlos vorübergegangen.

Umgekehrt in Basel: selten ist bei uns eine Ausstellung von Künstlern so leidenschaftlich aktiv ergriffen worden wie die Munch-Ausstellung von 1922. Munch hat die bis dahin noch etwas unbestimmten Strebungen der 1890er Generation gesammelt: hat sie ausgebogen aus der ‹pariswärtigen› Orientierung der 1880er Generation und eingebogen in den deutschen Expressionismus. Die Wirkung, die Kirchner mit seiner Ausstellung von 1923 gefunden hat, wäre ohne die Munch-Ausstellung vom Jahre vorher kaum so intensiv gewesen. Aber vielleicht gerade wegen dieser leidenschaftlichen Parteinahme von Seiten der jungen Künstler für Munch hat sich die Öffentliche Kunstsammlung Munch gegenüber geziert. Erst eine ganze Reihe von Jahren später, als Munchs lebendigste Wirkung schon vorüber war, hat er Eingang bekommen in unsere Kunstsammlung.

In Zürich wirkt eine Munch-Ausstellung heute wie damals merkwürdig beziehungslos. In Basel würde sie das auch heute nicht tun, denn in der Basler Malerei sind Munchs Spuren auch heute noch sichtbar. Merkwürdigerweise weniger in der 1890er Generation als in der von nach 1900: am deutlichsten bei Coghuf und Haufler, gelegentlich auch bei Wiemken und anderen Altersgenossen. Eine Munch-Ausstellung in Basel würde abermals das Problem des Expressionismus stellen, nun aber in einem besonneneren, kritischeren Sinn.»[1]

Mit der Feststellung, dass Munch an der jungen Zürcher Kunst spurlos vorübergegangen sei, befindet sich Georg Schmidt im Irrtum. Seit den vierziger Jahren gilt im Gegenteil in der Schweizer Kunstgeschichtsschreibung als ausgemacht, dass die Munch-Ausstellung von 1922 stark motivierend auf die junge Zürcher Kunst – insbesondere auf Max Gubler – eingewirkt hat.[2] Ebenso setzte sich seit jener Zeit die Meinung durch, dass die Bedeutung von Munch für die Basler Kunst vergleichsweise bescheiden einzustufen sei. Einzig bei Albert Müller (1897–1926) ist in diesem Zusammenhang auf eine befreiende Wirkung von Munch für die Entwicklung seiner Malerei hingewiesen worden. Als unvergleichlich bedeutungsvoller für Basel gilt die Kirchner-Ausstellung, die die Kunsthalle Basel 1923, im Jahr nach der Munch-Ausstellung, veranstaltete. Auf Kirchners Malerei sprachen eine Reihe junger Basler Künstler, allen voran Albert Müller und Hermann Scherer (1893–1927) begeistert an. Unter dem Eindruck von Kirchners Kunst gründeten Müller und Scherer zusammen mit Paul Camenisch (1893–1970) und Werner Neuhaus (1897–1934) am Jahresende 1924 die Künstlervereinigung *Rot-Blau*. Die Kirchner-Ausstellung habe – so die allgemein verbreitete Ansicht – die Basler Kunst zu einer ihrer «seltenen Sternstunden»[3] geführt.

Umso bemerkenswerter ist unter diesen Voraussetzungen Georg Schmidts Besprechung von 1932, die zum ersten Mal und bis heute ohne Echo die nachhaltige Wirkung von Munch auf die Basler Kunst bemerkt. Schmidt zeichnet darin einen Bogen von den Künstlern der 1890er Generation bis zu den im ersten Jahrzehnt unseres Jahrhunderts geborenen Coghuf (1905–1976), Max Haufler (1910–1965) und Walter Kurt Wiemken (1907–1940). Dieser zwei Generationen umfassende Rahmen hat auch heute noch Geltung, wenn es die Wirkung von Munch auf die Basler Kunst zu untersuchen gilt.

Um den historischen Stellenwert der Auseinandersetzung der Basler Künstler mit dem Werk von Munch richtig zu erfassen, soll zunächst in den beiden folgenden Abschnitten die bereits nach der Jahrhundertwende in Deutschland einsetzende Beschäftigung mit Munch beleuchtet werden.

Edvard Munch und die Nachfolge

Zu den wichtigsten jungen Künstlern, die durch die Begegnung mit der Kunst von Munch in ihrem Selbstfindungsprozess befördert wurden, gehörte Ernst Ludwig Kirchner (1880–1938). 1906, im Jahr nach der Gründung der *Brücke* in Dresden, hatten Kirchner und seine Künstlerfreunde Heckel, Schmidt-Rottluff und Bleyl Gelegenheit, in Chemnitz und Dresden eine Munch-Ausstellung – zum grössten Teil mit Bildern aus dem *Lebensfries*-Zyklus (Abb. S. 138) – zu sehen.[4] Noch im gleichen Jahr erhielt Munch eine Einladung von *Brücke*-Mitgliedern, mit ihnen auszustellen. Dieser, wie allen späteren Ausstellungseinladungen kam Munch ebensowenig nach wie der Aufforderung, der *Brücke* als Künstlermitglied beizutreten. Für die jungen Dresdener hätte nach dem Beitritt des Schweizers Cuno Amiet und des Finnen Axel Gallén-Kallela die Aufnahme eines anderen, in Deutschland wie im übrigen Europa bereits bekannten Künstlers ein weiterer Prestige-Erfolg für ihre Vereinigung bedeutet.

Zu einer persönlichen Begegnung zwischen den *Brücke*-Mitgliedern und ihrem Vorbild kam es erst 1912 anlässlich der Kölner *Sonderbund-Ausstellung,* wo Munch neben van Gogh, Gauguin und Cézanne einen Ehrensaal erhalten hatte. In späteren Jahren versuchte Kirchner wiederholt, «dem schon damals ausgesprochenen Diktum vom prägenden Einfluss des Norwegers auf seine und seiner Freunde Entwicklung entgegenzutreten».[5] Der Befund eines zeitweiligen Munch-Einflusses auf den jungen Kirchner wird aber aus historischer Distanz deutlich. Bis zur entgültigen Ausbildung seines Stils um 1910 hat Kirchner verschiedenste zeitgenössische Anregungen aufgegriffen. Der Auseinandersetzung mit Munch ging um 1904/05 die Bezugnahme auf die Kunst der *Nabis* (insbesondere auf Vallottons Holzschnitte) und das Erlebnis einer van Gogh-Ausstellung in Dresden voraus. «Erst danach gibt Munchs Vorbild für Kirchner die Möglichkeit der Vereinigung von Figur und Dingen verschiedener räumlicher Ebenen in zusammenfassendem Kontur. Seine Formulierungen behalten aber die spontan-bewegte Pinselhandschrift van Goghs».[6] Auch im Kolorit überlagern bei Kirchner in jener Zeit die hellen, reinen Farben van Goghs Munchs düstere, dumpf-glühende Farbigkeit. Der symbolistischen Inhaltsschwere von Munchs Kunst der Jahrhundertwende folgte Kirchner nur ausnahmsweise, wobei solche inhaltlichen Anleihen in den Dienst einer eigenen vorhandenen Tendenz genommen wurden. Dort nämlich, wo Kirchners Werke die Kenntnis eines Bildmotivs von Munch voraussetzen, zeigt sich eine entgegengesetzte künstlerische Haltung. Kirchners *Strasse*-Bild (The Museum of Modern Art, New York, Gordon 53) von 1908 (1919 überarbeitet) bezieht sich in Motiv (die Ausschnitthaftigkeit der dynamisch aufgefassten Strassenszene), den stilistischen Elementen (der weich-schwingende Figuren-Kontur) und den kompositionellen Entscheiden (die Hintereinanderstaffelung von Frontalfiguren) auf Munchs Menschenprozessionen, wie dieser sie 1892 im Bild *Abend auf der Karl Johan-Strasse* (Abb. S. 14) dargestellt hat. Munchs Angstvision, seine «inneren Bilder der Seele»,[7] verkehrt Kirchner in ihr Gegenteil auf Grund seiner eigenen visuellen Erlebnisfähigkeit. In diesem, wie in anderen Werken, die Munch als Bezugspunkt haben, tritt bei Kirchner in der *Brücke*-Zeit anstelle der Dämonisierung der Frau und des Geschlechterkampfs die Erotik, anstelle der Absonderung des Einzelnen und der melancholischen Einsamkeit das Gemeinschaftserlebnis, anstelle der allumfassenden Lebensangst das die Sinne erfüllende Erlebnis des Körpers und der Natur.

Kirchners Munch-Rezeption, wie das der übrigen *Brücke*-Mitglieder, bleibt damit, von wenigen Ausnahmen abgesehen, weitgehend eine Aneignung formaler und technischer Qualitäten von Munchs Kunst. Insbesondere Munchs Kontur und der von ihm entwickelte Holzschnitt-Stil bildeten für Kirchner und seine Freunde um 1906/07 eine wesentliche Grundlage bei der Suche nach einer eigenen stilistischen Haltung in Malerei und Graphik.

Kirchners Frühwerk zeigt, dass Munch für die junge Künstlergeneration nach der Jahrhundertwende nicht seiner Inhaltlichkeit wegen bedeutsam war. Angesichts des formalen Nutzens, den Kirchner und sein Kreis aus Munchs Bildvisionen zog, stellt sich damit auch die Frage, ob der Expressionismus der *Brücke*, wie gemeinhin angenommen, wirklich eine "Ausdruckskunst"[8] sei, oder ob diese Künstler in ihrer Malintention letztlich nicht dem zeitgleichen, diesseitig orientierten Fauvismus eines Matisse näherstehen als dem düsteren Seelenpathos von Munchs Problemkunst.

Die Anfänge der Munch-Rezeption in der Schweiz

Auf der Kölner *Sonderbund-Ausstellung* von 1912 kam es auch zur persönlichen Begegnung zwischen Cuno Amiet (1868–1961) und Munch. Von der Oschwand aus berichtete Amiet noch im gleichen Monat seinem Sammler-Freund, dem Jenaer Kulturphilosophen und Kunstvereinsleiter Eberhard Grisebach (1880–1945), der selbst eines seiner Munch-Bilder (Abb. S. 27) an die Kölner Ausstellung geliehen hatte, über die Begebenheit: «Es war eine grosse Freude, Munch in Köln zu treffen. Wir haben ihn ja nur wenig gesehen, da er nie in die Gesellschaft gekommen ist. Er hat uns in seiner ruhigen Grösse sehr gefallen. Seine Bilder gefallen mir jetzt nur sehr bedingt. Der ganze mächtige grosse Munchsaal interessiert mich wenig. Ihr Bild ist jedenfalls eines der schönsten.»[9]

Bereits 1904 hatte Amiet zusammen mit Munch an einer Ausstellung der *Wiener Secession* teilgenommen. In den folgenden Jahren setzte er sich als Mitglied der *Brücke* eingehend mit Munch auseinander. Die Kenntnis von Munchs Kunst vermittelte Amiet, dem die Funktion eines «wahren Brückenkopfs der verschiedenen Einflüsse in der Nachfolge Gauguins und van Goghs»[10] zukam, auch seinem Freund Giovanni Giacometti (1868–1933), der selbst einmal 1908 mit zwei Gemälden an einer *Brücke*-Ausstellung im Kunstsalon Richter in Dresden teilgenommen hatte.[11] Bei Amiet wie bei Giacometti hatte sich das malerische Schaffen in der Auseinandersetzung mit Gauguin, van Gogh und Hodler um 1906/07 bereits so stark gefestigt, dass die Begegnung mit der Malerei von Munch als einem anderen Hauptvertreter des Nachimpressionismus ohne erkennbare Folgen blieb. Bedeutungsvoll wurde hingegen für das graphische Werk von Giacometti, zur gleichen Zeit wie für Kirchner und seinen Kreis, die eigenwillige Schnitztechnik und der Stil, den Munch im Holzschnitt entwickelt hatte.[12] In seinem Holzschnitt *Giovanin da Vöja*[13] von 1908 nimmt Giacometti mit dem Brustbildtypus, der frontalen Anordnung der Figur, der Rahmung des Bildes, vor allem aber mit den über Gesicht und Gewand verstreuten Flecken, die Licht und Stofflichkeit zugleich evozieren, wesentliche Momente der Holzschnittkunst von Munch auf.

Der frühe Zeitpunkt, zu dem Amiet und in seinem Gefolge Giacometti auf Munch aufmerksam wurden, beweist einmal mehr, dass das Freundespaar nach der Jahrhundertwende zu den bestorientierten Schweizer Künstlern gehörte. Die aus eigener Anschauung gewonnene Einsicht in die Entwicklung der neuesten französischen Malerei war letztlich der Grund für das Interesse, das die *Brücke*-Künstler dem Werk von Amiet entgegenbrachten. Damit funktionierte Amiet nicht nur in der Schweiz, sondern auch in Deutschland als Vermittler der verschiedenen französischen Zeitströmungen. Andererseits darf angenommen werden, dass Amiet seine vertiefte Kenntnis von Munchs Kunst dem *Brücke*-Kreis verdankte, da Munch zum Zeitpunkt seines Beitritts für Kirchner und seine Freunde zu den ersten Entdeckungen der nachimpressionistischen Kunst gehörte.

Die erste Munch-Ausstellung in der Schweiz

Mitt Juni 1922 eröffnete das Zürcher Kunsthaus die erste Munch-Ausstellung in der Schweiz.[14] Dr. Wilhelm Wartmann, der Leiter des Zürcher Kunsthauses, hatte den Kontakt zum Künstler hergestellt und in Zusammenarbeit mit ihm die Ausstellung und den Katalog konzipiert. Die Ausstellung bot einen repräsentativen Überblick über seine Malerei und Druckgraphik mit Hauptwerken der späten achziger Jahre bis zu den neuesten Arbeiten von 1920/21. Im Herbst übernahmen die Kunsthallen Bern und Basel die Ausstellung. Welchen Stellenwert und Bedeutung die Munch-Ausstellung für die Schweiz hatte, ist der Einleitung von Georg Schmidts Ausstellungsbesprechung zu entnehmen: «Bilder der grossen Franzosen, auf denen unsere heutige Malerei ruht, sind bei uns hie und da zu sehen. Von den wenigen Künstlern, die ausser diesen für die Entwicklung der modernen Kunst von Bedeutung sind, ist in unserem Land keiner so schwer zugänglich und darum so unbekannt wie Munch. Seine Bilder sind weder als Privatbesitz noch als Museumsbesitz noch in Ausstellungen so weit nach Süden gedrungen. (...) Seit Munch in seinen Bildern in der Schweiz weilt, ist unter Künstlern und Kunstfreunden eine heftige Diskussion entbrannt, ob Munch der grosse Künstler sei, als der er ausgegeben wird, und ob er irgendwie in der Zukunft wegweisend sei.»[15]

In Basel kam die Diskussion schon vor der Ausstellungseröffnung Anfang Oktober in Gang. Mehrere junge Künstler hatten nicht die Übernahme der Ausstellung abgewartet und waren im Sommer zu einem ersten Augenschein nach Zürich gefahren. Die Ausstellung wurde in Basel «zum Scheidewasser zwischen der älteren und der jungen Generation».[16] Aus zwanzigjähriger Distanz gibt Georg Schmidt eine Schilderung der Vorkommnisse: «Im Atelier von Carl Burckhardt in Ligornetto wurde wochenlang gestritten für und wider Munch; wir Jungen leidenschaftlich für ihn, Carl Burckhardt ebenso leidenschaftlich wider ihn. Als aber Carl Burckhardt, dem Munch die Jugend entrissen hatte, in Basel die Ausstellung betrat, rief er, im Eingang des Saales gebannt stehenbleibend, aus: ‹Herrgott, ist das ein Künstler!›»[17] Die jungen Künstler, mit denen der Bildhauer Carl Burckhardt (1878–1923) so leidenschaftlich über Munch diskutierte, waren Hermann Scherer und Albert Müller. Beide standen zu Beginn der zwanziger Jahre in freundschaftlichem Kontakt zu Burckhardt, der in jener Zeit Vorbild und Mentor einiger der besten jungen Basler Künstler war. Nicht nur Burckhardt, auch andere Künstler der älteren Generation müssen sich rasch der Wirkung, die Munch auf die jungen Künstler ausübte, klar geworden sein. So schrieb der Maler Emil Beurmann (1862–1951), Generationsgenosse von Munch und Anhänger einer gepflegten, am Pleinairismus und später am Jugendstil orientierten Malerei, 1922 in sein Tagebuch: «Edvard Munch-Ausstellung. Es ist merkwürdig, wie dieser Maler einen zugleich anzieht und abstösst. Die hauptsächlichste Anregung, die er mir gibt, liegt eigentlich darin, dass er so ungeheuer draufgängerisch ist, so unbedenklich drauflos malt. Aber ich habe vor seinen Bildern immer das Gefühl, er nehme sich nie recht Zeit zum Malen, so ein Bild müsse immer in zwei Stunden erledigt sein. Für die jungen Künstler ist das wieder ein ganz Gefährlicher. Die sehen da nur wieder das Hingehaute, Unfertige und werden sich das zum Vorbild nehmen. Das grosse Können aber, das dahinter steckt und diesen Maler zu solchem Malen befähigt, das sehen sie nicht und haben sie nicht.»[18]

In der kunstinteressierten Öffentlichkeit muss die Ausstellung teilweise auf starken Widerstand gestossen sein. Ein Indiz dafür ist der ansonsten nicht bekannte Umstand, dass der Kunstverein Georg Schmidts grundlegende, didaktisch klar aufgebaute Ausstellungsbesprechung, die die *National-Zeitung* Mitte Oktober in drei Folgen veröffentlicht hatte,[19] als Separatdruck[20] in der Ausstellung auflegte. "Zur Einführung des Publikums"[21] hielten Georg Schmidt und der Maler Alfred Heinrich Pellegrini zudem auch mehrere Vorträge in der Ausstellung.

Alfred Heinrich Pellegrini

Alfred Heinrich Pellegrini (1881–1958) gehörte zu den Basler Künstlern, die die Munch-Ausstellung entschieden befürworteten. 1918, nach mehrjährigem Aufenthalt in Deutschland nach Basel zurückgekehrt, profilierte er sich in seiner Heimatstadt rasch als aufgeschlossendster Künstler seiner Generation. Neben seinem künstlerischen Schaffen, dessen Erfüllung er im Wandbild sah, entwickelte Pellegrini von Anfang an auch eine rege kulturpolitische Tätigkeit. Einen vielbeachteten Anfang auf diesem Gebiet machte er bereits 1917 im Zusammenhang mit einer Kunsthalle-Ausstellung zur deutschen Malerei des 19. Jahrhunderts. In einem offenen Brief[22] forderte er in teilweise pathetischen Worten die Basler Bürgerschaft auf, ihre kulturelle Verantwortung (wieder) wahrzunehmen. Durch grosszügige Schenkungen sollten sie dazu beitragen, die Lücken in der Museumssammlung mit Bildern von Corot, Delacroix, Goya, Cézanne, van Gogh und Marées zu schliessen. Dies seien die Kunstwerke, die «uns Jungen als Vorbild»[23] dienen können. Pellegrini beschliesst den Aufruf mit dem Wunsch, «schenkt uns und Euch und allen die Bilder, die wir brauchen, die uns erheben und beglücken. Der Segen wird nicht ausbleiben und wir alle werden daran Teil haben.»[24]

Als Mitglied der Kommission des Kunstvereins und der Öffentlichen Kunstsammlung trug Pellegrini in den folgenden Jahren selbst dazu bei, die Kenntnis- und Sammlungslücken zu schliessen. Vor dem Hintergrund seines eigenen Schaffens, das stark von der deutschen Malerei der zehner Jahre geprägt war, verstand Pellegrini seine Aufgabe in Basel aber vor allem als Anwalt der deutschen Kunst. Denn obwohl die Kunsthalle, insbesondere in den Kriegsjahren, darauf bedacht war, Übersichtsausstellungen über französische und deutsche Kunst in schöner Regelmässigkeit abwechseln zu lassen, machte eine Ausstellung neuerer Kunst aus Basler Privatbesitz in der Kunsthalle im April 1916 deutlich, «dass in Basel keine deutsche Kunst gesammelt wird».[25] Eine Bevorzugung «der französischen Kunst lässt ebenfalls die im September 1920 veranstaltete Ausstellung von Gemälden aus Privatbesitz erkennen, wobei es sich um die grossartige Sammlung von Rudolf Staechelin handelte. Den über dreissig Gemälden französischer Meister des 19. Jahrhunderts sowie den fünfzehn Werken der *Fauves* und des Spaniers Picasso stand auf deutscher Seite – mit Bildern von Corinth, Gustav Jagerspacher, Franz Heckendorf und Pechstein – nichts Entsprechendes gegenüber».[26] Eine erste Kurskorrektur brachte die im Herbst 1921 eröffnete Ausstellung *Moderne deutsche Malerei* mit Werkgruppen von Kirchner, Heckel, Klee, Marc, Kokoschka und anderen. Organisiert hatte sie der junge Basler Bildhauer Alexander Zschokke (1894–1981), der seit 1919 in Berlin lebte. Im Sinne dieser Kursänderung setzte sich Pellegrini dann mit Entschiedenheit schon im Frühjahr 1922 in der Kunstvereins-Kommission für die Übernahme der Zürcher Munch-Aus-

A. H. Pellegrini. Der Wald. 1918
Oel auf Leinwand, 79,5 x 417,5 cm
Basel, Öffentliche Kunstsammlung

stellung ein. Im folgenden Jahr war es ebenfalls Pellegrini, der im Hinblick auf die im Frühsommer durchgeführte Kirchner-Ausstellung zwischen dem zurückgezogen in Davos lebenden Künstler und der Kunstvereins-Kommission vermittelte.[27]

Pellegrinis Einsatz für Munch beschränkte sich aber nicht auf die Ausstellung von 1922. 1927 war er die treibende Kraft in der Kommission der Öffentlichen Kunstsammlung beim Ankauf zweier Munch-Bilder, die er im Münchner Kunsthandel gesichtet hatte. Mit dem *Bildnis der Kaethe Perls* (Abb. S. 47) von 1913 und der *Küstenlandschaft* (Abb. S. 49) von 1918 erwarb die Öffentliche Kunstsammlung die ersten nicht französischen Gemälde eines zeitgenössischen ausländischen Künstlers.[28] Zur gleichen Zeit stand Pellegrini auch Basler Sammlern beratend zur Seite. Bereits 1931 hatte er einen Basler Kunstfreund zum Kauf eines Munch-Bildes (Abb. S. 31) motivieren können. Drei Jahre später kam der zweite Ankauf eines Munch-Bildes durch einen Basler Sammler zustande. Konsul Fritz Schwarz von Spreckelsen, selbst ein enger Freund und engagierter Sammler von Pellegrinis Kunst, sicherte 1934 für seine Sammlung eines von Munchs Hauptwerken, die *Landstrasse* (Abb. S. 23) von 1902, das die Kunsthalle Karlsruhe zum Verkauf angeboten hatte. Dazu geraten hatten ihm der damalige Museumsdirektor Otto Fischer (1886–1948) und sein Künstlerfreund Pellegrini.[29]

Pellegrini, der als einziger Basler Künstler einen persönlichen Kontakt zu Munch pflegte, hat auch verschie-

dentlich über ihn geschrieben.[30] Der deutsche Kunsthistoriker Hans Secker, den Pellegrini und sein Förderkreis 1934 mit einer (getarnten) Werbeschrift über sein Werk beauftragt hatten, fasst die Grundlage der Beziehung zwischen beiden Künstlern zusammen. Nach der Beschreibung einer Winterlandschaft von Pellegrini fährt er fort: «Unwillkürlich wandert unser Vorstellungsvermögen von einem so deutlich umrissenen Naturbild aus hinauf in den Norden, wo Edvard Munch zu Haus ist und in festlichen Farben das Unheimliche von Menschen und Landschaft enthüllt. Trotz den grundverschieden gearteten künstlerischen Äusserungen muss eine innere Gemeinschaft zwischen dem Norweger und dem Schweizer bestehen. Man ahnt: diese beiden Meister öffnen die Quellen, aus denen die deutsche Sehnsucht Seelentiefe und Formgewalt schöpfen könnte für eine neue Malerei, die nichts vom Hergebrachten aufzugeben braucht und die über alle ‹Ismen› hinweg im Geistigen und Monumentalen landet. Pellegrini und Munch sind Freunde Deutschlands und – sie fühlen sich zueinander hingezogen. Der Baseler hat nie ein Hehl gemacht aus seiner Bewunderung für Edvard Munch und wiederholt mit tiefer Innigkeit über ihn geschrieben. Munch hat im Jahre 1915 in Oslo Wandgemälde ausgeführt. Später lernte er die Werke von Pellegrini kennen. Da greift der wortkarge Norweger zur Feder und sagt in der Zeitschrift St. Hallvard: Wer Fresken sehen will, der muss nach Basel fahren...»[31] Trotz dieser Beurteilung ist die deutliche Affinität eines grösseren Werks von Pellegrini zu einer Werkgruppe von Munch

Das Meer. 1918
Oel auf Leinwand, 79,5 x 482 cm
Basel, Öffentliche Kunstsammlung

bemerkenswert: Ihre Gegenüberstellung vermag das Verhältnis der beiden Künstler anschaulich zu machen. 1918 gab der Basler Kunsthistoriker, Kunstschriftsteller und Sammler Hans Graber (1886–1959) Pellegrini den Auftrag zur künstlerischen Ausgestaltung seines Arbeitszimmers. Pellegrini entschied sich, die schmale Freifläche zwischen

A. H. Pellegrini. *Sonnenuntergang. 1918*
Oel auf Leinwand, 79,5 x 118,8 cm
Basel, Öffentliche Kunstsammlung

Mondaufgang. 1918
Oel auf Leinwand, 80 x 94,5 cm
Basel, Öffentliche Kunstsammlung

den Büchergestellen und der Decke mit einer lückenlosen Abfolge von Panneaux auszufüllen. An drei Seiten brachte er Panneaux von je 80 cm Höhe und über vier Meter Länge an. Beidseits des nach Osten ausgerichteten Fensters kamen zwei weitere, kürzere Bildfelder *Sonnenuntergang,* 80×118,5 cm; *Mondaufgang,* 80×94,5 cm) hinzu: «Die meisten Maler würden ein ornamentales Band für die einzig mögliche Lösung erklärt haben; Pellegrini malte ganze menschliche Figuren hinein, die dennoch nicht klein oder kleinlich wirken. ‹Wald›, ‹Meer› (Abb. S. 109) und ‹Wüste› sind die Themen, die er wählte. Ein Mann und ein Weib ruhen symmetrisch liegend auf dem Waldboden, die Köpfe an einem Baumstamm lehnend; ein anderes Menschenpaar kämpft mit seinem Boote gegen Wellen und Wind; und in der Wüste lagern zwei Männer um ein Wachtfeuer».[32] Die Anordnung der Wandstreifen und der zur Darstellung gebrachte Themenkreis legen eine konzeptuelle Verwandtschaft mit Munchs *Lebensfries* (Abb. S. 138) nahe.

Seit den neunziger Jahren hatte Munch die Idee beschäftigt, einen Raum mit einem "Fries des Lebens" auszustatten. Um die Jahrhundertwende stellte er mehrmals einzelne Staffeleibilder (Hauptwerke jener Zeit wie *Geschrei, Madonna* und *Der Kuss*) unter wechselnden Titeln wie *Ein Menschenleben* , *Aus dem modernen Seelen-*

leben oder *Lebensbilder* in einer friesartigen Abfolge aus.[33] Diese Arrangements blieben aber streng genommen eine Art Ersatz oder Vorstufe für das erstrebte monumentale Ensemble. 1904 erhielt Munch von seinem Freund und Mäzen, dem Lübecker Augenarzt Dr. Max Linde, erstmals den Auftrag, für dessen grosses Kinderzimmer einen einheitlich konzipierten Fries zu gestalten. Aber erst 1906/07 konnte Munch in einem Salon im ersten Stock von Max Reinhardts *Kammerspielen* in Berlin seine Vorstellung des *Lebensfrieses* vollumfänglich verwirklichen.[34] Den Sinngehalt des *Lebensfrieses,* «eine Reaktion auf den damals überhandnehmenden Realismus»[35] hat Munch selbst definiert: «Der Fries ist gedacht als eine Serie von Gemälden, die gemeinsam ein Bild des Lebens darstellen. Durch die ganze Serie zieht sich die Wellenlinie des Ufers. Darüber ist die sich ewig bewegende See, weiter darunter das Leben in all seiner Fülle, seiner Vielfalt, seinem Vergnügen und Leiden.»[36]

Pellegrinis Panneaux-Folge weist mehrere Gemeinsamkeiten und gleichzeitig charakteristische Unterschiede mit Munchs *Lebensfries* (Abb. S. 138) auf[37]: Beide haben ihre Tafelbilder in nahtloser Abfolge unmittelbar unter der Decke angebracht. Den inneren Zusammenhalt gewinnen die Bilder durch gestalterische Entscheide: Bei Munch ist es die durchgehende Wellenlinie des Ufers, bei Pellegrini die gleichbleibende Horizontlinie. Bei Pellegrini gibt die Wiederholung der gleichen Figurenzahl an den drei Wänden dem Raum ein statisches Gleichgewicht, während bei

Munch die zu- und abnehmende Figurenzahl den ganzen Raum in ein rhythmisches Wogen versetzt. Einem Wechsel warmer und kalter Farben bei Pellegrini stehen bei Munch bei aller Stumpfheit der auf der ungrundierten Leinwand aufgetragenen Tempera verhalten glühende Töne gegenüber. Beide Friese verbindet aber vor allem der Wille, das Le-

Hermann Scherer und Albert Müller

Im Februar 1922 unternahm der Bildhauer Hermann Scherer (1893–1927) zusammen mit seinem Freund, dem Theologen und späteren Professor an der Universität Basel Fritz Lieb (1892–1970), eine Deutschland-Reise. Auf dem

Albert Müller. Erinnerung an Munch. 1923
Oel auf Leinwand, 110 x 220 cm
Nachlass (Stutzer G. 61)

ben des Menschen in seiner Grundbefindlichekit zur Anschauung zu bringen. Munch sieht diese in dem durch die erwachende Sexualität vorangetriebenen Prozess der Individuation gegeben; Pellegrini arbeitet hingegen mit überindividuellen und überzeitlichen Gültigkeit für sich in Anspruch nehmenden Kategorien. Antithetisch stehen sich in seinem Werk Liebe *(Der Wald)*, tödliche Bedrohung *(Das Meer)* und das sokratische Gespräch der bedürfnislos Weisen *(Die Wüste)* als Grundentscheide menschlicher Existenz gegenüber. Im Vergleich mit Munchs *Lebensfries* (Abb. S. 138), der eine Analyse der (psychischen) Befindlichkeit des modernen Menschen leistet, erweist sich damit Pellegrinis Wandstreifenfolge als in idealistischen Kategorien befangen.

Rückweg von Berlin machten sie in Jena Halt, um Eberhard Grisebach, mit dem Lieb in schriftlichem Gedankenaustausch stand, zu besuchen. In Grisebachs Haus hatten Scherer und Lieb Gelegenheit, neben Werken von Kirchner, Hodler, Amiet und anderen, erstmals auch Gemälde und Druckgraphiken von Munch im Original kennenzulernen. Diese müssen beide stark beeindruckt haben: denn sobald feststand, dass die Kunsthalle die Zürcher Munch-Ausstellung übernehmen würde, schrieb Lieb an Grisebach, um dessen Bilder, die nicht in Zürich ausgestellt waren, für die Basler Ausstellung zu erbitten. Grisebach musste ihm negativen Bescheid geben. Ende Juni 1922 schreibt er an Lieb: «Nun weiss ich aber gar nicht, ob ich Ihnen und Dr. Barth [Leiter der Kunsthalle Basel] soviel nützen kann. Meine Munchbilder sind hier während meiner Abwesenheit ver-

Albert Müller. Landschaft. Um 1923/24
Oel auf Leinwand, 70,5 x 80,5 cm
Nachlass (Stutzer G. 65)

Hermann Scherer. Beim Freidorf.
Um 1923/24
Oel auf Leinwand, 74,8 x 80,5 cm
Basel, Öffentliche Kunstsammlung

staut. Ich musste schon die Bitte der Zürcher abschlagen, da die Ausfuhr der Bilder eine Wertangabe beim Finanzamt nötig machte. Der Besitzer des grossen Bildes *Mitternachtssonne* oder *Vier Mädchen auf der Brücke* schlug aus demselben Grund ab.(...) Die Bilder aus Frankfurt (Städel) und München (Staatsgalerie) werden kaum zu haben sein.» Grisebach schlägt Lieb im gleichen Brief vor, sich in Zürich anlässlich der Munch-Ausstellung zu treffen: «Mir würde es Freude machen, mit Ihnen die Bilder anzusehen. Ich habe diese Kunst ja so ganz miterlebt und ich hoffe so manchen alten Bekannten an den Wänden wiederzufinden.»[38] Die Begegnung fand am Nachmittag des 1. August statt. Zuvor nutzten Lieb und Scherer die Gelegenheit, die Munch-Ausstellung im Kunsthaus zu besichtigen.

Die Bedeutung von Munch für Scherer ist bis heute nicht wahrgenommen worden. Nach der übereinstimmenden Meinung von Kirchner und Georg Schmidt war es die Basler Kirchner-Ausstellung vom Frühsommer 1923, die Scherers Kunst auf eine neue Grundlage stellte. Aus Anlass der Scherer-Gedächtnisausstellung schreibt Kirchner 1928:

«Als ich Scherer kennen lernte, stand er vor der Erkenntnis, dass er sein Ziel nicht mit den bisher angewandten Mitteln erreichen konnte. Er griff in den Bergen zur Malerei, die ihm Befreiung brachte... .»[39] Bildentwürfe in Skizzenbüchern aus dem Winter 1922/Frühjahr 1923 belegen aber, dass die Zürcher und Basler Munch-Ausstellungen das auslösende Moment für Scherer waren, mit dem Malen anzufangen. C.F. Vaucher (1902–1972), der 1925 als Sekretär der von Scherer und Müller mitbegründeten Künstlergruppe *Rot-Blau* angestellt war, hat (als einziger) auf diesen Umstand hingewiesen: «Die Munch-Ausstellung trieb ihn, Pinsel und Farben zu kaufen und endlich den längst gehegten Traum zu malen, in Erfüllung zu bringen.»[40] Scherers Anfänge als Maler können Kirchner nicht verborgen geblieben sein. Aus ökonomischen Gründen nahm er anlässlich seiner ersten zwei Aufenthalte bei Kirchner in Davos nahezu alle seine Bilder aus der "Munch-Periode" mit, um auf ihrer Rückseite zu malen.

Albert Müller (1897–1926), der im Herbst 1922 ebenfalls Munchs Malerei für sich entdeckt hatte, muss zeitweise

112

seinem Freund Scherer in dessen autodidaktischen Anfängen zur Seite gestanden sein. Die Gewohnheit, Seite an Seite vor dem gleichen Motiv zu malen, die in den Jahren 1924/25 in mehreren Landschafts- und Porträt-Serien kulminierte, nahm bereits zu jenem frühen Zeitpunkt ihren Anfang. So ist Scherers Bild *Beim Freidorf (Abb. S. 112)*[41] *vom Frühjahr 1923 am gleichen Standort wie Albert Müllers Landschaft gemalt.* Beide Bilder sind zudem nahezu gleich gross. Im Winter 1922/Frühjahr 1923 interessierte Scherer wie Müller an Munch weniger die Problemkunst der Jahrhundertwende als der sinnlich entfesselte Farbenrausch und die lockere Pinselschrift der Werke nach 1909. Scherers *Freidorf*-Bild ist aufs engste mit der unmittelbar vorausgehenden Phase von Munchs Malerei, wie sie das Zürcher *Apfelbaum*-Bild (Abb. S. 51) von 1921 vertritt, verwandt: Die spontan und rasch über das Bildfeld verteilt wirkenden Pinselzüge, der dünne Farbauftrag, der an manchen Stellen den Leinwandgrund durchscheinen lässt, die hellen, lichten, kontrastreich nebeneinandergesetzten Farben, der Gegensatz von Farbbahnen und Farbflecken, teilweise ohne gegenstandsbezeichnenden Wert, sind stilistische Mittel, die sich an Munch orientieren. Scherers damaliges Eingehen auf Munchs farbsinnliche Malerei der späten zehner Jahre liefert auch die Erklärung für das von Beat Stutzer festgehaltene Paradox, dass Scherers erste «malerisch-weiche, hellfarbige Arbeiten», die in Davos im August 1923 entstanden sein sollen, «noch nicht viel von Kirchners damaliger Stilstufe ahnen lassen».[42] Diese Beschreibung charakterisiert nicht die Bilder, die Scherer nach der Begegnung mit Kirchner, sondern diejenigen, die er in seiner vorhergehenden "Munch-Periode" gemalt hat. Im August in Davos und ab September in Basel setzten dann erstmals die Bilder ein, die von der Auseinandersetzung mit Kirchners Malerei zeugen: «eine anspruchsvollere, ausdrucksstärkere Phase mit seltsam-dunklen, düsteren Menschengestalten in ungewöhnlich kahlen Räumen.»[43]

Ausser der zuvor angeführten *Landschaft* sind nur wenige Werke aus Albert Müllers "Munch-Phase" bekannt. Die meiste Zeit und Energie musste er 1922 und 1923 für die Ausführung eines grossen Glasfensters für die Basler Gewerbeschule aufwenden, so dass er nur wenig zum Malen kam. An Munch interessierte Müller «die Möglichkeit einer Befreiung schlechthin, der gangbare Weg aus der Sackgasse eines formalistisch gewordenen Stils».[44] Nach einer "Lehrzeit" bei Cunon Amiet war Albert Müller 1921 Louis Moilliet (1880–1962) begegnet. Unter dem Eindruck von dessen Kunst hatte sich Müller entschieden, Zeichnung, Modellierung und Detail zurückzustellen zugunsten einer dich-

Albert Müller. Selbstbildnis in Dreiviertelfigur. 1923
Oel und Tempera auf Leinwand,
144,5 x 144,5 cm
Basel, Öffentliche Kunstsammlung (Stutzer G. 60)

ten, mosaikartigen Staffelung und Verzahnung von Farbgevierten. In der Verstrickung, in die ihn die Formalisierung seiner Mittel geführt hatte, kam Munchs eminent malerisches Bildverständnis Müller als das notwendige Korrektiv gelegen. Das reifste Dokument von Müllers Beschäftigung mit Munch ist das grossformatige *Selbstbildnis in Dreiviertelfigur* von 1923: «Erschien uns Müller auf seinen früheren Selbstdarstellungen als ein zaghaft Suchender oder Unbekümmerter, der Welt gegenüber Zuversichtlicher oder in den unmittelbar vorangegangenen Doppelbildnissen als ein mit der Natur harmonisch Verbundener, so offenbart sich hier seine innere Unruhe und Unentschlossenheit.(...) Verstärkt arbeitet Müller mit malerischen Mitteln. Locker werden die einzelnen Farbtöne aufgetragen, sie durchdringen sich ständig, verflechten sich zur Gesamterscheinung, eine Farbigkeit, die in ihrer hellen und starken Erscheinung, ihrer Kühnheit, an Cuno Amiet (zurück-) erinnert.»[45] Eine Auseinandersetzung mit dem inneren Gehalt von Munchs Bildwelt findet aber weder im Selbstbildnis noch in den anderen Bildern jener Zeit statt – mit einer Ausnahme: «Den in der Basler Ausstellung gezeigten *Sommertag* von 1904/08 für den *Linde-Fries* hat Müller ziemlich wörtlich übernommen und seine ‹Kopie› mit dem aufschlussreichen

Hermann Scherer. *Selbstbildnis.* 1923
Oel auf Leinwand, 90 x 110 cm
Nachlass

Edvard Munch. *Selbstbildnis nach spanischer Grippe.* 1919
Oel auf Leinwand, 151 x 131 cm
Oslo, Nasjonalgalleriet

Titel *Erinnerung an Munch* (Abb. S. 111) – gewissermassen als Hommage – versehen.»[46]

Die Bedeutung der Begegnung mit Munchs Malerei für Müller liegt vor allem darin, dass diese ihn im richtigen Augenblick bestärkte, seiner malerischen Begabung (wieder) zu vertrauen. In der folgenden Zeit, die er teilweise bei Kirchner verbrachte, kam dann sein malerisches Können voll zum Tragen. Aber schon vor dem eigentlichen Selbstfindungsprozess der Jahre 1925/26 gehörte Munch für Müller zu einem abgeschlossenen Kapitel seiner Entwicklung.

Ein in allem entgegengesetztes Bild ergibt die Sichtung von Scherers Werk der Jahre 1923 bis 1926. Der tiefere Grund von Scherers Hingabe an Munch muss das Erlebnis gewesen sein, einem Künstler von grosser innerer Verwandtschaft begegnet zu sein. Seit seinen Anfängen war Scherer in seinem künstlerischen Schaffen von einer tiefpessimisti-

schen, schicksalshaften Sicht der menschlichen Existenz geleitet. In freiplastischen Arbeiten und Reliefs gestaltete er das Ausgeliefertsein des Menschen an übergeordnete Instanzen, den Kampf in der Begegnung von Mann und Frau, die Frau als mütterliche Fürsorgerin oder als verführerisches Geschlechtswesen. Die weitgehende Übereinstimmung zwischen seinem Lebensverständnis und dem, das er in den Werken von Munch vorgebildet fand, hat in Scherer den Wunsch aufkommen lassen, das Ursprungsland dieser Kunst kennenzulernen. In einem Brief an eine Bekannte schreibt er zu Beginn des Jahres 1923: «Munchs Land möchtest Du sehen, ja das könnte ein wunderbares Erlebnis sein, auch ich habe in den letzten Tagen über eine Nordlandsfahrt nachgedacht, ob es je dazu kommen wird? Es ist ein utopischer Plan doch vielleicht bringt man es einmal soweit, ich muss einmal den Norden spüren.»[47] Zu einer Verwirklichung des Planes kam es nicht.

Es ist bezeichnend, dass eines der ersten Bilder in der Munch-Ausstellung, auf das Scherer ansprach, ein Selbstbildnis war. Munch hatte nur dieses Selbstbildnis, das *Selbstbildnis während der spanischen Grippe* von 1919, in die Ausstellung gegeben. Scherer hat sein grossformatiges Selbstbildnis als Pendant zur Arbeit von Munch gemalt. Wie Munch stellt sich Scherer als Leidender, niedergeschlagen inmitten des Atelier-Wohnraums in einem Korbstuhl sitzend, dar. Das ungemachte Bett auf dem Bild von Munch tauscht er gegen seine Skulptur des *Gestürzten* (Kunstmuseum Basel) aus. Das verschafft ihm eine zusätzliche Möglichkeit, seiner Befindlichkeit eine objektive Gestalt zu verleihen.

Auch nach der Begegnung mit Kirchner blieb in Scherer die Erinnerung an Munch lebendig. Im Frühsommer 1924 arbeitete er die kurz zuvor entstandene *Liebespaar*-Holzskulptur (Museum Ludwig, Köln) in einem grossformatigen Holzschnitt (Abb. S. 115) nach. Die graphische Darstellung verweist auf den Erfahrungshintergrund von Munchs Radierung *Der Kuss* (Abb. S. 157); Ausstellung Basel 1922, Nr. 73). Das Blatt von Munch ist eine seiner wenigen Darstellungen einer glücklichen Mann-Frau-Beziehung. Scherer hingegen problematisiert das Verhältnis: Die Frau leistet dem demütig-verquälten Begehren des Mannes Widerstand. Ein perspektiveloser Raum umschliesst das Paar, das auf sich selbst zurückgeworfen ist.

In seinen Holzskulpturen der Jahre 1924/25 bezieht Scherer Darstellungsmittel ein, für die es im plastischen Werk von Kirchner keine Entsprechung gibt. Mit ausgeprägten Gebärden und expressiv-verzerrten Gesichtszügen hatte Scherer schon zu Beginn der zwanziger Jahre, vor der Begegnung mit Kirchner also, die Befindlichkeit seiner

Hermann Scherer. *Zwei Frauen. o.J.*
Oel auf Leinwand, 150 x 120 cm
Nachlass

Hermann Scherer. *Liebespaar. o.J.*
Holzschnitt. 54,5 x 84,5 cm
Basel, Kupferstichkabinett

dieses Werk hat Scherer im Bild nachgearbeitet. Wiederum wird die Affinität zu Munch deutlich: Der Einsatz von Gebärden als Zeichen für Emotionen, die Ausdruckskonzentration im Gesicht, die Verzerrung der Körper, das Wogen der Landschaft, die Isolierung der Figuren vom Raumgrund und der Weg als Lebensweg im symbolistischen Bildverständnis sind Elemente, die in Werken von Munch vorgebildet sind. Der Grund für Scherers Munch-Faszination war letztlich das, was Munch von Kirchner unterscheidet: der Sinn für die den Menschen a priori bestimmenden Triebe und Ängste.

Hans Stocker

Hans Stocker (1896–1983) teilte Scherers und Müllers Begeisterung für Kirchner nicht. Als erster Maler seiner Generation liess er sich nach Wanderjahren in Genf, Positano und Sizilien 1925 in Paris nieder. Seine Malerei entwickelte er kontinuierlich, ohne Brüche und Sprünge, auf den Grundlagen, die er sich zu Beginn der zwanziger Jahre erarbeitet hatte. Sie kennt zu keinem Zeitpunkt inhaltliche oder stilistische Spannungen und Extreme. Das Erlebnis der reinen Farbe hatte ihm Hans Berger (1882–1977) in Genf 1919/20 vermittelt. In der Beschäftigung mit den grossen Glasfenstern, die er zusammen mit Otto Staiger (1894–1967) in den Jahren 1926 bis 1929 für die von Karl Moser erbaute Antoniuskirche in Basel ausführte[49], schärfte sich sein Sinn für die Zuordnung von Flächen und Farben. Um 1930 hatte Stocker seinen Stil gefunden. Die Farben «klingen gesund und warm».[50] Die Bilder strahlen «eine Freude am sinnlich Genussvollen aus. Dazu tragen auch die lauteren Motive bei: Mutter und Kind (in der Folge der *Maternités*), Interieurs mit der Familie, Waldbilder, Flusslandschaften und vor allem das vielfach variierte Thema des Meeres».[51]

Vor dem Hintergrund dieser Malhaltung, die streckenweise an den Intimismus eines Bonnard oder Vuillard erinnert, ist bei Stocker keine Disponibilität für die Auseinandersetzung mit Munch zu erwarten. Dennoch muss auch für Stocker die Basler Munch-Ausstellung einen tiefen Erlebniswert gehabt haben. Um 1926 entstand das Bild *Strasse in Montigny* (Abb. S. 116)[52], eines der wenigen konfliktgeladenen Werke in Stockers Oeuvre. In Motiv, Komposition und Thematik baut Stocker auf Erkenntnissen auf, die er der Auseinandersetzung mit Munch verdankt. Munchs Schaffen der Jahrhundertwende, auf das sich dieses Werk bezieht, konnte aber nicht der eigentliche Grund für

Identifikations-Figuren zur Anschauung gebracht. Bei Munch konnte er Bestätigungen für sein Verständnis der Gebärde als Ausdrucksträger finden. Die Gebärde der Mutter in der gleichnamigen Holzskulptur (Aargauer Kunsthaus, Aarau) von 1924 entspricht in ihrer Gestalt und Wirkungsabsicht der des kleinen Mädchens auf Munchs Radierung *Die tote Mutter und das Kind von 1901* (Kat.-Nr.92) oder die Figur im Vordergrund auf der Lithographie *Geschrei* (Kat.-Nr. 54, Abb. S. 154) von 1895. In den Werken von Munch wie von Scherer kulminiert in der Gebärde das Entsetzen der angsterfüllten Figuren.

Kirchners Bruch mit Scherer[48] im Frühjahr 1925 beschleunigte dessen Selbstfindungsprozess. Die letzte, vor dem Ausbruch seiner tödlichen Erkrankung im Herbst 1926 vollendete plastische Arbeit, die *Zwei Frauen* verkörpert Scherers Beitrag zur expressionistischen Skulptur. Auch

Stockers Auseinandersetzung sein. Es müssen viel eher die Bilder der zehner Jahre gewesen sein, die Stocker angesprochen haben: die «die freudige Bejahung des sinnlich Elementaren, verbunden mit einer Idealität, die über den bekenntnishaften psychologischen Realismus mit seinem Wühlen in Problemen hinausführt»[53], verkünden. Über ein

Bestandteile und gewann daraus eine neue Anordnung. Auf dem Gemälde von Munch sind Assistenzfiguren und Landschaftsgrund auf die in der Mittelachse sitzende, ihr Kind stillende Mutter ausgerichtet. Rechts von der Mutter vergnügen sich ihre schon etwas älteren Sprösslinge in der fruchtbaren Natur. Der am weitesten von ihr Entfernte greift

Hans Stocker. Strasse in Montigny. Um 1926
Technik, Masse und Standort unbekannt

Jahrzehnt nach der *Strasse in Montigny* ist in einem weiteren Werk dieser Bezug auf Munch zu beobachten. 1939 schrieb die Schweizerische Eidgenossenschaft einen Wandbild-Wettbewerb für den Westeingang des neuerrichteten Kollegiengebäudes der Universität Basel aus. Stocker reichte seinen Entwurf unter dem Motto *Urzeit* ein. Dreissig Jahre zuvor hatte auch Munch an einem Wettbewerb für Universitäts-Wandbilder teilgenommen. Eines seiner zur Ausführung gelangten Monumentalbilder für die Aula der Osloer Universität, die *Alma Mater* (Abb. S. 48) wurde für Stockers eigenen Universitätsentwurf wegweisend. Stocker zerlegte die ikonographische Vorlage von Munch in ihre

mit beiden Händen zu den Früchten, die an einem Baum hängen. Für Munch ist damit der Kreislauf der «grossen ewigen Kräfte»[54] angezeigt: Die Mutter-Natur zeugt und ernährt ihre Kinder, die in späteren Jahren (spätestens an der Universität) vom Baum der Erkenntnis essen werden.

Stocker versetzt in seinem Entwurf (Abb. S. 117) die stillende Mutter aus der Mittelachse links vor den Landschaftsgrund. Ihr älteres Kind, eigentlich bereits ein junger Mann, greift, im Landschafts-Mittelgrund stehend, ebenfalls mit beiden Händen zum Baum der Erkenntnis. Als kompositionelles und inhaltliches Gegenstück zur stillenden Mutter fügt Stocker einen nackten, arbeitenden Mann hinzu. Er führt damit Munchs Allegorie der ewigen Schöpferkraft der Natur in die christliche Ikonographie über: die Alma Mater und der Mann zu ihrer Rechten verstanden als das erste Menschenpaar. Dass Munch der Hintergrund für den *Urzeit*-Entwurf bildet, verdeutlicht Stocker, mehr als mit dem ikonographischen Bezug auf das Wandbild, in der eine frühere Stilphase von Munch muss wohl in deren Deckungsfähigkeit mit seiner Bildintention gesucht werden: Munchs konvulsive, stetig in Umwandlung begriffene Formverschlingungen auf den Jahrhundertwende-Bildern korrespondiert mit seiner Vorstellung der Urzeit, in der die Erde noch keine gefestigte Gestalt angenommen hat.

Hans Stocker. Urzeit. 1939. Wandbildentwurf für die Universität Basel. (Nicht ausgeführt). Tempera auf Papier, 90 x 150 cm
Nachlass

Wahl der stilistischen Mittel. Seine vollkommen flächig aufgefasste Landschaft wirkt wie eine Vergrösserung der weichen, ringförmig in sich zurückfliessenden Formballungen auf Munchs Landschaften der Jahrhundertwende. Das Explizite hat geradezu Hommage-Charakter. Gleichzeitig erstaunt es, dass Stocker bei der Inanspruchnahme von Munchs *Alma Mater*-Ikonographie, nicht zugleich auch den (Stockers Werken jener Jahre nicht unverwandten) gesteigert-naturalistischen Stil des Monumentalbildes aufgenommen hat, der als eine Vorwegnahme des in den dreissiger Jahren in der Schweiz erfolgreichen offiziellen Wandbild-Stils angesehen werden kann. Sein Rückgriff auf

Coghuf und Max Haufler

1922, im Jahr der Basler Munch-Ausstellung, war Coghuf (Pseud. für Ernst Stocker, 1905–1976), Hans Stockers jüngerer Bruder, 17jährig. Vermutlich hat der schon früh für Kunst begeisterte Coghuf die Ausstellung (vielleicht in Begleitung seines Bruders) besucht. In emanzipatorischer Abgrenzung von der vorhergehenden Generation wandte sich Coghuf, wie die anderen jungen Künstler, in den späten zwanziger Jahren nach Paris. Kirchner, und damit die deutsche Kunst, hatte nach dem Tod von Albert Müller und Hermann Scherer in Basel keine Gefolgschaft mehr. In Paris fing Coghuf 1926/27 im Atelier seines Bruders zu malen an. Den stilistischen Einstieg fand er in den van Gogh-Bildern, die er auf der Wanderausstellung der Sammlung Kröller-Müller im Sommer 1927 in der Kunsthalle Basel zu Gesicht bekam. Einen ähnlich nachhaltigen Eindruck aus dieser Ausstellung gewannen andere junge Künstler wie Otto Abt (1903–1982)[55] und Walter Kurt Wiemken (1907–1940). Das van Gogh-Erlebnis muss Coghuf auch den Weg zu Munch gewiesen haben. Sein Stil der Jahre 1927 bis 1929 ist eine eigentliche Synthese der Malerei dieser beiden Frühexpressionisten: van Goghs pastoser Farbauftrag, seine starken, aggressiven Farben, in Punktfolgen oder nervösen Pinselbahnen leidenschaftlich rasch aufgetragen, gehen in Coghufs Bildern eine Verbindung ein mit Munchs fliessendem Kontur-Stil der Jahrhundertwende. Den für die van Gogh-Landschaften der späten 1880er-Jahre charakteristischen Tiefensog lässt Coghuf auf vielen seiner Landschaftsdarstellungen im Mittelgrund abrupt abbrechen. Dahinter fügt sich ein flächiger Raumabschluss an, der Munchs Prinzip der Flächenaufteilung in ein von Konturbahnen umschlungenes Zellengewebe folgt. Diese tendenziell ungegenständliche Flächenparzellierung, die Coghuf aus der Auseinandersetzung mit Munch gewann, sollte in späteren Jahren als eine der Grundlagen seiner abstrakten Malweise wieder bedeutsam werden.

Das Jahr 1929 markierte für Coghuf einen Bruch. Er schien am Ende einer Entwicklung zu stehen. Um der «Gefahr des Verloderns»[56] zu entgehen, zog er sich mit seinem Freund Max Haufler (1910–1965) für einige Zeit nach Südfrankreich und später nach Italien zurück. Zu Beginn der dreissiger Jahre bestimmten Grauwerte seine Bilder; die Farbe wirkt wie mit dem Spachtel aufgetragen; grossflächige Formen fügen sich zu gebauten Bildordnungen. Gleichzeitig erweitert Coghuf seinen Themenkreis: Zu den Landschaften kommen vermehrt Menschenbilder hinzu. Es sind Menschen aus der Unterschicht und Randexistenzen, deren

Coghuf. *Sommer. 1928*
Technik, Masse und Standort unbekannt

soziale Situation Coghuf schonungslos darlegt. Das Hauptwerk aus dieser Periode entstand im Auftrag des Staatlichen Kunstkredits. Coghuf hatte 1931 mit dem Entwurf *Bewegung* den ersten Preis beim Wettbewerb für ein Wandbild in der Schalterhalle der Basler Hauptpost gewonnen. Georg Schmidt charakterisiert den Entwurf in seiner Besprechung der Wettbewerbsresultate folgendermassen: «Es ist hier jedoch nicht das passive Warten dargestellt, sondern das aktive, fordernde, bedrohliche Vordrängen. (...) In dreifacher rhythmischer Wiederholung, nach links in die Tiefe gestaffelt, dringt eine Mauer von Männern heran. Zwischen den drei in ganzer Gestalt sichtbaren tauchen aus der Masse der Hintermänner ein paar im Rhythmus des schweren Schreitens wogende Köpfe auf. Trotz vollkommener Bindung in die Wandfläche hat dieser Entwurf von allen Entwürfen die zwingendste raumbeherrschende Wirkung.»[57] Coghufs *Bewegungs*-Bild ist in der Schweizer Kunst der dreissiger Jahre ohne Vergleichsbeispiel. Auf keinem anderen, öffentlich zugänglichen Wandbild sind Arbeiter zum Darstellungsgegenstand gewählt worden. Bei Coghuf treten sie zudem selbstbewusst-fordernd und in einer Massenbewegung auf. Vor diesem Hintergrund erstaunt es nicht, dass nach einigen Jahren den Protesten, die die Entfernung des Bildes verlangten, nachgegeben wurde. Coghufs Wandbild ist nicht ohne Munchs ebenso grossformatiges Bild *Arbeiter auf dem Heimweg* (Abb. S. 119) von 1913/15 denkbar. 1922 hatte es in der Kunsthalle einen Ehrenplatz in der Rotunde erhalten. Georg Schmidt erwähnt das Bild in seiner Aus-

118

stellungsbesprechung von 1922[58] und noch 1928 führt es Pellegrini in seinem Text über die beiden Munch-Neuerwerbungen des Museums an[59], was für die Wirkung des Bildes auf das mit Themen des sozialen Lebens unvertraute Basler Kunstpublikum spricht.

Munch hatte die Bildidee 1913 in Mors bei der Beobachtung der Arbeiter, die allabends durch die Strassen der Stadt nach Hause zogen, entwickelt. Er interessierte sich für die Arbeiter nicht so sehr aus Anteilnahme an ihrer sozialen Situation, sondern weil er sie in einer ähnlichen Lage wie sich selbst sah: Arbeiter wie Künstler gehörten für Munch zu den von der bürgerlichen Gesellschaft ausgeschlossenen Individuen.[60]

Coghuf legte seiner Arbeit Raum- und Figurendisposition des Munch-Bildes zu Grunde und konnte so mit der gleichen, schlagenden Wirkung rechnen. Das aus dem Bild Herausschreiten der Figuren fordert beide Male den Betrachter unmittelbar zur Stellungsnahme heraus. Zu einem Zeitpunkt, als Munch aufgehört hatte, eine stilbildende Wirkung auf Coghuf auszuüben, ist damit das *Bewegungs*-Bild eine letzte – nun inhaltliche und motivische – Bezugnahme auf das Vorbild der Entwicklungsjahre.

Coghuf. Bewegung (Arbeiter auf dem Weg zur Arbeit). 1932–34
Oel auf Leinwand, 276,5 x 347,5 cm
Staatlicher Kunstkredit Basel-Stadt und Eidgenossenschaft

Edvard Munch. Heimkehrende Arbeiter. 1913/15
Oel auf Leinwand, 200 x 228 cm
Oslo, Munch-Museet

1931 nahm auch Max Haufler (1910–1965) am Wandbild-Wettbewerb für die Basler Hauptpost teil. Seine Eingabe, eine Darstellung wartender Arbeitsloser, nimmt sich wie diejenige von Coghuf der akuten sozialen Zeitprobleme an. Die expressive Farbigkeit der früheren Jahre war nicht mehr am Platz: «Von 1931 an ist alles in schweren Grau- und Brauntönen gemalt, und das linear-zeichnerische Element überwiegt das flächig-malerische».[61] Den sich in jenem Jahr «abzeichnende Umbruch wertet Schmidt als eine vitale Überwindung der jugendlichen Farbartistik und als tieferes Eindringen in die Wirklichkeit».[62] Nach kurzer Zeit war Hauflers Palette beinahe monochrom geworden. Seine Malerei hatte einen Punkt erreicht, an dem ein Fortschreiten kaum mehr vorstellbar war. In dieser Situation wurde Munch noch einmal für einen jungen Basler Künstler bedeutsam. 1932 hatte Haufler Gelegenheit, die zweite Übersichtsausstellung, die das Zürcher Kunsthaus dem Schaffen von Munch widmete[63], zu besuchen. Noch im gleichen Jahr unternahm Haufler eine erste Reise in den Norden, die ihn in die "Munch-Stadt" Hamburg[64] führt. Dort arbeitete er im Atelier des Landschaftsmalers Wilhelm Grimm (geb. 1904). 1934 realisierte Haufler seinen Plan, der ein Jahrzehnt zuvor Hermann Scherer versagt geblieben war: Über Hamburg und Friesland reiste er nach Norwegen. Er verbrachte die Sommermonate in Oslo, Bergen, Kvitsöy und Hallingkeid. «Ob er den grossen norwegischen Maler getroffen hat, ist bis heute unbekannt geblieben».[65]

Auf der ersten Ausstellung der *Gruppe 33* in der Kunsthalle Basel im Oktober 1934 präsentierte Haufler den künstlerischen Ertrag seines Norwegen-Aufenthalts, einige Ölbilder und eine Serie von Aquarellen und Kreideskizzen. Georg Schmidt beurteilt in seiner Ausstellungsbesprechung Hauflers Neuansatz folgendermassen: «Gegenüber Hauflers vorhergehenden Arbeiten bedeuten diese norwegischen Aquarelle vor allem eine Befreiung der Farbe – ‹Wiederbefreiung› – muss man zwar sagen, denn er hat sie einst schon besessen. Allerdings noch nie so differenziert und wirklichkeitsgesättigt.»[67] Gleichzeitig meldet Schmidt auch Vorbehalte an: «Wenn man Norwegen nicht aus eigener Anschauung kennt, ist es schwer, zu beurteilen, ob nun Munch die norwegische Landschaft so sehr richtig gefasst hat, oder ob Munchs persönliche Auffassung der norwegischen Landschaft so sehr suggestiv ist. Jedenfalls erinnert Hauflers Aquarellzyklus aus Norwegen stark an Munch. Immerhin – diese Blätter sind nicht nur technisch unerhört sicher und flüssig gemalt, es steckt auch in jedem einzelnen von ihnen ein Stück wirklichen Landschaftserlebnisses.»[68]

In einigen seiner intensivsten Arbeiten, wie der Gouache *Nordseestrand mit Liegenden* gelingt es Haufler jedoch, die Munch-Rezeptionsvorgabe zu überwinden: «Das Bild zeigt eine Symbiose von Mensch und Landschaft und ist zugleich Ausdruck psychischer Stimmungswerte.»[69]

Die Auseinandersetzung mit Munch hatte Haufler aber keinen neuen, entwicklungsfähigen Ausgangspunkt gebracht. 1935 reiste er nach Davos, in der Hoffnung, Kirchner zu begegnen. Im selben Jahr noch trat er in die Akademie von Amédée Ozenfant in Paris ein. Als er 1936 – er war erst 26jährig – nach Basel zurückkehrte, hatte Haufler den Entschluss gefasst, mit dem Malen aufzuhören.

Max Haufler. Nordseestrand mit Liegenden.
1934
Aquarell und Kreide auf Papier, 61,5 x 46,5 cm
Basel, Kupferstichkabinett

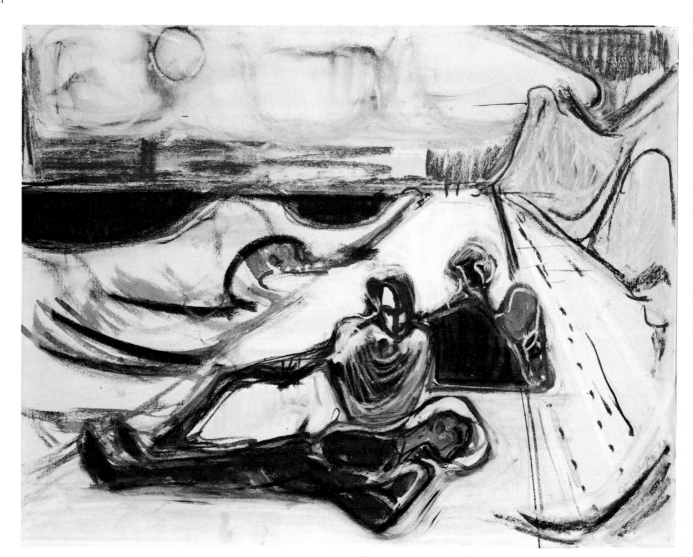

Walter Kurt Wiemken

Zur gleichen Zeit wie Coghuf und Max Haufler, die 1929/30 Seite an Seite in den Freibergen und in Südfrankreich malten, hatten sich drei andere junge Basler Künstler zusammengefunden: Seit den späten zwanziger Jahren arbeiteten Walter Kurt Wiemken (1907–1940), Otto Abt (1903–1982)[70] und Walter Bodmer (1903–1973)[71] gemeinsam in Paris, Collioure (Südfrankreich) und Basel an den Grundlagen ihrer Malerei. Schon zu Beginn der dreissiger Jahre zählten sie zu den wichtigsten und vielversprechendsten Künstlern ihrer Generation.[72] Walter Kurt Wiemken fiel besonders auf durch die Aggressivität, mit der er in seinen Bildern «das Demaskieren, das Blosslegen des inneren Getriebes der Dinge»[73] vorantrieb.

Im Jahr 1931 – «vielleicht das intensivste, jedenfalls das inspirierteste seines ganzen Lebens»[74] – hatte Wiemken erstmals einen Weg gefunden, eine seiner bedrängenden Wirklichkeitserfahrung, seinen abgründigen Vorstellungen und Ängsten formal adäquate Gestalt zu verleihen. Es setzte in jenem Jahr ein Prozess ein, der zu einer vollständigen Umschichtung seines Schaffens führte: weg von der sinnlichen Anschauung der Natur, hin zu den inneren Bildern «auf der Rückseite des Auges».[75] Ins Jahr 1930/31 fällt auch Wiemkens intensive Beschäftigung mit moderner russischer Literatur, Strindberg und Munch.[76] Zu jenem Zeitpunkt fanden in der Schweiz zwei Munch-Ausstellungen statt, die beide seinem druckgraphischen Werk gewidmet waren (1929 im Kupferstichkabinett Basel, 1931 in der Kunsthalle Bern).[77] Neben diesen beiden Ausstellungen dürfte für Wiemken auch die Strindberg-Lektüre eine Anregung zur Auseinandersetzung mit Munch gewesen sein (Strindberg und Munch werden seit der Jahrhundertwende auf Grund ihrer biographischen und künstlerischen Berührungspunkte oft zusammen als "nordische" Wegbereiter der modernen Kunst und Literatur angeführt). Wiemken hatte schon um 1925 – als 18jähriger – ein *Sterbezimmer* gezeichnet. Um 1930 setzen die ersten Darstellungen von Triebmördern, Huren und Selbstmördern und von Strassen-Prozessionen gequälter und entrechteter Kreaturen ein. Vor diesem Hintergrund war Munch, verstanden als der Maler der Lebensangst, des Leidens und des Todes, als der Demaskierer der bürgerlichen Moral und der pervertierten Triebe, für Wiemken eine Bestätigung der eigenen Erfahrungs- und Vorstellungswelt. Entsprechend souverän ist Wiemkens Umgang mit dem von ihm verehrten Künstler. Stilistische Mittel, die für Munchs Kunst konstitutiv sind, arbeitet Wiemken, fast nicht wiedererkennbar, in seine eigene Darstellungs-

weise ein. In der Zeichnung *Wartezimmer eines Arztes I* gemahnt das perspektivisch stark verkürzte Guckkasten-Zimmer in Verbindung mit den erregten, energiegeladenen Linienbahnen, die den Raum zum Schwingen bringen, an Munch-Arbeiten der Jahrhundertwende.[78]

Neben dem Expressiven muss das Stimmungsmässige, Irrationale und Ungesetzliche von Munchs Malerei Wiemken ebenso angesprochen haben. Das Erlebnis der poetischen Qualität von Munchs Gemälden der Jahrhundertwende bildet den Hintergrund für das Bild *Nordische Landschaft* (Abb. S. 122) von 1932, dem Wiemken bei seiner ersten Präsentation den Titel *Phantasie* gab. In Kolorit und Malweise nimmt Wiemken explizit Bezug auf Munch und erreicht mit der Aneignung von dessen "Stimmungsmitteln" eine ähnlich suggestive Wirkung. Die Auswahl und Zuordnung der Dinge entspricht aber ganz Wiemkens eigener Vorstellungswelt. Die zeitgleiche Zeichnung *Gegensätze*

Walter Kurt Wiemken. *Sterbezimmer.*
Um 1925
Bleistift auf Papier, 37,5 x 33 cm
Basel, Kupferstichkabinett (Hanhart 145)

Walter Kurt Wiemken. *Wartezimmer eines Arztes I. 1931*
Tinte auf Papier, 25,8 x 19,8 cm
Zürich, Werner Coninx-Stiftung (Hanhart 640)

121

Walter Kurt Wiemken. Nordische Landschaft.
(1932)
Oel auf Leinwand, 65 x 92 cm
Basel, Galerie «zem Specht» (Hanhart 580)

Walter Kurt Wiemken. Gegensätze. Um 1931
Tusche auf Papier, 36,5 x 42 cm
Basel, Kupferstichkabinett (Hanhart 579)

legt das der Zeichnung der Nordischen Landschaft zu Grunde liegende Prinzip offen zu Tage: Sie ist die Veranschaulichung der das Leben des einzelnen wie das Funktionieren der Gesellschaft im ganzen bestimmenden (unaufhebbaren) Widersprüche und Gegensätze.

Im gleichen Jahr, in dem Wiemken die Nordische Landschaft malte, schrieb der Staatliche Kunstkredit einen Wettbewerb für ein Wandbild im Treppenhaus eines Mädchenschulhauses aus. Wiemken nahm daran Teil mit einem Entwurf, den er unter dem Motto La Suite (1. Fassung) (Abb. S. 123); 2. Fassung: Schweizerischer Bankverein, Basel; Hanhart 789) einreichte. Zwei Erfahrungen gehen in dieser Arbeit eine Verbindung ein: das Seherlebnis einer Gruppe junger Mädchen im südfranzösichen Collioure und die Kenntnis von Munchs berühmtem Motiv der auf einer Brücke stehenden Mädchen. Munch hatte selbst sein Motiv, das er um die Jahrhundertwende mehrmals gemalt und in verschiedenen druckgraphischen Techniken nachgearbeitet hat, aus der Anschauung junger Mädchen während seiner Sommeraufenthalte in Aasgaardstrand gewonnen. Wiemken ordnet – den Anforderungen der Wandmalerei Folge leistend – Munchs diagonale, raumerschliessende Brücke streng bildparallel an. Auf dieser ziehen die jungen Mädchen «unbeteiligt und nichtsahnend am Betrachter vorbei.

123

In ihrer Bedeutung für die Mädchen noch nicht erkennbar, erstreckt sich hinter ihnen die Welt der Erwachsenen. In wenigen Jahren werden sie sich jedoch zu entscheiden haben: für das Erwerbsleben in der Fabrik (rechte Bildseite) oder für die Freiheit des künstlerisch Tätigen ausserhalb der sozialen Normen und materiellen Sicherheiten (die Artisten auf der linken Bildseite). Trennend schieben sich zwischen diese beiden Pole Eisenbahnlinien, die am Horizont in einer Bahnhofshalle zusammenlaufen».[79] Munchs einprägsame Bildfindung ist für Wiemken der Rahmen, in dem seine eigenen Vorstellungen Platz finden. Wiemken bindet Munchs mehr geahnte, als begrifflich fassbare Darstellung des Individuationsprozess an einem Mädchen, das abseits von der Gruppe steht, anschaulich: Dieses macht erstmals die schmerzliche Erfahrung der Trennung von der sie bis anhin tragenden Gemeinschaft. (*Landstrasse*, Abb. S. 23).

Walter Kurt Wiemken. Frau im Sarg. 1931
Tische auf Papier, 23 x 29 cm
Basel, Privatbesitz (Hanhart 660)

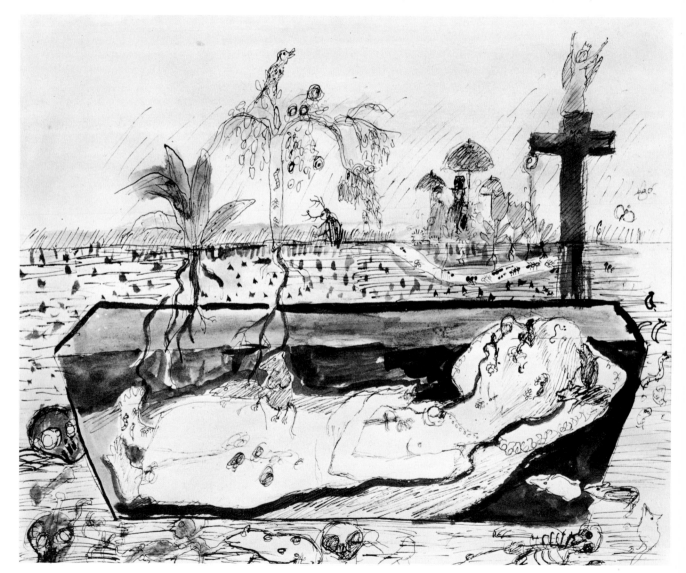

Wiemkens Hauptwerk jener Zeit, das «wie eine zusammenfassende Formulierung viele bereits früher zu Bildvorstellungen geronnene Ideen in eine grosse Komposition bringt»[80], ist das Bild *Querschnitt durch ein Haus* (Kunstmuseum Basel; Hanhart 574) von 1931. Die Vorstellung des Querschnitts durch ein Haus, der dem Betrachter Einblick in mehrere Räume gleichzeitig gewährt, gab Wiemken die Möglichkeit, die ihn bedrängende Vorstellung der das Leben bestimmenden Gegensätzlichkeiten in eine kohärente Bildform zu bringen. Dieter Koepplin hat als erster darauf hingewiesen, dass es sich Wiemken beim *Querschnitt durch ein Haus* «durch die ziemlich hemmungslose Umarbeitung eines bestimmten Vorbildes ermöglicht hat, zur schlagenden, persönlich durchgeführten Formulierung seines damaligen Grundthemas der ‹Gegensätze› vorzustossen.»[81] Das Vorbild, auf das Koepplin hinweist, ist der 1918 entstandene Holzschnitt *Hochsaison in Davos* des seit 1910 in Davos lebenden deutschen Expressionisten Philipp Bauknecht (1884–1933). Wiemken hatte Gelegenheit, den Holzschnitt in einer Ausstellung der Kunsthalle Bern, an der Bauknecht teilnahm, im Januar oder Februar 1931 zu sehen. Sein Bild *Querschnitt durch ein Haus* stellte Wiemken erstmals im März desselben Jahres in einer Zürcher Galerie aus. Auf derselben Ausstellung hing auch Wiemkens wichtigstes graphisches Blatt jener Zeit, die *Frau im Sarg* (Abb. S. 124): «Dieses Blatt könnte auch den Namen tragen *Querschnitt durch ein Grab*»![82] Eine bis heute unbeachtet gebliebene Zeichnung von Munch kann dazu beitragen, die Diskussion um die Grundlagen des für Wiemkens Schaffen konstitutiven "Querschnitt-Prinzips" zu erweitern. Wiemkens Blatt stimmt bis in charakteristische Einzelheiten mit Munchs Zeichnung *Stoffwechsel* von 1894 überein. Wiemken lässt wie Munch den Schnitt durch das Erdreich streng bildparallel verlaufen und legt das kompositionelle Schwergewicht auf die rechte Seite (bei Munch gibt ein Baum, bei Wiemken ein Kreuz den Ausschlag). Die verblüffendste Übereinstimmung ist aber die bei beiden Künstlern in die Blattmitte gesetzte Pflanze, auf der ein nach rechts gewendeter Vogel mit geöffnetem Schnabel sitzt. Bei Wiemken kehren die beiden auf dem Blatt von Munch im Mittelgrund verweilenden Figuren als Friedhofsbesucher wieder. In einem Punkt weicht Wiemken von der Munch-Zeichnung ab: bei Munch ist ein Skelett in der Erde vergraben, bei Wiemken liegt (seitenverkehrt) eine bekleidete Frau in einem Sarg, den ein (Kinder-)Skelett berührt.

Munch hat die Thematik der *Stoffwechsel*-Zeichnung, die er in keiner druckgraphischen Technik nachgearbeitet hat, 1897 in einer Lithographie *Tod und Leben*

(Schiefler 95) und um 1898 in einem Aquarell *Stoffwechsel*, Munch-Museet, Oslo) wiederaufgenommen. Lithographie und Aquarell weichen aber grundlegend von der Zeichnung von 1894 ab. Die Fülle von charakteristischen Details, die auf der Zeichnung von Wiemken wiederkehren, legt den Schluss nahe, dass Wiemken Munchs Zeichnung aus einer Buch- oder Zeitschriftenreproduktion gekannt haben muss. Munchs *Stoffwechsel*-Zeichnung kann damit, ebensosehr wie der Holzschnitt von Bauknecht, für Wiemken der Anstoss zur Entwicklung seines "Querschnitt-Prinzips" gewesen sein. In dieser Perspektive hat Munch einen eminenten Beitrag zu Wiemkens Selbstfindung geleistet.

Edvard Munch. *Stoffwechsel.* *1894*
Zeichnung, 23 x 32 cm
Oslo, Munch-Museet

Anmerkungen
Verzeichnis der abgekürzt zitierten Literatur und Ausstellungen vgl. S. 174/175.

1
dt. [Georg Schmidt], Edvard Munch in Zürich, in: National-Zeitung, Nr. 128, 17. 3. 1932

2
Zur Bedeutung von Munch für die Zürcher Kunst siehe den Aufsatz von Yvonne Höfliger-Griesser in diesem Katalog. Zum Einfluss von Munch auf Max Gubler siehe: Daisy Sigerist, Max Gubler, Lausanne 1970, S. 52 ff.

3
Arnold Rüdlinger in: Ausst. Kat. Basel 1967, Kunsthalle, *E. L. Kirchner und Rot-Blau, 2. 9.–15. 10. 1967*. Zur Gruppe *Rot-Blau* siehe: Beat Stutzer, Rot-Blau (I), in: Ausst. Kat. Aarau 1981, Aargauer Kunsthaus, *Künstlergruppen in der Schweiz 1910–1936, 15. 5.–30. 8. 1981*, S. 122–145

4
Die folgenden Ausführungen stützen sich im wesentlichen auf die Darstellung des Verhältnisses der *Brücke* zu Munch in: Marit Werenskiold, Die Brücke und Edvard Munch, in: Zeitschrift des Deutschen Vereins für Kunstwissenschaft, Bd. 28, Jg. 1974, S. 140–152. Den bibliographischen Hinweis verdanke ich Herrn Dr. Dieter Koepplin, Basel.

5
Jürgen Schultze, Beobachtungen zum Thema Edvard Munch und der deutsche Expressionismus, in: Henning Bock und Günter Busch, Edvard Munch. Probleme-Forschungen-Thesen, Studien zur Kunst des 19. Jahrhunderts, Bd. 21. München 1973, S. 147. Zur Bedeutung von Munch für Kirchner siehe auch: Donald Gordon, Kirchner in Dresden, in: The Art Bulletin, Nr. 48, 1966, S. 335–366.

6
Schultze 1973 (wie Anm. 5), S. 147

7
Munch über seine Malintention 1907/08; zit. nach: Kunsthaus Zürich (Hrsg.), Edvard Munch im Kunsthaus Zürich, Sammlungsheft 6, Zürich 1977, S. 66, Anm. 2

8
Will Grohmann, Bildende Kunst und Architektur zwischen den beiden Kriegen, Bd. 3, Berlin 1953, S. 45. Ausdruckskunst verstanden als subjektiv-ekstatische Entäusserung und Umstülpung innerer Bilder nach aussen (siehe Expressionismus-Definition von Gottfried Benn in: Ausst. Kat. Winterthur 1975, Kunstmuseum, *Expressionismus in der Schweiz 1905–1930*, 14. 9.–9. 10. 1975, S. 11, und von Wolfgang Rothe, Der Geisteskranke im Expressionismus, in: Confinia psychiatrica, Nr. 15, 1972, S. 196 ff.). In der kunsthistorischen Forschung gilt als Topos und Dogma zugleich, dass Kirchner und der *Brücke*-Kreis «Ursprung und Gipfel des eigentlichen deutschen Expressionismus» (Will Grohmann 1953, S. 44) sind, obwohl die dazu notwendigen wort- und begriffsgeschichtlichen Voraussetzungen bis heute nicht hinreichend geklärt sind. Donald Gordon hat in seinem Aufsatz: On the origin of the word "Expressionism", in: Journal of the Warburg and Courtauld Institutes, Vol XXIX, 1966, S. 384, erstmals die Tauglichkeit des Epochenbegriffs "Expressionismus" für die deutsche Kunst im Zeitraum zwischen 1905 und 1914 in Frage gestellt.

9
Brief Amiets an Grisebach vom 14. 6. 1912; zit. nach: Lothar Grisebach (Hrsg.), Maler des Expressionismus im Briefwechsel mit Eberhard Grisebach, Hamburg 1962, S. 23.

10
Paul Nizon, die neuere Malerei der Schweiz – als Topographie von Einflüssen und Echos: als "Kolonialkunst" gesehen, in: P.N., Diskurs in der Enge, Zürich/Köln 1973, S. 19–20.

11
Siehe: Beat Stutzer, Giovanni Giacometti und die Künstlergruppe *Brücke*, in: Bündner Zeitung, 20. 8. 1982

12
Lic. phil. Paul Tanner hat am 6. 3. 1985 in seinem Munch-Graphik-Abend für die Mitglieder des Vereins der Freunde des Kunstmuseums Basel auf diesen Zusammenhang hingewiesen.

13
Norbert R. du Carrois, Giovanni Giacometti. Katalog des graphischen Werkes 1888–1933, Zürich 1977, Nr. 11

14
Siehe: Ausst. Kat. Zürich 1922, Kunsthaus, *Edvard Munch, 18. 6.–2. 8. 1922*

15
Georg Schmitdt, Edvard Munch in der Basler Kunsthalle, in: National-Zeitung, Nr. 488, 17. 10. 1922, Nr. 490, 18. 10. 1922, Nr. 494, 20. 10. 1922; zit. nach: G.S., Wege zur Kunst unserer Zeit. Frühe Artikel aus der National-Zeitung (1921–1929), Basel 1965, S. 17

16
Georg Schmidt, Edvard Munch 1863–1944, in: Galerie und Sammler, Heft 9, 1944: zit. nach: G.S., Umgang mit Kunst, Basel 1976, S. 322

17
Schmidt 1944 (wie Anm. 16), S. 322

18
Emil Beurmann, Von Leuten und Sachen. Aus dem Tagebuch eines Malers, Basel o.J. [1942], S. 88

19
Schmidt 1922 (wie Anm. 15)

20
Georg Schmidt, Edvard Munch. Vortrag gehalten auf Veranlassung des Kunstvereins, Basel o.J. [1922]. Vergleichbar mit Schmidts Munch-Broschüre ist die in den vorhergehenden Jahren vom Basler Kunstverein herausgegebene Reihe Beiträge zur zeitgenössischen Kunst. Diese Reihe diente dem Kunsthalle-Leiter Dr. Wilhelm Barth zur Vermittlung der von ihm ausgestellten Avantgarde-Kunst.

21
Jahresbericht des Basler Kunstvereins 1922, S. 5

22
Alfred Heinrich Pellegrini, Ein Nachwort zur deutschen Ausstellung, in: National-Zeitung, Nr. 792, 13. 11. 1917; zit. nach: Christian Geelhaar und Monica Stucky, Expressionistische Malerei in Basel um den ersten Weltkrieg, Basel 1983, S. 14–16

23
Pellegrini 1917 (wie Anm. 22), S. 15

24
Pellegrini 1917 (wie Anm. 22), S. 16

25
Hans Graber, Die April-Ausstellung in der Basler Kunsthalle. Ausstellung neuerer Kunst aus Basler Privatbesitz, II., in: Basler Nachrichten, Nr. 203, 20. 4. 1916; zit. nach: Geelhaar/Stucky 1983 (wie Anm. 22), S. 11

26
Geelhaar/Stucky 1983 (wie Anm. 22), S. 11

27
Kirchner hat Pellegrini 1922 in einem Holzschnitt (Dube H. 475) festgehalten.

28
Zuvor war 1912 als erstes "modernes Werk" eines ausländischen Künstlers, ebenfalls auf Veranlassung eines Künstlers (Paul Burckhardt), das Pissarro-Bild Dorf bei Pontoise von 1873 in die Museumssammlung gelangt.

29
Das Bild wurde 1979 von der Frau und der Tochter des Konsul Fritz Schwarz von Spreckelsen der Öffentlichen Kunstsammlung geschenkt. Siehe: Ausst. Kat. Basel 1979, Kunstmuseum, Bilder und Zeichnungen aus der Sammlung Schwarz von Spreckelsen, 25. 3.–29. 4. 1979

30
A. H. Pellegrini, Zwei Bilder von Edvard Munch, in: Sonntagsblatt der Basler Nachrichten, Nr. 29, 15. 7. 1928; A. H. Pellegrini, Zum 70. Geburtstag Edvard Munchs am 12. Dezember 1933, in: Neue Basler Zeitung, Nr. 291, 11. 12. 1933; A. H. Pellegrini, Hodler und Munch, Schweizer Monatshefte, 13. Jg., Heft 10, 1933/34, S. 507–508

31
Hans F. Secker, Gebaute Bilder. Grundlagen für eine kommende Wandmalerei, Berlin/Zürich 1934, S. 103–104

32
Hans F. Secker in: Ausst. Kat. Bern 1932, Kunsthalle, Alfred Heinrich Pellegrini, 3. 4.–1. 5. 1932, S. 7. Dr. Hans Graber hat die Pellegrini-Panneaux 1946 der Öffentlichen Kunstsammlung geschenkt. Seither hängen sie – in Nachempfindung ihrer ursprünglichen Funktion und Präsentationsweise – über den Büchergestellen im Lesesaal der Bibliothek des Kunstmuseums.

33
Munch stellte den Lebensfries z. B. 1902 in der Berliner Secession und 1903 in der Galerie P. F. Beyer in Leipzig aus.

34
Siehe: Peter Krieger, Edvard Munch. Der Lebensfries für Max Reinhardts Kammerspiele, Berlin 1978, S. 32 ff.

35
Munch; zit. nach: Ausst. Kat. Hamburg 1978, Kunstverein, Edvard Munch. Arbeiterbilder 1910–1930, 11. 5.–9. 7. 1978, S. 18

36
Ausst. Kat. Hamburg 1978 (wie Anm. 35), S. 18

37
Wesentliche Hinweise, die die Verwandtschaft der Pellegrini-Arbeit mit Munchs Lebensfries betreffen, verdanke ich Herrn Dr. Dieter Koepplin, Basel.

38
Brief Grisebachs an Lieb vom 28. 7. 1922; die Kenntnis des Briefes verdankt der Verfasser Frau Ruth Lieb, Basel.

39
E. L. Kirchner, Zur Scherer-Gedächtnisausstellung, in: Ausst. Kat. Basel 1928, Kunsthalle, Gedächtnisausstellung Hermann Scherer, 5. 2.–26. 2. 1928, S. 3–4

40
C. F. Vaucher, Hermann Scherer 8. Februar 1893 bis 13. Mai 1927, in: Schweizerkunst, Baslerheft, September 1928, S. 17

41
Der Originaltitel kann hier erstmals auf Grund eines Vermerks auf der Rückseite einer zeitgenössischen Aufnahme des Bildes, die sich im Archiv des Verfassers befindet, angegeben werden. Der Verfasser arbeitet an einer Monographie (mit Werkverzeichnis) über Hermann Scherer.

42
Beat Stutzer, Albert Müller (1897–1926) und die Basler Künstlergruppe Rot-Blau, Oeuvrekataloge Schweizer Künstler 9, Basel/München 1981, S. 160

43
Stutzer 1981 (wie Anm. 42), S. 160

44
Stutzer 1981 (wie Anm. 42), S. 58

45
Stutzer 1981 (wie Anm. 42), S. 57

46
Stutzer 1981 (wie Anm. 42), S. 58

47
Brief Scherers an Margarete Gallinger, undatiert; Kunstmuseum Basel, Kunstmuseum Basel, Kupferstichkabinett

48
Zu den Hintergründen dieses Bruchs siehe: Martin Schwander, Ernst Ludwig Kirchner und die erste Ausstellung der Gruppe Rot-Blau, in: Ausst. Kat. Basel 1985, Galerie "zem Specht", Gruppe Rot-Blau, 11. 4.–4. 5. 1985, S. 2–5

49
Zu den Glasfenstern der Antoniuskirche siehe: Romana Anselmetti, Die Glasfenster der Antoniuskirche in Basel (1926–1929), Lizentiatsarbeit Universität Basel 1983 (Typoskript)

50
Georg Schmidt, BBZ 8. Novemberausstellung in der Kunsthalle, in: National-Zeitung, Nr. 544, 23. 11. 1934

51
Johannes Stückelberger, Rot-Blau (II), in: Ausst. Kat. Aarau 1981 (wie Anm. 3), S. 165

52
Die Kenntnis dieses Bildes verdankt der Verfasser einer Photographie, die ihm Herr Jean-Pierre Stocker, Allschwil, freundlicherweise zur Verfügung gestellt hat.

53
Georg Schmidt 1922 (wie Anm. 15), S. 27

54
Munch über die Bedeutung seiner als Gegenstück zum Lebensfries der Jahrhundertwende konzipierten Universitätsbilder; zit. nach: Ausst. Kat. Hamburg 1978 (wie Anm. 35), S. 22

55
Siehe: Dieter Koepplin, Otto Abt, Basel 1979, S. 150, Anm. 34

56
Robert Th. Stoll, Coghufs Weg, in: Max Robert (Hrsg.), Coghuf, Moutier 1969, S. 146

57
Georg Schmidt, Staatlicher Kunstkredit 1931, in: National-Zeitung, Nr. 528, 13. 11. 1931

58
Schmidt 1922 (wie Anm. 15), S. 23

59
Pellegrini 1928 (wie Anm. 30)

60
Siehe: Ausst. Kat. Hamburg 1978 (wie Anm. 35), S. 84 ff

61
Georg Schmidt, Junge Basler Künstler in der Kunsthalle, in: National-Zeitung, Nr. 420, 9. 9. 1932

62
Yvonne Höfliger-Griesser und Martin Heller, Starke Gefühle des Vorläufigen. Die erste künstlerische Schaffensperiode: Der Maler Max Haufler, in: Schweizerisches Filmzentrum (Hrsg.), Max Haufler, Texte zum Schweizer Film 6, Zürich 1982, S. 45

63
Siehe: Ausst. Kat. Zürich 1932, Kunsthaus, Edvard Munch, Paul Gauguin, 20. 2.–20. 3. 1932

64
Zur Bedeutung von Hamburg für Munch siehe: Marina Schneede-Sczesny, Um so nackensteifer, je zäher der Widerstand. Hamburg und Munch, in: Ausst. Kat. Hamburg 1984/85, Kunstverein, Edvard Munch. Höhepunkte des malerischen Werks im 20. Jahrhundert, 8. 12. 1984–3. 2. 1985, S. 155–157

65
Yvonne Höfliger-Griesser, Max Haufler, in: Yvonne Höfliger-Griesser (Hrsg.), Gruppe 33, Basel 1983, S. 282

66
Zur Gruppe 33 siehe: Höfliger-Griesser 1983 (wie Anm. 65)

67
Georg Schmidt, Ausstellung der Gruppe 33 in der Kunsthalle, in: National-Zeitung, Nr. 484, 19. 10. 1934; zit. nach: Höfliger-Griesser 1983 (wie Anm. 65), S. 547

68
Georg Schmidt 1934 (wie Anm. 67), S. 547

69
Höfliger-Griesser 1983 (wie Anm. 65), S. 282

70
Zum Werk von Otto Abt siehe: Dieter Koepplin 1979 (wie Anm. 55)

71
Zum Werk von Walter Bodmer siehe: Walter Tschopp, Walter Bodmer, Basel 1985 (erscheint im Herbst)

72
Siehe: Georg Schmidt, Die Februarausstellung in der Kunsthalle, in: National-Zeitung, Nr. 94, 26. 2. 1932

73
Georg Schmidt, Walter Kurt Wiemken – sein Weg und sein Wesen [1942]; zit. nach: Rudolf Hanhart, Walter Kurt Wiemken, Oeuvrekataloge Schweizer Künstler 5, Basel/München 1979, S. 24

74
Schmidt 1942 (wie Anm. 73), S. 24

75
Munch über sein Bildverständnis an der Jahrhundertwende; zit. nach: Kunsthaus Zürich 1977 (wie Anm. 7), S. 66, Anm. 2

76
Siehe: Dorothea Christ, Walter Kurt Wiemken, Lausanne 1971, S. 36

77
Siehe: Ausst. Kat. Bern 1931, Kunsthalle, *Louis Aubry, Johann Peter Flück, Edvard Munch, Erna Pinner, A. Huguenin-Dumittan, 30. 8.–27. 9. 1931*

78
Zum Guckkasten-Raum bei Munch siehe z. B. das Bild *Die Mörderin* (Munch-Museet, Oslo) von 1907, zu den schwingenden Linienbahnen z. B. die Lithographie *Geschrei* (Schiefler 32) von 1895 (Abb. S. 154)

79
Martin Schwander, Walter Kurt Wiemken: *La Suite*, 1932, in: Faltblatt Basel 1985, Galerie "zem Specht", *Walter Kurt Wiemken, 3. 1.–27. 1. 1985*

80
Christ 1971 (wie Anm. 76), S. 38

81
Dieter Koepplin, Gesamtkatalog für Walter Kurt Wiemken, in: Basler Zeitung, Nr. 149, 28. 6. 1980

82
Schmidt 1942 (wie Anm. 73), S. 26

Gespräche mit Beuys und Baselitz über Edvard Munch

Dieter Koepplin

Weder Joseph Beuys noch Georg Baselitz betrachten sich als besondere Kenner des Werkes von Edvard Munch, und sie sollten gewiss nicht über Munch-Kennerschaft ausgefragt werden. Dass Beuys und Baselitz gebeten wurden, zur Gesamterscheinung und Bedeutung Munchs aus ihrer Sicht sich zu äussern und einige in Reproduktionen vorgelegte, jetzt in Basel ausgestellte Werke von Munch gesprächsweise zu betrachten, ist zunächst darin begründet, dass diese beiden Künstler sich in gewissen eigenen Werken auf Munch bezogen haben – Beuys in seinen um 1957 entstandenen Zeichnungen *Tod und Mädchen* (wozu Beuys aber bemerkte, dass dieses Motiv natürlich eine über Munch weit zurückgehende Tradition habe und diese ganze Tradition im Bewusstsein war),[1] Baselitz seit 1982 in einigen Bildern, Aquarellen und Zeichnungen, in welchen entweder die späten Selbstbildnisse Munchs[2] – als Bilder des Malers schlechthin – oder der herumgeisternde, schwebende Kopf Munchs zitiert wurden. Dies und gewisse vom 21jährigen Baselitz gezeichnete Köpfe, in denen munchische Transformationen der Augenhöhlen und Haare als (wie Baselitz sagt) "Vorwand" zu neuen "Konstruktionen" benutzt wurden,[3] veranlassten Günther Gercken, eine Untersuchung über Baselitz und Munch anzustellen und Ende 1984 im Katalog der Munch-Ausstellung des Kunstvereins in Hamburg zu publizieren.[4] Der Aufsatz ist ein Musterbeispiel dafür – ich sage dies nicht boshaft, sondern weil wir Kunsthistoriker immer wieder davon betroffen werden, Gercken konstatiert es im übrigen selber –, dass der Historiker, der Ähnliches sieht und dieses dann auch gern miteinander zu verknüpfen trachtet, leicht dahin gelangt – im Sinne von Bazon Brock? –, dass er von den Übereinstimmungen eines Künstlers mit einem älteren Künstler Genaueres "weiss" und interpretieren möchte, als der der Übereinstimmung überführte Künstler. Gewiss kennt Baselitz seinen Munch.[5] Gewiss lassen manche Linolschnitte von Baselitz an die Holzschnitte von Munch denken, vor allem an späte Werke.[6] Gerade diese späten Munch-Holzschnitte, die man als die mit den Baselitz-Schnitten verwandtesten Stücke empfindet, kannte Baselitz aber trotz seiner Vertrautheit mit der Graphik Munchs nicht. Das ist auch nicht verwunderlich: Es sind relativ untypische, selten reproduzierte und noch seltener im Handel auftauchende Holzschnitte. Man hat Baselitz Abbildungen davon gebracht und gesagt: «Nicht wahr, das ist doch sehr schön!» Die erwartete Reaktion von Baselitz – «natürlich, das kenne ich gut, eine Reproduktion davon hängt in meinem Atelier» – konnte aber mit dem besten Willen nicht gegeben werden. Den Gefallen, zum Beispiel Munchs späte Holzschnitte des *Dr. Schreiner*[7] "rechtzeitig" kennen gelernt zu haben, konnte Baselitz all denen, die sie ihm jetzt unter die Nase hielten (ich gehöre dazu), einfach nicht tun, so sehr er inzwischen diese Werke zu bewundern "gelernt" hat. Gelernt? In Wirklichkeit waren es die Holzschnitte von Baselitz, die ihm und uns den Anstoss gaben zu lernen, dass der späte und nicht nur der klassische, frühe Munch, den man überall abgebildet findet, unerhört kühne Werke schuf, die man bisher zuwenig gesehen hat.

Wenn es bei Beuys die Zeichnungen *Tod und Mädchen* sind, mit denen zunächst eine Verbindung zu Munch hergestellt zu sein scheint – Armin Zweite bemerkt freilich mit Recht die Verschiedenheit von den Fin-de-siècle-Formulierungen[8], tatsächlich ist Munchs Auffassung dadurch spezifisch, dass das Mädchen im Grunde selber den Tod bringt und aus dem Ersterben des "ausgesaugten" Geliebten vampirhaft aufblüht (Abb. S. 133, 161), den Lebenskreislauf weiterführend –, so ist es natürlich nicht nur diese bestimmte Werkgruppe, durch die, von Beuys her, Munch wiederum in neuer Weise gesehen und befragt werden kann. Diese möglichen Fragen zielen auf das Todeserlebnis und das Nachdenken über den Tod, sie betreffen die neuen Formen des Fliessenden bei Munch, sie könnten auch das künstlerische Arbeiten mit Schlüsselerlebnissen aus der Kindheit avisieren.[9] Beuys ist bei meinen Fragen, die solche Verbindungen vorsichtig avisierten, nicht auf seine eigene Kunst zu sprechen gekommen, wohl aber schliesslich – nach der Betrachtung einzelner Phänomene bei Munch – auf die Notwendigkeit eines neuen Kunstbegriffs, wie er ihn andernorts immer wieder als eine alle kreativen, freien Tätigkeiten der Menschen umfassende, primäre Sache zu definieren versucht hat und im eigenen Wirken praktiziert. Wo Beuys gegen Ende des Interviews vom endzeitlichen Individuationsprozess und Dialog und von der Notwendig-

131

Vampyr. 1895–1902
Kat.-Nr. 98

keit eines erweiterten Kunstbegriffs redet, hätte man etwa an die *Feuerstätte* von Beuys erinnern können. Aber da Beuys beim Thema geblieben ist – und ich schätzte das sehr, besonders nach der ersten Reaktion von Beuys auf meine Bitte um ein solches Gespräch: «Ja, kann ich denn dazu etwas sagen, nachdem schon so vieles über Munch geschrieben und gesagt worden ist?» –, wollte ich meinerseits respektieren, dass er nirgendwo Vergleiche mit seinen eigenen Plastiken und Zeichnungen anstellte. Ich hatte ihn übrigens so gefragt: «Hast du Lust zu einem solchen Gespräch?» Seine Antwort: «Von der Lust hängt das sowieso nicht ab!» – und ich erinnerte mich eines Beuys-Interviews von 1970, wo vom Lust-Haben die Rede war, und finde, dass dies mit der Bewusstseinsbildung eines Munch etwas zu tun hat: «Was soll man machen ohne Lust? Lust gehört schon mal zum Leben dazu, aber es gehört nicht *nur* Lust dazu, sondern eben auch gegenteilige Erfahrungen. Man kann nicht aufhören, wenn die Lust nachlässt»; zum produktiven Zustand der «Überkreuzung von zwei wichtigen Elementen der Erfahrung, nämlich Leiden, Erleiden, und Lust-Haben, wo sich ja Bewusstsein bildet an diesem Überkreuzungspunkt, zu diesem Punkt werden vielleicht manche Menschen nicht kommen, weil sie ausschliesslich an der Lust interessiert sind».[10]

Das Gespräch mit Baselitz fand nicht wie jenes mit Beuys in einem mit Schriftstücken dicht gefüllten Raum statt, sondern im riesigen Maleratelier, an dessen Hauptwand das eben fertig gewordene, grosse *Nacht*-Bild allein hing. Und das Gespräch drehte sich zunächst um dieses neue Bild, das Christian Geelhaar einige Wochen früher in einem ganz anderen Zustand gesehen hatte, kurz vor der letzten, kaum erwarteten nochmaligen Überarbeitung; dieser erste Teil des Interviews soll gelegentlich andernorts publiziert werden. Das eigentliche Munch-Gespräch blieb "im Atelier": im Fragenbereich des Bilder- und Graphik-"Machens". Was ist das, ein Bild zu machen? Wovon geht ein Maler aus, was ist möglich und was nicht, wie begegnet ein Künstler der Kunsttradition und der "Natur"? Auch bei diesem ganz anders gelagerten Gespräch beeindruckte mich die Sorgfalt, mit der Munchs Kunst betrachtet wurde – und die Freiheit und Freigebigkeit von Baselitz ebenso wie von Beuys, denen ich herzlich danke.

Wenn Munch-Kenner bei der Lektüre dieser Interviews hie und da einwenden möchten, das sei ja nachweisbar falsch, es entspreche nicht Munchs Selbstverständnis, und wenn Widersprüche zu Aussagen, die sich in dieser Publikation finden, hervortreten sollten, so käme es darauf an, einzusehen, dass Sprache und Rezeption von Kunstwerken komplexer und lebendiger, jedenfalls weniger zeitgebunden sind als die von den ersten, quellennahen Interpreten – wie Przybyszewski, Linde, Glaser, Thiis –, ja als die von Munch selber hinzugelieferten Begriffe und Ideologien. Ausserdem kann man Kunstwerke gut oder schlecht, präzis oder verschwommen, fruchtbar oder abwegig "missverstehen".

Nicht blosse Bilder

Joseph Beuys über Edvard Munch
Düsseldorf, 16. März 1985

Abend auf der Karl Johan-Strasse. 1896
Handkolorierte Lithographie,
Masse nicht bekannt
USA, Privatbesitz

Koepplin: Eines der eindrücklichsten Bilder, die aus Zürich zu unserer Ausstellung nach Basel ausgeliehen werden, ist die *Musik auf der Karl Johan-Strasse* (Abb. S. 15), ein grossformatiges Frühwerk. Es gehe, berichtete Munch, auf eine Erinnerung aus seiner Kindheit zurück. Mit Kindheitserinnerungen hat Munch – auch Munch[11] – bekanntlich oft gearbeitet.[12]

Beuys: Kindheitserinnerungen – ich weiss nicht, ob das der richtige Ausdruck ist. Erinnerung stimmt schon. Die Erinnerungen blieben meistens negativ bei ihm – der Tod der Mutter, der Tod der Schwester, Krankheit, die bürgerliche Lebensform, die er anfängt total zu negieren, zusammen mit andern – Ibsen, Strindberg: Das liegt ja alles auf derselben Linie des Protestes gegen die verlogene bürgerliche Moralvorstellung. Der ibsensche Titel *Gespenster* (vgl. Abb. S. 15, 16)[13] – ich glaube, diese Erinnerungen lassen sich ziemlich gut zusammenfassen unter dem Begriff "Gespenster-Erlebnisse". Am Totenbett geistern die Gespenster (Abb. S. 134).

Koepplin: Ähnliche Gespenstergesichter hat Munch auch unter die schemenhaften Gestalten auf der Lithographie *Abend auf der Karl Johan-Strasse* gezeichnet.[14] Bei der *Musikkapelle auf der Karl Johan-Strasse* (Abb. S. 15) habe Munch freilich, so sagt er, an Frühling und fröhliche Klänge gedacht.[15]

Beuys: Aber auch diese Musikkapelle besitzt einen gespenstischen Charakter. Sie hat ausserdem, so meine ich, noch eine andere Bedeutung: Hier ist auch ein Vormarsch des Proletariats dargestellt. Später sind es dann wirklich die Arbeiter, die Munch gezeigt hat. Und diesen Bildern der marschierenden Arbeiter[16] gehen die Darstellungen der gehetzten Bürger voraus. Auf dem Bild mit der Musikkapelle ist schon ein Element der Massenbewegung drin. Das hatte für Munch auch etwas Beängstigendes.

Koepplin: Es gibt aus später Zeit, von 1920/22, Lithographien mit Massenszenen in der Strasse wo das alte Angstthema mit der Aktualität der Volksbewegung verbunden ist,

so die Lithographie mit dem Volksauflauf auf dem Frankfurter Bahnhofsplatz beim Begräbnis des erschossenen Walther Rathenau (Abb. S. 136).[17]

Beuys: Das bestätigt das Bild mit der Musikkapelle. Die Angst hatte hier auch schon einen sozialgesellschaftlichen Grund. Sie ist jedenfalls der Generalbass in Munchs frühen Erinnerungen. Und die Kunst war für ihn das Mittel, sich von dieser Angst zu befreien. Daraus entstand seine neue Kunstwelt, und das war eine wirklich neu errungene Welt. In ihr hat er täglich gelebt – er konnte sich bekanntlich von seinen Bildern nicht trennen, er musste die Sachen um sich haben.

Koepplin: Dieses Bedürfnis scheint im Alter und in der immer stärker gewollten Einsamkeit zugenommen zu haben.

Beuys: Ich möchte aber doch sagen: Munch hat im Grunde und am Anfang seine Kunstwelt nicht nur auf sich bezogen, sondern er hat schon an die Menschen gedacht. Er hat durchaus ein Zeitproblem erlebt. Er hat an die Menschen gedacht, die seine Kunst sehen werden und daran sozusagen sich selbst erkennen werden in ihrer eigenen Zeitsituation. Daran hat er fest geglaubt. Er hat also nicht monomanisch oder in sich gekehrt nur für sich gearbeitet, sondern er hat schon ein scharfes Bewusstsein gehabt für die Wirkung, die

diese Sachen auf die Öffentlichkeit haben werden. Es gibt genügend Äusserungen Munchs, die darauf hinweisen.[18] Er hat sich auch immer wieder geäussert zu der politischen Situation, speziell zur kommunalen Situation in Kristiania. Einen sozialen Nerv hatte er durchaus. Auch später in Berlin bei den Diskussionen in den sogenannten Bohème-Zirkeln: Diese Leute waren ja alle in hohem Grade soziologisch interessiert, Przybyszewski zum Beispiel (Abb. S. 137) und solche Leute. Munch hatte ein starkes Gefühl vom Übergang aus der alten Welt in eine neue. Das soll man nicht unter den Tisch fegen. Sicher, das Subjektive spielt bei ihm eine starke Rolle, besonders im Anfang. Aber zur gleichen Zeit hatte er ein klares Bewusstsein von der Wirkung, die sich durch sein Subjekt auf die Allgemeinheit vollzieht. Munch hat ausserdem gewusst, dass seine Dinge nicht erkannt werden, jedenfalls bestimmt nicht in Kristiania sofort. Das heisst, er musste sich wehren gegen diese verklemmte bürgerliche Angst vor dem Neuen bei denen, die mit Abwehr reagierten. Und das ist bis heute so geblieben. Ich war vor nicht langer Zeit in dem Museum in Oslo und habe mir Munchs Bilder angesehen. Es kamen Journalisten, und *wie* die einen fragen, was man von diesen merkwürdigen Sachen hält, das

weist klar darauf hin, dass Munch für die Norweger immer noch ein nicht bewältigter Brocken ist. Die Bilder sind immer noch verkannt, die Hauptfragen sind immer noch nicht im Bewusstsein.

Koepplin: Betrifft das die frühen und die späten Werke in gleicher Weise? Hat Munch selber in seinen ab etwa 1907 gemalten Werken eine "Lösung" der im Frühwerk lastenden Probleme gefunden? Mit manchen von ihnen komme ich nicht zurecht, weil ich ihre Idee nicht kapiere, so schön viele dieser Bilder auch sind, besonders zum Beispiel der *An der Trave in Lübeck* (Abb. S. 41) von 1907, der aber erst an der Wende zum späteren Oeuvre gemalt wurde.

Beuys: Munch hatte in seinen späteren Werken gewiss eine bestimmte Idee. Er ist bewusst stärker auf die Sache, auf die Phänomene eingegangen. Er wollte die Dinge von einem andern Ende anfassen, ohne diese frühere Beladenheit mit Ängsten.

Koepplin: Das Bild wäre allerdings kein Munch ohne zum Beispiel diese schwarz konturierten schwimmenden Flecken, wozu auch die zwei Bäume am Ufer gehören, besonders aber die schwimmenden Reflexe im Wasser und am merkwürdigsten der selbstherrliche gelbe Fleck unter dem Lastschiff. Er müsste naturalistisch als ein Reflex der blauen Öffnung im bewölkten Himmel bezeichnet werden, ist aber doch ein darüber hinausgehendes Gebilde. Als blosse Wiedergabe eines Phänomens versteht man dies nicht recht.

Beuys: Trotzdem ist es ein Phänomen innerhalb einer direkt gesehenen Landschaft. Das gesehene Motiv kommt überall stärker zum Tragen. Man kann dieses Motiv nur nehmen, wie es von der Malerei bearbeitet ist. Es ist in keiner Weise eine symbolistische Sache, wie sie in den früheren Bildern von Munch überall enthalten ist – mit diesen wirklich darin erscheinenden Symbolen und mit der symbolistischen Bewegung der Farbe. Diese Farbbewegung tritt jetzt zurück. Was Munch hier sagen will, wird nicht mehr eingefangen durch ein Blutsymbol etwa oder durch die vielen anderen Symbole: Entzweiungssymbol, Mann- und Frausymbol, Symbol für Sexualität oder Pubertät, oder die Angst- und Todessymbolik überall in den Schatten, und *wie* die Schatten aussehen. Es treten jetzt auch ganz zurück die Symbole für den Biologismus, die Symbole für die biologischen Seiten des Lebens, aus deren Betrachtung wiederum diese Ängste vor Tod und Geburt kommen. All dies ist später weniger da. Sondern aus Munchs Sicht musste es wie eine Art von Befreiung von diesen Dingen gewesen sein, indem er sich mehr den Phänomenen hingegeben hat, aber zugleich das aetherische Leben der Dinge hineingemalt hat. Es ist tatsächlich all dies ein Zweifaches. Denn die letzten Bilder, die kurz vor seinem Tod gemalt wurden, haben ja

Lübeck entstanden ist, er sich in eine Klinik begeben hat. Danach sah die Sache für ihn anders aus zunächst. Es kommt, glaube ich, etwas weiteres hinzu: Munch hatte bestimmt ein Bewusstsein von der Bedeutung dessen, was er bis dahin gemacht hatte, und er hat sicher auch gemeint, davon habe er genug gemacht.

Bildnis Stanislaw Przybyszewski. 1898
Kat.-Nr. 78

Bildnis August Strindberg. 1896
Kat.-Nr. 73

wieder viel von der ersten Symbolik: so das Bild mit Munch, der in dem Zimmer zwischen dem Bett und der Standuhr steht (Abb. S. 140), kurz vor seinem Tod.[19] Die Malerei ist zwar locker, aber da ist wieder die Todessymbolik darin, die Symbolik der Frau wie im Rahmen des *Strindberg-Bildnisses,* auch die Symbolik der Frontalität. Da greift er wieder zurück. Munch hat vorher zeitweise wohl geglaubt, dass man das Heil in der Natur finden könne, durch ein stärkeres sich Hinwenden zur Natur und durch ein Zurücktreten seines subjektiven Teils. Man muss natürlich mit in Rücksicht stellen, dass bei jener Wende, als etwa *An der Trave in*

Koepplin: Curt Glaser äusserte sich indirekt so in seinem Munch-Buch, das 1914 geschrieben und 1917 in Berlin gedruckt wurde. Diese Ansicht dürfte auf Äusserungen von Munch selber zurückgehen Die 1909 herausgekommene Mappe *Alpha und Omega* versteht sich sicher auch – wenigstens teilweise – als Zeugnis der Befreiung vom bedrückenden Gehalt der Frühwerke und, bildlich gesprochen, als eine Bewältigung des *Schreis* (Abb. S. 154 und Kat.-Nr. 127.20).

Der Lebensfries in der Ausstellung der Galerie P.F. Bayer in Leipzig 1903, oben Bilder und unten Graphik

Beuys: Offenbar hat Munch gesehen, dass das Frühwerk ein Monument in sich ist, das brauchte keine Verlängerung. Und dann hat er versucht, sich ganz anders zu betätigen und das Alte zu vergessen.

Koepplin: Die Wiederholungen alter Bilder sprechen wohl nicht dagegen.

Beuys: Nein, weil sie eben so anders gemalt sind als die von den alten Themen unabhängigen – oder unabhängigeren – Bilder der späteren Jahre. Gewisse Verbindungen zu den frühen Bildern mussten natürlich auch aufrecht erhalten werden.[20]

Koepplin: Du hast den Begriff des "Biologismus" verwendet, als du vom Frühwerk sprachst. Wo war der Ort des Psychischen in einem biologistischen Weltbild? Ich nehme

an, das war bei Munch ein anderer Ort als in deinen eigenen Vorstellungen.

Beuys: Das mit Sicherheit. Aber man muss sich an die ganz andere Zeitsituation erinnern. Munch ist ja ein Zeitgenosse von Freud. Die Tiefendimension der Seele spielt für Munch eine ganz neue Rolle, aber auch das Sexuelle, die Gier, die Lust – das ist bei ihm ja nicht zu kurz gekommen. Man muss dies erst einmal aus der Zeit heraus verstehen, auch den Biologismus, der in dieser Zeit nach vorne kommt, verbunden mit dem Materialismus, dem Atheismus usw.

Koepplin: Vielleicht wurde die atheistische oder die versuchsweise atheistische Haltung und zum Beispiel auch die Unerklärlichkeit des Todes von Munch so bedrängend formuliert, dass es nicht nur als etwas Tatsächliches in den Bildern erlebt wird, sondern nicht zuletzt neue Fragen provoziert.

138

eine notgedrungene Angelegenheit geworden. Wehe dem, der nicht Atheist ist in einer solchen Zeit, wo der alte Gottesbegriff nicht mehr trägt. Es war notwendig geworden, völlig auf sich gestellt zu sein. Damit ist natürlich eine Vereinsamung, diese Schwermut in der Vereinsamung verbunden – dafür ist Munchs Werk ein Ausdruck. Mit diesem Grunderlebnis ist er vollkommen nackt herausgerissen aus allen Traditionen. Er will wirklich auf das Neue zu, und ihm gelingt das Neue – diese neue Spiritualität oder was er "heilig" nennt. Und das macht ihn natürlich weitaus grösser als diejenigen, die in der überlebten alten Situation hängen geblieben sind. Denn er hat alles durchgemacht, auch stilistisch: den Impressionismus, den Pointillismus, den Naturalismus, den Symbolismus, den Expressionismus. Obschon es diese Dinge alle bei ihm gibt, sind sie in eine integrale Einheit eingegangen, auch der Jugendstil.

Koepplin: Und der Japonismus.

Beuys: Richtig. Der war bei van Gogh stärker zum Tragen gekommen. Van Gogh und Munch, das ist überhaupt die Konstellation.

Koepplin: Hodler allenfalls noch.

Beuys: Hodler nicht. Hodler ist etwas ganz anderes. Er war im Grunde ein Konstruktivist. Die dekorativen Elemente bei ihm sind konstruktiv entstanden, völlig anders als bei Munch. Ich kann mich täuschen, aber ich sehe da einen grundlegenden Unterschied. Für mich ist das Dreigestirn dieser Konstellation, so komisch es klingt: Munch, van Gogh und Segantini. Das sind die drei dieses Grundversuches. Was ich bis jetzt von Munch gesagt habe, liesse sich in leicht verschobener Form, bezogen auf die Kultur der Alpenländer, von Segantini auch sagen.

Koepplin: Bei beiden spürt man übrigens die neue Dimension des Hörbaren oder das Verschlucktwerden von Stimmen.

Beuys: Ja, ja. Dann gibt es bei Segantini die ähnlichen Untersuchungsfelder von Geburt und Tod.[23] Natürlich ist der Klang der Natur bei Segantini anders. Aber was Segantini und Munch wiederum einander annähert, ist, dass sie sich mit der lokalen Natur ihres Herkunftgebietes so beharrlich auseinandersetzen, mit der Natur eines Randgebietes – Norwegen hier, das Bergell dort, was kaum einer der Bildbetrachter aus eigener Anschauung gesehen hat: Wer

Beuys: Das ja, aber Munch hat schon viele Antworten auch gegeben, meine ich. Munch hatte selbst den allergrössten Begriff von seinen Bildern, er hat sie heilig genannt.

Koepplin: Ähnlich wie van Gogh es sich für seine Kunst gewünscht hat.
(Munch: «Die Leute sollten das Mächtige, das Heilige in diesem verstehen, und sie sollten ihre Hüte vom Kopf nehmen, als ob sie in einer Kirche wären. Eine Reihe solcher Bilder sollte ich machen»[21] – Bilder von Liebe, Tod usw., wie im *Lebensfries* realisiert, den Munch seit 1902 in Varianten als Abfolge seiner wichtigsten frühen Bilder ausstellte).[22]

Beuys: Der Atheismus ist eine Situation, die notwendig eintreten musste, wenn man in einer solchen Zeit des Endes von einem Alten und des Anfangs von einer neuen Weltauffassung lebt und darin arbeitet. Atheismus ist hier

kommt schon nach Norwegen oder in das Bergeller Tal. Und man sieht da ähnliche grosse Vorstellungen, eine ähnliche Einheitlichkeit – bei van Gogh natürlich ebenso.

Koepplin: Der Drang zur einheitlichen Sicht führte nicht nur zum zyklischen Zusammenschluss der Werke (Abb. S. 138, 139), sondern im einzelnen Bild auch zu den fliessenden Formen – bei Munch und van Gogh in teilweise vergleichbarer Weise. Für das Fliessende, Bewegte und Bewegende gab es vorher kein vergleichbares Sensorium.

Beuys: Deswegen nicht, weil die Leute nichts Fliessendes gesehen haben! Man hat Wasserfälle fliessen gesehen, das gab es vielfach in der Romantik. Aber was nun bei Munch fliesst, ist etwas Seelisches, ein seelischer Fluss, also etwas Aetherisches, Seelenkräfte (Abb. S. 140). Es gab manchmal auch eine von unten kommende Art von dämonischer Elektrizität, die in den Fluss eingeht. Das alles wurde bisher niemals so wahrgenommen. Und es ist wiederum ein Hinweis darauf, dass eine kulturelle Schwellensituation da ist, wo etwas ganz Neues in das Bewusstsein einfliesst. Auch einfliesst in die unmittelbare Wahrnehmung: "Gespenster" werden wahrgenommen. Ich bin davon überzeugt, dass Munch als Kind diese Schatten genau so gesehen hat, wie er sie später gemalt hat, das heisst diese Ausflüsse, diese Lachen – manche Schatten sind ja wie Blutlachen. Bei der *Pubertät* (Abb. S. 152) springt das über in ein Erlebnis der Menstruation. "Untere" und "obere" Erlebnisse werden zusammengezogen: fliessende Seelenkräfte vom Dämonischen und Gespenstischen bis zur höchsten Aura,

Zwischen Uhr und Bett. Um 1940
Oel auf Leinwand, 171 x 121 cm
Oslo, Kommunes Kunstsamlinger

Loslösung. 1896
Kat.-Nr. 69

bis zur Aura etwa am Kopf der *Madonna* (Abb. S. 155). Das sind Wahrnehmungen, die die andern nicht gehabt haben, wirkliche Wahrnehmungen. Alles läuft durcheinander: die seelischen Kräfte, die Aura, der Blutstrom, die Lache, die dämonischen Schatten – alles wird zusammengezogen. Das ist mit Sicherheit etwas Revolutionäres gewesen. Die expressionistischen Nachfolger Munchs, die *Brücke*-Maler, wollten gerade dieses Eigentliche von Munch überhaupt nicht sehen oder nicht weiterführen.

Koepplin: Eine wirkliche Fortsetzung der munchschen Konzeption gab es tatsächlich weder im Expressionismus noch anderswo. Und dann veränderte sich die Situation radikal mit dem Kubismus von Picasso, zu dem Munchs Kunst im grösstmöglichen Gegensatz steht. Eine Schwelle scheint da überschritten zu sein.

140

Beuys: Picasso hatte natürlich eine ganz andere Idee von der Kunst und kam aus einer ganz anderen Tradition. Das Mediterrane tritt da gegen das Nordische auf – denn wenn etwas nordisch ist, dann ist es Munch. Da lässt sich keine Verbindung herstellen, es sei denn, dass man die Situation als Hinweis auf die damalige radikale Individuation des Menschengeschlechts nimmt – nicht nur der sogenannten Künstler, sondern aller Menschen. Dass man also sieht, wie das Ich-Bewusstsein herauskommt. Wie nie zuvor wird es um die Jahrhundertwende deutlich, dass nebeneinander, zur gleichen Zeit, sehr verschiedene Kulturen existieren – manchmal verkörpert in den einzelnen Individuen wie bei Picasso, der in *einem* Jahr drei oder vier verschiedene kulturelle Auffassungen vertreten kann. Das heisst, Kultur ist nicht mehr etwas allgemein Verbindliches, sondern es bestehen zur gleichen Zeit kubistische, dadaistische, surrealistische, orphistische, expressionistische Kulturen. Diese kulturellen Konzepte werden von individuellen Menschen getragen, nicht mehr von Kollektiven.

Koepplin: Vor allem nicht von allen sozialen Schichten eines "Kulturvolkes".

Beuys: Der einzelne Mensch wird auf einmal der Träger der früher kollektiv gewesenen kulturellen Ideen. Und diese Ideen stehen hart nebeneinander zunächst. Den Dialog zwischen diesen Individualkulturen kann man führen. Das Wichtigste, was dabei herauskommt, ist, dass die Individuierung der Vergangenheit eine Zerstörung der Tradition bedeutet, ein Ausstreichen und damit die Notwendigkeit eines radikalen Neubeginns. Der moderne Individuationsprozess ist zunächst destruktiv gegenüber den bisherigen, kollektiv getragenen Werten. Das ist bei den früheren Werken von Munch in jeder Beziehung greifbar. Man kann auch Munchs Symbole des Sterbens im Grunde direkt als Hinweise auf das Ende einer Epoche und den anstehenden Beginn einer neuen Epoche auffassen. Die Intensität dieser Formen macht ihren epochalen Wert aus. In anderer Weise, als Reduktion, kommt die Destruktion der traditionellen Werte bei Mondrian zum Leuchten und wieder verschieden bei andern individuellen Künstlern dieser Zeit.

Koepplin: Picasso hat in der Zeit seiner kubistischen Werke – die einen destruktiven Aspekt zu haben *scheinen*, aber mir kommen sie gar nicht destruktiv vor, darüber müsste man sich verständigen – an eine neue Möglichkeit anonymer Kunst gedacht.[24] In schwärmerischer Weise stimmte auch Franz Marc im *Blauen Reiter* 1912 solche Töne an und malte sich aus, dass eine moderne anonyme Kunst die Symbole schaffe, die auf die «Altäre der kommenden geistigen Religion» gehören.[25] Das war sicher mehr Wunschdenken als fundierte Kunsttheorie. Ich frage mich, ob nicht auch der Jugendstil – von dem Picasso sagte: Wenn man so heftig *gegen* etwas sei, wie er es zur Zeit seiner kubistischen Werke gewesen war, dann bleibe man gerade deshalb ein Teil davon[26] –, ob nicht die kollektivistische Tendenz des Jugendstils[27] mit der vorhin zitierten, um 1912 von Marc ausgesprochenen Sehnsucht nach einer gehobenen, modern-religiösen Anonymität in Zusammenhang steht. Freilich war der Jugendstil, im Gegensatz zum Kubismus und zu den damaligen Werken von Marc, eine Massenbewegung, die erste der zahlreichen modischen Massenbewegungen im 20. Jahrhundert, vielleicht etwa analog zur Pop-Musik, wo die Vermarktbarkeit die qualitativen Ansprüche herunterschraubt. In welchem Verhältnis stand die von dir betonte Individuation bei Munch zur kollektivistischen Tendenz des Jugendstils?

Beuys: Erstens einmal war der Jugendstil für Munch gar kein wesentlicher Impuls, ebensowenig wie für van Gogh. Und zweitens muss man hier zwischen den Feldern, auf denen etwas geschieht, genau unterscheiden. Der Jugendstil war eine Art von *industrial design* und war mit Interessen der Industrie eng verknüpft. Man müsste also hier soziologisch über den Industrialismus und über das reden, was damit geschichtlich zusammenfällt. Die Individuation fällt ja schon in der Mitte des 19. Jahrhunderts zusammen mit dem Sozialismus, also mit einer wirklich kollektiven Idee, mit der Idee der sozialen Frage als einer Frage, die alle Menschen betrifft. Sonst hätte das gar nicht auftauchen können! Durch das Wachsen des Freiheitsgefühls aller Menschen und durch die immer stärkere Forderung der Selbstbestimmung in allen Arbeitsbereichen, also durch eine Individuation, wurde auch eine andere Wirtschaftsordnung für alle gefordert. Und die heraufgeführte soziale Frage lautete: Wie muss die Gesellschaft organisiert werden in ihrem ganzen Wesen, wie ist das Verhältnis zwischen den kollektiven Prozessen und den Freiheitsprozessen? Da muss man unterscheiden lernen, etwa im Sinne der Dreigliederungslehre von Steiner, zwischen Freiheit und Gleichheit und Solidarität. Die Wirtschaft muss von der privaten Sphäre getrennt werden, sie muss in die kollektive gesellschaftliche Sphäre hinüber. *Dass* ein solches Bewusstsein aber entsteht, ist nur denkbar mit einer geistigen Individuation, was ermöglichte, dass der Feudalismus geistig und faktisch über-

142

wunden werden konnte und ein Freiheitsbewusstsein der Menschen entstand, zunächst als Bürger, dann als Proletarier. Gesellschaftlich fordern diese Menschen mit der freien Selbstbestimmung zugleich eine kollektive Verbindlichkeit, aber nicht im Felde des freien Individuums! Der Jugendstil, insofern er *industrial design* war, hat diese Unterschei-

dung gerade nicht gemacht. Die Reformabsichten des Jugendstils waren am Anfang – es kommt von Morris her – mit politischen Ideen verbunden, wurden dann aber von der Wirtschaft benutzt, weil man damit wirtschaftlich sehr gut arbeiten konnte. Die Aufgabe der *Kunst* ist dabei überhaupt nicht verstanden worden. Aufgegriffen wurde nur ein oberflächlicher Teil der Kunst, nämlich das stilistische Element, und das künstlerische Element wurde missbraucht.

Koepplin: Ähnlich wie es bei den Ideen und Formen des Bauhauses passiert ist.

Beuys: Ja, genauso. Die Reformabsichten des Bauhauses konnten sich gut verwerten lassen, wirtschaftlich und politisch, selbst durch die Hitler-Leute in gewisser Weise. Stilistische Formen wurden nur so aufgesetzt, beim Bauhaus wie beim Jugendstil. Im Grunde ist bis heute der Werdegang der Individuation durch die ganze Moderne

hindurch noch gar nicht ins Bewusstsein der Menschen gelangt. Er wird auch heute von den Alternativen nicht verstanden.

Koepplin: Wie ich aus einem früheren Interview weiss,[28] denkst du, dass auch Picasso die Gesamtproblematik nicht durchdacht hat, so gross auch seine künstlerische Leistung selbstverständlich gewesen ist. Immerhin konstatierte Picasso klar, dass die in der Zeit des Kubismus entwickelte Idee einer in neuer Weise mächtigen Kunst anonym nicht realisierbar gewesen sei. Die Idee der Anonymität (was freilich nicht dasselbe ist wie Kollektivität), dieser Teil der Kubismus-Idee sei gescheitert, eine «verlorene Sache».

Beuys: Picasso scheitere hier, weil es an der Radikalität des Konzeptes fehlte. Der Endpunkt und der neue Anfangspunkt waren noch nicht klar genug im Blick. Wenn die Phänomene der Destruktion deutlich formuliert sind, dann muss eine neue Auffassung von der Kunst hervortreten. Falls diese nicht kommt, wird sich nur etwas verlängern, was längst gestorben ist. Insofern der gewandelte Kunstbegriff nicht auftritt, gibt es eben etwas wie Postmoderne, und das ist, von der Sache her, eine Krebsgeschwulst, also eine Krankheit. Da will man etwas verlängern, was nicht zu verlängern ist, sondern nur wuchern kann. In dem Zustand, in dem es bereits formuliert war – beispielsweise von Munch in seinem Frühwerk – weist es darauf hin, dass etwas radikal

Das Weib. 1895
Kat.-Nr. 47

Neues hervortreten müsste. Der Begriff Postmoderne ist schon richtig, weil er besagt, dass eine seit langem erledigte Sache nochmals in die Länge gezogen wird. Man versucht, nach rückwärts einzusteigen. Aber was die Moderne im Grunde gefordert hat, was Munch bereits gefordert hat, muss endlich hergestellt werden.

Koepplin: Ich würde in der Detailbetrachtung sagen – ich habe das immer als den Sinn dieses Motives empfunden, aber nach dem von dir Gesagten kann es eine genauere Bedeutung bekommen–: Diese von Munch wiederholt gemalten, an den Bildrand gestellten, frontalen Köpfe verkörpern nicht nur eine Schwellensituation, sondern zugleich das Bedürfnis, irgendwie durchzustossen.

Beuys: Ja natürlich! Das hat alles seine Bedeutung. Munch hat doch überhaupt nicht schöne Bilder oder überhaupt Bilder produzieren wollen. Sondern er wollte etwas zum Ausdruck bringen, was in dieser Zeit als Grundkraft

wichtig geworden ist. Er hat sich, indem er Bilder malte, nur *seiner* Möglichkeiten bedient. Und bei seiner persönlichen malerischen Geste war er sehr schnell angelangt. Er wusste sofort, um was es ging.

Koepplin: Sein erstes wichtiges Bild, das *Kranke Mädchen* (wie Abb. S. 143), das sich in seiner vielgeschmähten Skizzenhaftigkeit und tatsächlich auch durch konkrete destruktive Äusserungen – nämlich das Auskratzen der Bildfläche – von der naheliegenden Tradition eines Krohg, Heyerdahl, Josephson u. a. radikal abhob, wurde von Munch später als «vielleicht mein bedeutendstes Bild» bezeichnet und in dieser Stimmung als «Fundament meiner Kunst», auch als «Grundlage für die Neigung zum Aufruhr in meiner Kunst».[29]

Beuys: Das wurde ihm schnell klar, und die Form hat er sofort gefunden. Wenn er sich von solchen Bildern nicht trennen konnte und besonders das *Kranke Mädchen* so häufig neu gemalt hat, dann zeigt das, meine ich, paradoxerweise gerade, dass dies für ihn eigentlich keine Bilder waren, sondern seine innerste Sache, seine "Kinder".[30] Darum konnte er sich von ihnen nicht trennen. Mit der Wiederholung wollte er auf jeden Fall nicht die Zahl der Bilder vermehren. Er wollte sicher nicht etwas wiederholen, was getan und erledigt war. Sondern es ging um *seine* Wirklichkeit. Er suchte sich immer wieder zu überzeugen, ob sich das wiederfinden liesse, was zu den Bildern geführt hatte und was von ihnen ausgegangen war. Es war wohl eine Art von Selbstprüfung. Vermutlich gibt es darüber Äusserungen von Munch, so dass man etwas Genaueres über die Motivation sagen könnte.[31] Diese Bilder brauchte er also unbedingt um sich herum, als seine einzige Wirklichkeit.[32] Denn die Wirklichkeit draussen konnte er in der üblichen Weise oft gar nicht wahrnehmen. Er konnte zwar durchaus sehr vieles wahrnehmen, aber immer in der von ihm gewollten Form. Es wird zum Beispiel berichtet, dass Munch abgeleugnet hat, dass der Mond jemals die Gestalt einer Sichel hat. Er kannte den Mond nur als Scheibe; und wenn ihn jemand auf den Mond als Sichel aufmerksam gemacht hat, antwortete er: Nein, der ist ja kreisrund! Er hat den Mond offensichtlich wirklich rund gesehen.[33] Also eine ungeheure Willensabsicht, die Sachen so zu sehen, wie er sie sehen wollte und alles abzuweisen, was mit den von ihm erlebten Zusammenhängen nichts zu tun hatte [zum Beispiel den Zusammenhang Mond und in die Ferne schauende junge Frau: Abb. S. 73 und 144].

Erfundene Bilder

Georg Baselitz über Edvard Munch
Derneburg, 17. März 1985

Koepplin: Eines der schönsten Bilder, die wir in der Basler Ausstellung der Werke Munchs aus Schweizer Museums- und Privatbesitz zeigen können, ist sicher die um 1900 gemalte *Winternacht* (Abb. S. 19). Sie hängt normalerweise im Zürcher Kunsthaus nicht weit von den Bildern Hodlers. Die frühen Munch-Sammler in der Schweiz – der Zürcher Alfred Rütschi und andere – hatten nicht zufällig neben Munch Ferdinand Hodler besonders hoch geschätzt. Wartmann, der 1922 die grosse Munch-Retrospektive in Zürich organisiert hatte, und nach ihm viele andere, verglichen Munch mit Hodler u.a. wegen ihrer gemeinsamen Tendenz zum Zyklischen (Abb. S. 138, 139). Ich habe den Verdacht, dass Munch selber auf dem Plakat zu seiner Zürcher Ausstellung von 1922 und auf dem identischen Umschlagblatt des Zürcher Kataloges bewusst ein wenig in die Nähe einer hodlerschen Bildform geraten wollte, mit diesem mit Blumen bedeckten Hügel, auf dem allerdings eine ausgesprochen munchische Figur sitzt – das vampirhafte Omega-Mädchen mit den verdunkelten Augen und der gepflückten Blume vor dem Mund (vgl. Kat.-Nr. 127.13). Etwas provokativ, nicht um Hodler vor Munch zu schieben, sondern um vielleicht deutlicher bei Munchs Eigenart zu landen, zeige ich dir in Reproduktionen zuerst zwei Landschaftsbilder von Hodler, den *Genfersee* (Abb. S. 146) von 1905 und den *Niesen* (Abb. S. 146) von 1910 (beide im Basler Museum), neben zwei Landschaften Munchs.

Baselitz: Um den eindeutig in die Mitte gestellten Gegenstand herum, einmal einen See, einmal einen Berg – auf jedem ist *eine* Sache dargestellt – malt Hodler einkreisend – vergleichbar den einkreisenden Formen bei Munch – Wolken, oder eine Wiese und Wolken, aber wie einen ornamentalen Rahmen, wie einen Rahmen, der den Gegenstand (den See, den Berg) einkreist, ganz jugendstilig, absichtlich, wie zitiert. Also ich mag diese Bilder nicht. Auf mich machen diese Bilder den Eindruck wie das unbedingte Beharren und Bestätigen einer methodischen Angelegenheit. Ich will nicht sagen, dass kein Wagemut da drin wäre. Aber ich empfinde die Bilder als seelenlos, als hartherzig. Und das macht den riesigen Unterschied zur Qualität der Bilder von Munch aus. Es gibt in Munchs Bildern eine Ner-

KVNSTHAVS ZVRICH ⚶ AVSSTELLVNG
EDVARD MVNCH
18. Juni bis 2. August 1922
VOLLSTÄNDIGER KATALOG
"WOLFSBERG" ZÜRICH

145

vosität, eine Aggressivität, eine Spannung, die man vergleichen kann mit derjenigen in Geisteskranken-Bildern, etwas wahnsinnig Naives und Reissendes: Es zerrt immer.

Koepplin: Bei der Zürcher Nacht-Winterlandschaft (Abb. S. 19)...

dass man sieht, wo sie aus der Erde kommen. Sondern sie sind wie abgeschnitten – ähnlich wie das frontal schauende Mädchen vorn auf dem Bild der *Landstrasse* (Abb. S. 23). Man könnte zwar davon ausgehen, Munch hätte einfach gemalt, was da so war.

Ferdinand Hodler. Der Genfersee von Chexbres aus. 1905
Oel auf Leinwand, 82,5 x 104 cm
Basel, Öffentliche Kunstsammlung

Ferdinand Hodler. Der Niesen. 1910
Oel auf Leinwand, 83 x 105,5 cm
Basel, Öffentliche Kunstsammlung

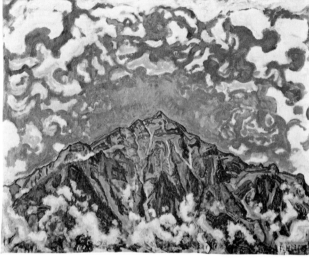

Baselitz: Das ist ein wunderbares Bild!

Koepplin: fallen vielleicht als das Merkwürdigste diese weissen, dunkel konturierten Einschlüsse in den dunklen Bäumen auf, oder auch die Schatten und z.B. in der Bildmitte ein rosa Schein im Schneeweiss. Die Bäume saugen etwas in sich auf, als gefrässige Einzelwesen quasi, und der Boden nimmt etwas auf und kann es wieder abstrahlen. Die Kiefer links erscheint in der fliessenden Einbindung in die Landschaft wie ein personales Einzelwesen, besonders im Vergleich mit dem Kollektiv der Tannen dahinter. Und bei diesem sich absetzenden Einzelwesen ist die Assoziation mit Frauenhaar oder mit einer Frauengestalt unausweichlich, natürlich nun auch von anderen Munch-Bildern her gesehen – Paradebeispiel der als *Sünde* bekannte *Weibliche Akt* von 1901 (Abb. S. 147).

Baselitz: Das Bild scheint konzipiert wie ein tatsächlicher Blick in die Landschaft. Munch hat dabei die Bäume, die im Vordergrund stehen, ohne Wurzeln gemalt: ohne

Koepplin: Im Ausschnitt wie bei einer Photographie.

Baselitz: Ja. Aber wenn man wirklich ein Baum-Bild malen will oder ein Landschaftsbild mit grossem Baum, dann ist der Baum, der da drin steht, so prominent, dass man unbedingt mit den Wurzeln beginnt, normalerweise. Das kann es also nicht gewesen sein, was ihn dabei interessiert hat: weder der Baum noch die Landschaft an sich. Sondern er hat – dasselbe, was er bei allen andern Bildern auch tut – diese irren Kreise da untergebracht; *die* hat er gesehen. Er hat also die Bäume nicht gesehen. Diese Tannen zum Beispiel da hinten, sind reine Erfindungen (vgl. auch Abb. S. 18, 59). Ich habe solche Tannen ebenfalls so gemalt, bis eine Chinesin hierherkam und sagte: Tannen sehen anders aus, die Äste der Tannen hängen nicht nach unten, sondern sie stehen entweder nach oben, wie bei jedem normalen andern Baum auch, oder durch die Last (hier des Schnees) oder durch das Alter stehen sie allenfalls waagrecht zum Stamm – aber sie hängen nicht nach unten! Ich habe immer Tannen gemalt wie Trauertannen, wo die Äste einfach in jedem Fall

146

nach unten hingen. Und die Chinesin musste kommen und mich aufklären, so dass wir zum Fenster gegangen sind und rausgeschaut haben – und sie hatte recht. Das ist wirklich wahr, sie hat recht! Die Landschaft, die Munch gemalt hat, sicher war die da; aber das Interesse lag nicht in der Landschaft, nicht in den Bäumen. Es gab keinen Anlass vom gegenständlichen Interesse her, diese Sache zu malen. Sondern der Anlass für das Bild sind die wilden Kreise, die nicht da zu "sehen" waren.

Koepplin: Die er trotzdem unbedingt "gesehen" hat, wie Augen oder Gestirne oder Foetus-Gebilde. Rundes galt für Munch, wie er sagte, auch einfach als Weibliches und Gerades als Männliches[34] – so ist es sichtbar im Rahmen um Strindberg (Abb. S. 137) und wohl auch bis zu einem gewissen Grad im Unterschied zwischen den runden Kiefern und den geraden Tannen, die man ebenfalls, wie die "weiblichen" Kiefern, anthropomorph als männliche Wesen erleben kann.

Baselitz: Der ziemlich gerade, spitze Baum vorn links von der Mitte wirft aber runde Schatten – also absolut falsch; dieser Schatten müsste, wenn schon, spitz sein; aber nein: er brauchte *wieder* diesen Kreis! Man könnte sagen, dass ein psychischer Zustand der Grund für das Bild war. Der Grund für das Bild war nicht die Landschaft.

Koepplin: Historisch und negativ gesagt: nicht Naturalismus – das war Munch und seinen Literatenfreunden und Kritikern bald bewusst, zum Beispiel einem Dr. Max Linde (Abb. S. 30), der in einer Broschüre 1905 von einer neuen seelisch-psychischen "Inhaltlichkeit"[35] sprach.

Baselitz: Der Grund für das Bild war tatsächlich ein munchischer Zustand, und dieser Zustand äussert sich unverändert auf Bildern mit ganz verschiedenen Gegenständen. Wenn Munch hier das Bild "Der Baum" oder "Die Landschaft mit Bäumen" hätte malen wollen – so wie Hodler den Genfersee oder den Niesen –, dann wäre das anders herausgekommen. Man würde die entsprechende Absicht erkennen, vielleicht wäre der Baum als Symbol herausgestellt und erklärt.

Koepplin: Wie bei gewissen Baum-Bildern von Hodler oder manchmal auch von Munch, wo aber das Baum-Motiv wiederum in weitere Zusammenhänge quasi hineingezogen wird (Abb. S. 51, Kat.-Nr. 135).

Baselitz. Hier aber geht es Munch gerade nicht um den Baum. In der Grundschule, so erinnere ich mich gut, gab es das Thema "Baum". Wir alle zeichneten irgend einen Baum, nicht nach der Natur. Und es gab einen in der Klasse, der zeichnete den Baum ebenso wie Munch ohne Wurzel. Der fing mit dem Stamm an. Der Baum wuchs aus dem

Weibliche Aktfigur (später betitelt: *Die Sünde*). 1901
Kat.-Nr. 93

Auge in Auge. 1894
Oel auf Leinwand, 136 x 110 cm
Oslo, Munch-Museet

unteren Blattrand gewissermassen. Die Erklärung des Lehrers war, dass der Junge verrückt sei. Ich weiss das noch wie heute. Ich habe mir immer Gedanken gemacht: Wie muss man etwas richtig zeichnen, damit nicht jemand sagt: Du bist verrückt. Weil ich dachte: Ärzte, Psychologen, auch Lehrer wissen über solche Dinge mehr als ich. Die können dich sofort überführen, wenn du zum Beispiel ein Porträt malst ohne Hals oder Bäume ohne Wurzelbereich. Später dann habe ich versucht, für alle absonderlichen Dinge, die man auf Bildern tut, eine naturalistische Erklärung zu finden. Es gab bei mir – wie bei Munch, wenn man so will – Bilder oder Zeichnungen, wo der Kopf sich im unteren Drittel oder zumindest in der unteren Hälfte eines Hochformats befindet.

Koepplin: Ein munchischer Kopf dieser Art, eine Zeichnung von 1959, ist abgebildet im Zeichnungskatalog

von Basel–Eindhoven, dann wieder im Hamburger Munch-Katalog vom letzten Jahr, als Illustration zu Gerckens Aufsatz.[36]

Baselitz: Das ist so ein Fall. Der Kopf sitzt unten im Rechteck, wo man doch weiss, dass in allen Porträts der Kopf im oberen Teil des Rechtecks sich aufhalten sollte – wegen der "Ausgewogenheit", nicht wahr. Das ist ein Gesetz, das Munch sehr oft umgeht.

Koepplin: Bonnard oder Maurice Denis ebenfalls zuweilen – aber dekorativ "ausgewogen", vielleicht japanisierend, jedenfalls nicht "falsch".

Baselitz: Bei mir entdeckte ich auch solche Umgehungen und empfand etwas Fehlerhaftes darin. Ich sagte mir: Ja, wenn ein Porträt an die Wand gehängt wird, dann befindet sich dieses Porträt schliesslich in einer Position, dass der Kopf nur dann in Gesichtshöhe kommt, wenn der Maler diesen Kopf oder den Hauptgegenstand – es gilt nicht nur für Köpfe – nach unten gerückt hat, so dass der grössere freie Raum *über* dem Kopf liegt. Das ist natürlich eine vollständig unmögliche, eine nachträglich angestellte Überlegung zu einer Bildform, die bei mir zustandekam, ohne dass ich beim Arbeiten darüber nachgedacht hätte. Es war mir zunächst nicht klar, dass diese Bilder mit den so tief gesetzten Köpfen "falsch" waren. Die bildnerischen oder geistigen Gründe, die dazu führten, blieben mir unbekannt. Als Entschuldigung gewissermassen, habe ich mir nachher die Erklärung in dieser Weise geliefert, wie ich es gerade gesagt habe. Das war natürlich ein absoluter Unsinn.

Koepplin: Bei Munch, so bei dem vorderen Mädchen auf dem Bild *Landstrasse* (Abb. S. 23), könnte man schon über eine solche Einstellungsfrage nachdenken: dass es einerseits eine bildräumliche Normaleinstellung gibt, die auf dem Mittelpunkt der Landschaft und etwa auf dem Ort mit der Gruppe der tuschelnden Mädchen liegt, und dass andererseits von dieser traditionellen Sicht abgehoben wird die grosse frontale Mädchenbüste, die einer verschiedenen Begegnungsweise entspricht, nämlich einer Begegnung von Kopf zu Kopf oder, um mit einem Munch-Titel zu reden: *Auge in Auge* (Abb. S. 148) – ich meine ein Bild im Munch-Museum in Oslo, was man mit der Radierung und Lithographie der nächtlichen *Anziehung* (Abb. S. 149, 151) verglichen hat[37] – ein "Auge in Auge" ebenfalls mit Büsten ganz unten am Bildrand und mit einem hohen Raum darüber. Der Betrachter von *Landstrasse* (Abb. S. 23) würde, indem er dem

Liebespaar am Strand (Anziehung). 1895
Kat.-Nr. 45

Mädchen in gleicher Augenhöhe ins Gesicht schaut, zugleich auch "hinter" das Mädchen in den weiteren Bildraum hineinschauen und gewissermassen sehen, was sich hinter dem Rücken des Mädchens tut. Der Wechsel der Höhen und Richtungen – verbunden mit dem Wechsel zwischen dem extrem offenen Gesicht des Mädchens vorn und der betont geschlossenen Mädchengruppe hinten – ergäbe eine eigenartige Bewegung. Und ein saugender Bewegungsfluss ist auch in den violetten Pinselzügen der ausschwingenden, zügigen Strasse und sonst überall vorhanden, nicht zuletzt in den Haaren des nach vorn erstarrten, aber nach hinten imaginierenden Mädchens. Vielleicht

erleichtert diese Bewegung den Wechsel der Blickpunkte, den imaginären Positionswechsel.

Baselitz: Solche "Geschichten" sind mir etwas suspekt. Aber das stimmt schon: Der violette Weg umfasst die Schulter des Mädchens. Er ist nicht nur eine Richtung; sondern wie eine Vene zieht er sich da durch. Er hat etwas von Bluttransport. Zur *Winterlandschaft im Mondschein* (Abb. S. 19) nochmals: Hier müsste man, wenn man es sich unbedingt als Geschehen zurechtlegen will, sagen, Munch wäre wie ein Flieger über die Situation hinweggeschwebt. Das wäre etwa der Blickpunkt...

149

Koepplin: und die Bewegung. An der wurzellosen grossen Kiefer auf dem Zürcher Landschaftsbild fallen nicht nur die einsaugenden und einrollenden Formen der Zweige auf, sondern auch die an bestimmten Stellen scharf aufscheinende rote Färbung des Stammes. Das Rot kann gewiss aus der natürlichen Erscheinung eines solchen Stammes abgeleitet werden, aber es erinnert auch an Blut – an Blut im Kontrast zum "toten" Schnee, zur Kälte und Nachtbläue sonst auf dem Bild. Es liegt nahe, eine Verbindung zu Munchs Vampyr-Thema (Abb. S. 133) herzustellen und die – übrigens sehr pastos, körperhaft gemalte – Kiefer eben in dieser Weise als munchisch gesehenes Frauenwesen aufzufassen. Ich denke, dass Munch diese rote "Farb-Ader" nicht unbewusst an den Stamm gemalt hat. Übrigens erinnere ich mich, dass auch du, um 1965, blutende Bäume gemalt hast, Bäume auch, in deren Ästen Augen sind. Allerdings nie wurzellose Bäume, im Gegenteil, der Stamm und die Verwurzelung sind immer betont.

Baselitz: Ich glaube, Blut oder Augen in den Bäumen zu sehen, das kann schon gewissen weitergehenden Beobachtungen entsprechen. Es entspricht Erfahrungen, die über das Übliche zwar hinausgehen, die man aber wirklich anstellen kann: wirkliche Beobachtungen an Bäumen. Und in etwas überspannten Situationen, wie es in Munchs Frühzeit rings um ihn Mode war, da waren solche weitergehenden Beobachtungen eine Lieblingsbeschäftigung. Du kennst die Tagebücher von Strindberg aus Paris. Strindberg hat sich von solchen Beobachtungen gepeinigt gefühlt – das Gesicht im Kopfkissen zum Beispiel, das er dann auch zu zeichnen versucht hat.[38] Der hat das, wovon ich bei Munch gesprochen habe, genau umgedreht. Strindberg hat gemeint, im Kissen das Gesicht wirklich zu sehen und hat das Kopfkissen gezeichnet wie einen Geist, der eine Grimasse schneidet.

Koepplin: Kennst du die Zeichnung im Original?

Baselitz: Nein. Ich habe davon zuerst – in meiner Berliner Zeit...

Koepplin: Zur Zeit deiner anamorphotischen Köpfe und Figuren?

Baselitz: ja, damals habe ich in Strindbergs Tagebüchern davon gelesen.[39] Später lernte ich Abbildungen kennen. Strindberg sah ein Gesicht auch in einem Felsen am Meer und zeichnete es.[40] Diese Dinge, die an sich nicht neu und singulär waren, standen bei Strindberg im Zusammenhang mit Versuchen, in einem Analogiedenken Vergleiche etwa zwischen Gerüchen und Metallen, zwischen Lebewesen und anderen Dingen anzustellen.

Koepplin: Bei Munch hat man freilich nie den Eindruck des solchermassen Experimentellen in der Naturbetrachtung. Merkwürdigerweise verbindet Munch – und dies hat vermutlich doch mit der künstlerischen Qualität und Spannkraft seiner Werke zu tun – seine von der Beobachtung der Natur "freien" Formen (wie das Kreisen) immer mit scharfer Erfassung der Erscheinungsformen – soweit sie ihm passten. Die Bildnisse zeigen es in relativ gut nachprüfbarer Weise.

Baselitz: Munchs Bilder bestehen aber im wesentlichen doch aus solchen primären Elementen wie dem Kreis im Geäst, was dann ein Auge ergibt usw. – aus diesen immer gleichen Elementen, die er eigentlich unabhängig vom Natur-Modell malte. Und diese Elemente kommen nicht bloss aus einer Allüre Munchs, sondern sie sind der Hauptbestandteil im Bild. Unglücklicherweise ist das nun auch ein Hauptbestandteil des Jugendstils. Deshalb sind einem viele Munch-Bilder etwas fremd, weil dieser Zeitgeschmack eine grosse Rolle spielt, besonders in den frühen Werken aus den 90er Jahren.

Koepplin: Die doch die grundlegenden Werke waren.

Baselitz: Aber es trifft, meine ich, zum Beispiel auf das Bild der *Pubertät* zu...

Koepplin: mit dem jugenstiligen und doch so persönlichen Schatten. Es ist übrigens merkwürdig, zu sehen, dass Munch in einer etwas späteren Radierung (Abb. S. 141), abweichend vom Bild und der ersten Litho, den Schatten naturalistisch zu begründen versuchte durch ein in die Darstellung nachträglich hineingebrachtes Kerzenlicht).

Baselitz: Da wird überdeutlich, dass nicht die Kerze den Schatten wirft; sondern der Schatten – das Verhältnis von Figur, Schatten, Bett, Boden und Wand – macht die Bilderfindung aus, nicht die Inszenierung mit der Kerze. Und die gleitenden, bauchigen, zerrenden Formen haben hier eben relativ viel mit Jugendstildekor zu tun. Sie kommen nicht ausschliesslich aus dem munchischen Zustand hervor. Sobald aber – was bei Munch nie wirklich zutrifft – Bilder *nur*

Anziehung. 1896
Kat.-Nr. 68

151

152

Anzeige der Ausstellung Munch-Gallén bei Ugo Barroccio, Berlin 1895

Axel Gallén. Illustration zum Königslied von Paul Scheerbart aus der 1. Nummer der Zeitschrift PAN von 1895

Begegnung im Weltall. 1899
Kat.-Nr. 90

aus diesen Elementen der Zeit bestehen, werden sie irgendwann unbrauchbar in einer anderen Zeit. Es gibt andere Maler neben Munch, die sich überhaupt nicht vom zeitgebundenen Jugendstil abheben, zum Beispiel Axel Gallén-Kallela (der 1895 mit Munch zusammen in Berlin ausgestellt hat.

(In der ersten Nummer der damals für die "Modernen" vielversprechenden Berliner Zeitschrift PAN findet sich auf Seite 3 – als Illustration eines *Königsliedes* von Paul Scheerbart, das auf ein die Zeitschrift eröffnendes Textfragment von Nietzsche, *Zarathurstra vor dem Könige*, unmittelbar folgt – eine jugendstilhafte Zeichnung von Axel Gallén mit einem Liebespaar im Weltall, im Spiralnebel der Milchstrasse, mit "mittanzenden" Sternen. Der Vergleich mit dem vier Jahre später entstandenen Farbholzschnitt von Munch *Begegnung im Weltall* mit den fremd aneinander vorbeischwebenden, flüchtig sich begegnenden Figuren von Mann und Frau und den Spermatozoen, liegt nahe und zeigt exemplarisch, wie Munch in Form und Gehalt das dekorative Prinzip des Jugendstil weit hinter sich lässt. K)[41]

Baselitz: Axel Gallén verwendete die parallel kreisenden Linien dekorativ, im Sinne eines verhärteten, modischen Jugenstildekors. Anders van Gogh: Er hatte bekanntlich ebenfalls diese kreisenden Linien, sie kreisen wie Flammen um die Köpfe im Himmel. Und es gibt schliesslich in der

Geisteskrankenmalerei viele Beispiele, die sicher unabhängig sind vom Jugendstil...

Koepplin: Vielleicht nicht immer.

Baselitz: wo dieselbe Methode verwendet wird – ja, man müsste sorgfältiger klären, woher das kommt.

Koepplin: Picasso behielt die "wahnwitzigen" Jugendstilkurven an den Pariser Metroeingängen lebenslang als eine Sache in Erinnerung, die ihn zur Gegenposition des Kubismus antrieb. Allerdings, wenn man gegen eine Bewegung rebelliere, so bleibe man deshalb Teil von ihr. Picasso bemerkte dies im Anschluss an Reflexionen über van Gogh, den Prototyp des "individuellen Abenteuers" im Gegensatz zum überpersönlichen Bestreben des Kubismus.[42] Aber die individuell-subjektiven Jugendstilkurven wurden ja doch zum extrem kollektiven Zeitstil. Man müsste sich fragen, ob dies ein Paradox ist.[43]

Baselitz: Wenn wir den Erfinder des Jugendstils dingfest machen könnten, wenn es den wirklich gäbe, dann könnten wir vielleicht sagen: Dieser Mann war verrückt. Aber das ist ja nicht der Fall.[44] Sondern, egal aus welcher Verunzierung oder Übertreibung der Ornamentik das kommt, es haftet ihm doch etwas von einem generellen, unpersönlichen Zeitstil an.

Geschrei. 1895
Kat.-Nr. 54

Angstgefühl. 1896
Kat.-Nr. 67

Koepplin: Am problematischsten wurde bei Munch die Jugendstil-Nähe sicher dort, wo er seine Position programmatisch demonstrieren wollte. Das war etwa in seinen – trotzdem besonders eindrücklichen und höchst persönlichen – Lithos *Geschrei* und *Angstgefühl* der Fall. Die zweite Litho entstand für Vollards *Album des Peintres Graveurs,* wo Munch neben Künstlern wie Bonnard, Vallotton und andern Grössen vors Publikum trat und das wusste. Da verbanden sich die in parallelen Strichen kreisenden und, wie du sagst, "zerrenden" Formen auch mit einer pronocierten Inhaltlichkeit. Übrigens gehört ebenfalls die berühmte *Madonna* (Abb. S. 155) hierher – vor allem die der Litho vorangegangene Kaltnadelarbeit –, dann auch das postume Nietzsche-Bildnis.[45]

Baselitz: Ich würde aber zunächst einfach vom Machen der Dinge ausgehen. Wenn du dir vorstellst, ein Bild wird gemalt: Du nimmst Pinsel mit einer bestimmten Breite – 1 cm, 2 cm, 10 cm –; den Pinsel tauchst du in Farbe und fängst an, die Farbe auf die Leinwand aufzutragen. Da musst du dir einfallen lassen, wie du das tust. Du kannst das tupfen, du kannst das kreisen, du kannst das streichen, parallel streichen. Alle diese Arten müssen entschieden werden und haben ihre Prinzipien. Oftmals denkt man darüber nicht nach und sagt einfach: Ja, das ist die "Handschrift" des Malers. Aber bei Munch gerade war es das nicht, sondern es war bei manchen frühen Werken die Entscheidung "Jugendstil", dann eine Symbiose von Jugendstil und persönlicher Entscheidung. Wenn man das herausheben will als unüb-

liche Methode, Farbe auf Bildern oder Lithosteinen aufzutragen, dann muss man zunächst sagen: Jugendstil, im Unterschied zum Beispiel zu Seurat, der das nur getupft hat.[46] Bei der Graphik von Munch wird mit dem Stift oder Pinsel, dem Griffel oder dem Schneidemesser ganz deutlich, von frühen bis zu späten Blättern, dieses Nebeneinander von Linien eingesetzt, die einen Gegenstand umschleichen. Wenn du eine Holzplatte hast und willst da eine Figuration hineinschneiden, dann musst du ja diese Flächen und die herausschneidbaren Linien benutzen, diese Mittel hast du und diese Entscheidung unter sehr wenigen Möglichkeiten. Und es ist naheliegend, dass man es so macht, wie Munch das gemacht hat. Die parallelen Linien sind eine handwerklich naheliegende Methode für die Graphik, vor allen Dingen für den Holzschnitt.

Koepplin: Der 1897 gemachte Holzschnitt *Im männlichen Gehirn* (Abb. S. 156) ist ein Musterbeispiel dafür,[47] ein ziemlich programmatisches, jugendstiles und symbolistisches, ebenso die *Salome-Paraphrase* (Abb. S. 156) von 1898.[48] Munch hat aber bekanntlich auch mit Brettern gedruckt, deren parallele Maserung er heraustreten liess und als Fond benutzte. Der berühmteste Holzdruck dieser Art ist *Der Kuss* (Abb S. 158). Hier hat Munch die schwarze, auf den gemaserten Hintergrund aufgedruckte Fläche des Paares nur gerade angeritzt oder im Gesicht flächig aufgeschnitten, im Kontrast zur Maserung des unbearbeiteten, flächig grösser gewordenen Hintergrund-Brettes. Der fliessende Hintergrund ist das Verbindende, Allgemeine, und die zwei verschmolzenen Figuren sind das "Vereinzelte", Isolierte.

Baselitz: Es gibt verschiedene Darstellungsarten. Die häufigste, die Munch praktizierte, ist die, dass der Gegenstand, sofern es sich um einen einzelnen handelt, sich in der Mitte der Fläche befindet.

Koepplin: Wie im Holzschnitt und in der vorausgehenden Aquatinta (Abb. S. 157), wo die zuerst in Gemälden[49] vorhandene Randposition des "versteckt" sich küssenden Paares verändert, man kann sagen: bildhaft korrigiert ist (Abb. S. 157).

Baselitz: Wenn der Gegenstand also in der Mitte ist, wird er isoliert vom übrigen, entweder durch Linien, die ihn immer mehr einkreisen...

Koepplin: In der ersten Holzschnittversion des *Kusses* (1897, Abb. S. 159) war das genau so.[50]

Madonna (Liebendes Weib). 1895–1902
Kat.-Nr. 96

Baselitz: ... oder durch den Kontrast zwischen dem Hintergrund und dem zweiten Block, dem Figurenblock, der das Paar wie eine einzige Figur, wenn nicht gar wie einen Stein oder eine Art Baumgestalt zeigt. Die Begrenztheit der Mittel ist in einer solchen Graphik noch grösser als in der Malerei. Sie zwingt noch mehr zu bestimmten Entscheidungen und zur Abstraktion. Darum ist der Aktionsraum in der Graphik von Munch, möchte ich sagen, eindeutiger und viel direkter als in der Malerei, er ist faszinierender, er ist einfach hart. *Was* mit den beschränkten Möglichkeiten gemacht wird, das ist dann das Entscheidende. Dass die Figuren keine Füsse haben, dass sie wie ein Berg aus dem unteren Blattrand wachsen, dass die Binnenlinien beim Figurenpaar so sparsam eingekratzt sind, so dass sie kaum

Salome Paraphrase. 1898
Holzschnitt, 40 x 25 cm

Im männlichen Gehirn. 1897
Holzschnitt, 37,2 x 56,7 cm

sichtbar sind, dass beide Figuren so ineinander verschmolzen sind, so dass ein Phantom entsteht: das ist die Erfindung, die er gemacht hat. Wenn ich sage, ich male jetzt *den Kuss* und stelle ein Paar vor mich hin, kann man niemals dies sehen, diese Erfindung, dieses Holzschnittbild. Das ist eine ganz willkürlich herbeigeführte Form, eine erfundene Form in jeder Weise. Auch die Photographien, die Munch von Modellen gemacht hat, sprechen nicht dagegen.

Koepplin: Es gibt die hübsche Geschichte, dass Munch zwei Knaben porträtierte, und dass, während er konzentriert mit Blick auf die Leinwand arbeitete, er die Knaben wegen ihrer Geduld im Modellstehen ständig lobte, ohne zu merken, dass zuerst der jüngere und dann auch der ältere sich weggeschlichen hatten ... Oder dass er sich mit einer Frau einigte, sie solle ihm frontal Modell stehen, und dann malte er sie von der Seite, ohne sie zum Umdrehen aufzufordern.[51] Die Geschichten tönen glaubhaft. Trotzdem brauchte Munch die Modelle und das Landschaftsmotiv vor seinen Augen. Auch die anderen Geschichten, dass er beispielsweise 1893 in Berlin die *Vampyr*-Gruppe (Gemälde wie Abb. S. 133) mit einem weiblichen Modell und dem zufällig vorbeikommenden Freund Adolf Paul regelrecht "stellte", darf man wohl ziemlich wörtlich glauben. Er wollte, wie er beim Malen des Bildnisses der *Käte Perls* (1913, Abb. S. 47) einmal sagte, keinen "Quatsch" auf die Leinwand machen, sondern erst dann etwas malen, wenn er es "sah"[52] – was gewiss ein erfinderisches Sehen war, aber immer mit Modell.

Baselitz: Du weisst, es gibt Gewohnheiten, die man sich aneignet, von denen man nicht lässt. Und zu Munchs Zeit war es vielleicht gewohnheitsmässig undenkbar, ohne Modell zu arbeiten oder eine Landschaft zu malen, ohne vor der Landschaft zu sitzen. Das kann einfach daran liegen. Ich glaube, dass das der Fall ist. Aber beispielsweise Munchs Sterbezimmer (*Der Tod im Krankenzimmer*, Abb. S. 160) kann überhaupt nicht daraus erklärt werden, dass Munch Modelle so hingestellt hätte oder es sich als Inszenierung vorgestellt hätte.[53] Auch das ist von Anfang an eine Bilderfindung. Wenn man von "Modellen" sprechen will, dann ist das eigentlich nur möglich, insofern man andere Sterbebilder oder ähnliche Bildkonzepte meint. Darüber haben wir vor meinem *Nacht*-Bild geredet.[54] Ich glaube, bei solchen Bildern und Graphiken gibt es nur eine einzige Verbindung zum Modell, das ist die Verbindung zum "Modell" der anderen *B i l d e r*, also zur Geschichte der Malerei und zur Geschichte der Graphik. Du kannst eine solche Bildidee wie den *Kuss* oder den *Tod im Krankenzimmer* nicht am lebenden Modell stellen und sehen. Sondern du kannst innerhalb deiner Arbeit von einer Bilderfindung zur andern gehen und solche Erfindungen vorantreiben oder neu entwickeln. Du kannst sie auch kontrollieren, indem du die Tradition kennen lernst. Das ist eigentlich das Modell. Zu den Holzschnitten von Gauguin gab es für Munch zum Beispiel eine solche traditionelle Verbindung.

Koepplin: Den Holzschnitten Gauguins, die du genannt hast, steht Munchs Holzschnitt *Das Herz* (Abb. S. 161), das er mit drei zersägten und verschieden gefärbten Brettstücken gedruckt hat, offensichtlich nahe, aber das "Modell" Gauguin trieb Munch natürlich zu etwas ganz Eigenem an. Dieses Werk ist in seiner Genese aufschlussreich, weil es dazu symbolistische und mehr erzählerische Vorstufen gibt in einer Radierung von 1896 (*Das Mädchen und das Herz* [Abb. S. 161]),[55] und in einer Tusche- und Farbstiftzeichnung (Abb. S. 161). Hier steht ein nacktes Mädchen, das das blutende Herz auf der Hand trägt und betrachtet – ohne es mit dem Mund zu berühren –, es steht in Dreiviertelfigur vor einem Fenster – ähnlich wie das aus dem Fenster schauende Mädchen auf der frühen Radierung (*Das Mädchen am Fenster*, 1894, Abb. S. 68), und vor allem vergleichbar dem nackten Liebespaar vor dem Fenster in der frühen Radierung *Der Kuss* (1895, Kat.-Nr. 157). Auch den *Kuss*, ähnlich wie das Mädchen mit dem blutenden Herzen, hat Munch dann im Holzschnitt stark abstrahiert: Es war

Der Kuss. 1895
Kat.-Nr. 48

Der Kuss. 1892
Oel auf Leinwand, 72 x 59,5 cm
Privatbesitz

157

Der Kuss. 1902
Kat.-Nr. 99

Der Kuss. 1897/98
Holzschnitt, 59,1 x 45,7 cm

zise, so schwammig, so weich, so krank in der Form ist, mit diesem harten Profil daneben, mit den tiefen Augen und der verkümmerten und doch festen Hand des Mädchens: *Das* kommt aus dem Blatt. Ich glaube, man kann nicht auf Grund der dargestellten Dinge schliessen auf die dunkle Stimmung dieses Blattes, auf die Düsternis und Unheimlichkeit. Das Blatt hat eine wahnsinnige Präzision.

Koepplin: Ich frage mich, ob zu solcher Präzision nicht wesentlich auch der gegenständliche Gehalt gehört, der Munch durchwegs beschäftigt hat.

Baselitz: Man kann die Frage des Motivs auch von einer anderen Seite angehen. Es gibt bei Munch eine Sache, die mich immer irritiert hat, weil sie, meine ich, aus seinem Werk herausfällt: Das ist das *Galoppierende Pferd* (1912),[58] das Munch auch als Radierung gemacht hat (1915, Abb. S. 162). Rennende, nach vorn preschende Pferde oder nach vorn stampfende Pferde, was es auch gibt (Abb. S. 162), haben nun mal eine gegenständliche Dynamik, wo ich sagen würde: Das sind Bilder, die vom Motiv her eigentlich nicht von Munch sind. Da hat Munch eine Wahl getroffen, die ist so willkürlich, dass es zu Munchs Zustand überhaupt nicht gepasst hat.

Koepplin: Ich weiss, dass du Willkür, falls sie zu guten Bildern führt, eigentlich schätzest. Was aber hier so willkürlich aussieht, passte doch insofern zu Munch, als er sich damals auch um andere Motive bemüht hat, wo eine die Grenze des vorderen Bildrandes überrollende Dynamik das Bildkonzept ausmacht. Wartmann schrieb im Vorwort zum Zürcher Munch-Katalog von 1922, Munch habe gesagt, sein Arbeiter-Bild sei aus dem Erlebnis herausgewachsen, dass er eine dumpfe Masse mit Wucht gegen sich heranströmen gespürt habe (Abb. S. 119). Und Wartmann bemerkte in diesem Zusammenhang, dass eine Uferlandschaft bei Munch nicht etwa "Strandbild" heisse, sondern *Wellen gegen den Strand*.[59] Formulierungen der entgegenkommenden Bewegung bei den Arbeitern oder besonders deutlich beim Holzschnitt *"Panischer Schreck"* von 1920/21 (Abb. S. 163) knüpfen offensichtlich an die frühen Angstbilder an (Abb. S. 135), wo man, fast wie in einem bewegten Film (und Munch liebte das Kino), zu spüren glaubt, wie sich die näherkommenden Köpfe vergrössern und wie die Füsse samt dem Boden aus dem Bild ausscheiden. Bei der Radierung *Mann mit Pferd* von 1915 fühlt man sich ebenfalls an Kinobilder erinnert (Abb. S. 162).

offenbar derselbe Schritt zum Graphisch-Bildhaften. Inhaltlich geht es beim Mädchen mit dem leidenden Herzen um das Vampir-Thema sowie um die "Blume des Schmerzes", eine Transformation des Schmerzes: Aus dem blutenden Herzen des Mannes wächst quasi die Blume der Kunst – so hat man es von der zeitgenössichen Literatur her interpretiert.[57]

Baselitz: Die Radierung des Mädchens mit dem Herzen in den ausgestreckten Händen und das Aquarell sehen hübsch aus, aber tatsächlich bleibt das relativ illustrativ, es sind noch keine freien Bilder. Im Holzschnitt dagegen kommt die Eigenart nicht mehr von den zwei Gegenständen Herz und Mädchen her. Davon ist nicht mehr viel abzulesen, von daher würde man den Charakter und die Qualität dieses Holzschnitts nicht erfassen können. Sondern man muss sehen, wie dieses "Herz" so riesengross und so unprä-

Sterbezimmer. 1896
Kat.-Nr. 71

Baselitz: Das ist eine Handlung, und als Darstellung einer Handlung irritiert es mich bei den nach vorn marschierenden Arbeitern ebenso wie beim frontal galoppierenden Pferd. Eine solche Dynamik hätte Munch, wenn er das gewollt hätte – was ich aber bezweifle, denn es passte in dieser Form nicht zu ihm –, durch den Malvorgang selber darstellen können – ohne das Zitat des bewegten Gegenstandes. Wenn du Dynamik malen willst, kannst du das direkt tun, durch kreisende oder zentrifugale Formen zum Beispiel. Soutine konnte Strassen fliegen lassen, ohne dass

da gegenständlich noch etwas darauf sich bewegt – die Bewegung wäre dadurch nicht deutlicher geworden. Das Zitat des bewegten Gegenstandes kann störend werden, so beim galoppierenden Pferd von Munch, bei dem es mir nicht wohl ist und mir Zweifel kommen.

Koepplin: Das dynamisch Entgegenkommende erfüllt freilich auch, wie Wartmann bemerkte, handlungslose Landschaftsbilder von Munch, so die Basler *Küstenlandschaft* von 1918 (Abb. S. 48). Da spürt man natürliche Vor-

160

Das Mädchen und das Herz. 1896
Kaltnadel, 23,5 x 23,7 cm

Das Mädchen und das Herz.
Tuschzeichnung
Nach Willoch, dort ohne nähere Angaben

Das Herz (Coeur saignant). 1899
Kat.-Nr. 89

gänge, geologische Kräfte, zugleich ist die Malerei selber in einer Bewegung, die nach den Seiten und nach vorne drängt.

Baselitz: Hier wirkt das stärker und überzeugender als bei Gegenständen, die – wie die Pferde oder die Arbeiter – "wirklich" entgegenkommen, also mit dieser gegenständlichen Erklärung versehen sind, die penetrant und künstlich werden kann. Beim Landschaftsbild bin ich mir aber doch nicht so sicher. Die Organisation des Bildes mit diesem mittleren Schneefleck, der begrenzt ist durch wilde Formen darum herum, bewirkt im ganzen ein Aussehen, als wäre das Bild entweder eine Vergrösserung oder ein Ausschnitt – unbestimmt also.

Galoppierendes Pferd. 1915
Radierung, 38 x 32,9 cm

Mann mit Pferd. 1915
Kat.-Nr. 132

Koepplin: Die Formen scheinen über die Bildgrenze hinauszutreten und auch wieder sich zurückzuziehen. Und der Schneefleck bildet ein sich entziehendes Zentrum, schmelzbar quasi.

Baselitz: Als Bild kann ich das nicht zusammenbekommen. Auch die Malrichtungen laufen auseinander.

Koepplin: Ein Zusammenhang mit dem Fehlen der Wurzeln oder der Füsse, was du vorhin als Bilderfindung Munchs bezeichnet hast, besteht für mich. Es ist für mich durchaus ein ganzer Munch. Ein scheinbar extrem unbewegtes, ein hervorragendes Bild von Munch, das ich dir gern in der Reproduktion noch zeigen möchte, ist das frühe Bild *Musik auf der Karl Johan-Strasse* von 1889 (Abb. S. 15) im Zürcher Kunsthaus. Es scheint unbewegt im Gegensatz zu dem drei Jahre später gemalten, motivisch vergleichbaren und nun ganz munchisch ausgestatteten Bild *Abend auf der Karl Johan-Strasse* (Abb. S. 14), was ein klassisches Beispiel

für die vorhin besprochene Frontalbewegung von angstvoll getriebenen Figuren ist, deren "Wurzellosigkeit" progressiv erscheint. Dieses Abend-Bild hing 1903 in der Leipziger Ausstellung des *Lebensfrieses* (Abb. S. 138) präzis zwischen der *Angst* und dem *Schrei* einerseits und dem *Tod im Krankenzimmer* andererseits.[60] Das ältere Zürcher Bild *scheint* von solcher Munch-Thematik und Bewegung noch frei zu sein. Man weiss übrigens, dass es keine frisch beobachtete Szene war, sondern etwas Erinnertes aus der Kindheit Munchs.

Baselitz: Wenn die zwei Mädchen links – mit ihren sackartigen, sehr munchisch gemalten Kleidern – und diese Spaziergänger auf der rechten Seite nicht wären, könnte man die Musikkapelle in der Mitte als eine Barrikade auffassen. Das hat Bedrohlichkeit. Man könnte denken, es sei eine Demonstration oder eine Erschiessung. Aber dieser Eindruck wird wieder aufgelöst durch die Begleitfiguren vorn. Auf dem folgenden Bild von 1892, dem *Abend auf der Karl Johan-Strasse* (Abb. S. 14) mit diesen Angstgesichtern, gibt es wieder den angeschnittenen Kopf in der Ecke, links unten. Dieser Mädchenkopf guckt die Leute an, die da so schwarz, so geisterhaft dahermarschiert kommen, als wäre das ein Trauerzug oder wieder eine Art von Demonstration. Es sieht wirklich aus wie Geister, die da angezogen kommen (vgl. Abb. S. 135). Es ist nicht eindeutig in der Situation – ähnlich wie beim Zürcher Bild, wo das Geisterhafte und motivisch Unbestimmte den Charakter ausmacht.

Koepplin: Auch die fahle Knochenfarbigkeit. Die ungleiche Verteilung der Leute mit der schwer lesbaren Massierung in der Mitte *und* das starke, aber fahle Licht

Der panische Schreck. 1920
Kat.-Nr. 143

bewirken, dass man primär eine grosse Leere spürt, etwas Geisterhaftes auch in der Architektur, die vorn "beinern" ist und hinten, wo sie blau im Schatten liegt, sich transformiert. Die Leere, das Knochenfarbige, fast Tödliche: solches schlägt durch, gerade im Kontrast zum Motiv der lustigen Musikkapelle,[61] die als Motiv, wie du sagst, doppeldeutig bleibt. Übrigens wirkt sich die Kahlheit der Architektur auch darum so stark aus, weil das Bild sehr grossformatig ist, grösser als man es nach der Reproduktion erwartet, grösser zum Beispiel als die im Zürcher Kunsthaus daneben hängende *Winterlandschaft im Mondschein* (Abb. S. 19).

Baselitz: Die Bedrohlichkeit der Menge und der skizzenhafte, kecke Kopf mit dem roten Schirm am vorderen Rand, der wie ein verschobener Bildmittelpunkt wirkt, das ist bestimmt sehr eigenwillig, sehr munchisch. Für die Lage des Schirms gibt es keine wirkliche Erklärung vom naturalistischen Standpunkt aus. Es ist ein ausgesprochenes Konstruktionselement im Bild: der Schirm und der abgeschnittene Kopf.

Koepplin: Man könnte für das Ausschnitt-Prinzip in der französischen Malerei Parallelen finden, trotzdem bleibt die Eigenart der so betonten Attraktivität und skizzenhaften Andersartigkeit dieses Eckmotivs.

Baselitz: Auch der dahinter aufgesetzte Mann mit dem Zylinder, der viel zu gross erscheint im Verhältnis sowohl zum Schirm davor als auch zu dem schwarzen Paar dahinter: Das sind entschieden konstruktive Elemente im Bild. Das Gegenständliche wird zum Phantom. Die munchischen Signale sind also ganz deutlich auf dem Bild. Trotzdem, würde ich grob sagen, sieht es so aus, als wäre die "Landschaft" der Strasse etwa von Fattori (1825–1908, Florenz) gemalt; und die Szene der Musikkapelle und der graublauen Menschenmenge, die könnte von Goya sein. So zerschnitten ist für mich das Bild. Das Licht kommt hart von rechts und stösst auf die Strassenflucht. Auch das Licht erinnert an Goya, es ist eine Arena von Goya.

Koepplin: Trotz der Offenheit der Situation riegelt die Häuserfront den Aktionsplatz ab. Das Bild ist durch und durch ambivalent, irgendwie verrückt.

Baselitz: Du hast das Plakat der Münchner Ausstellung von Hill und Josephson im Lenbachhaus mitgebracht.[62] Es gibt von Josephson Porträts, die in der Räumlichkeit mit Bildern von Munch verglichen werden können. In einer eigenartigen Weise hat Josephson die Köpfe nach vorne gezogen, so dass man den Eindruck hat, man steht mit einer Lupe vor dem Bild.[63] Diese Köpfe kommen einem entgegengeflogen, aus dem Bild heraus. Man sieht ein merkwürdiges Kreisen trotz der kristallinen Aufsplitterung. Da sagt man: Dort war vorgezeichnet der spätere, verrückt gewordene Josephson. Ich glaube daran nicht. Diese Werke sind so konzentriert und so sparsam.

Koepplin: Du weisst ja: Munchs Schwester starb in geistiger Umnachtung, und Munch selber fürchtete oftmals, geisteskrank zu werden. Er wagte nicht, den Arzt aufzusuchen. Er war auch der Überzeugung, dass die latente "Nervenkrankheit" ihm zum Malen verhelfe. 1908/09 liess er sich nach einem Zusammenbruch in einer Nervenklinik behandeln und schrieb nachher (1913), eigentlich sei der frühere seelisch kranke Zustand für die künstlerische Arbeit sehr gut gewesen.[64] Du weisst sicher aus Munchs Biographie von diesen Dingen.

Baselitz: Weiss ich überhaupt nicht.

Koepplin: Meinst du denn, dass diese wohl vorhandene Disponierung Munchs mit der Form der Bilder und mit ihrer Intensität nichts zu tun hat?

Baselitz: Wir haben anlässlich meiner Basler Zeichnungsausstellung darüber gesprochen: Wie ich die ersten Munch-Bilder kennen gelernt habe, habe ich sie in ganz direkter Abhängigkeit von den Zeichnungen der Geisteskranken gesehen.[65] Diese Raumeinengungen, die Strahlungen, die vervielfältigten Schatten tauchen hier wie dort in der gleichen Weise auf; und ich glaube, dass Munch solche Dinge von der Geisteskrankenzeichnung wirklich übernommen hat.

Koepplin: Er müsste sich für solche Formen krankhafter Bedrängnis zumindest interessiert haben, so wie man weiss, dass die von Strindberg beschriebenen "Wellen", die die Menschen umgeben und auf sie wirken, Munch beschäftigt haben.[66]

Baselitz: Das lag in der Luft zu jener Zeit. Nur, wenn Munch an diese Mode anknüpft, schliesst das natürlich überhaupt nicht ein, dass Munch geisteskrank war – das keineswegs.[67] Denn Munch hat mit diesen Elementen ja Bilder gemalt, diese Elemente waren seine Bausteine für etwas anderes. Geisteskranke malen keine solchen Bilder. Geisteskranke bringen etwas hervor, was als Arbeit begrenzt wird durch die Ausartung der Krankheit und niemals den konstruktiven Charakter der bildnerischen Arbeit eines Munch annehmen kann. Wenn eine Veranlagung bei Munch wirklich vorhanden war, wie du berichtest, falls also seine Angst begründet war – in den *Bildern* sieht man davon nichts. Und, wie gesagt, die Überspanntheit seiner Freunde hat sicher dazu beigetragen. Strindberg ist da eine Hauptfigur. Er war nicht geisteskrank. Strindberg hat damit experimentiert. Er hat bei sich Zustände herbeigeführt, die einer geistigen Krankheit vergleichbar sind. Und Strindbergs Bilder und Zeichnungen, auch die Tagebücher benutzen Ausdrucksignale einer Geisteskrankheit. Aber letztlich waren sie nur möglich durch eine sehr konzentrierte, langwierige, harte Arbeit. Ich weiss nicht, inwiefern ein wirklicher Geisteskranker zu solcher Arbeit überhaupt in der Lage wäre. Wer mit solchen Zuständen experimentiert und dabei Kunst oder Literatur hervorbringt, weiss genau, wo die Grenzen liegen, die es möglich machen, solche Erscheinungen – man kann sie wieder "Modelle" nennen – nicht nur zu sehen, sondern auch zu Papier zu bringen, zu gestalten auf dem Papier. Man kann doch allgemein sagen: Die meisten Verrückten sind keine Maler, und die meisten

Maler sind nicht verrückt. Es gibt aber durchaus Maler, die verrückt werden, und dann ist meist die Malerei zu Ende, weil keine Konzentration mehr da ist – weil diese Isoliertheit, die bei Munch ein Grundmotiv ist, dann tatsächlich wird. Wenn man isolierte Gegenstände auf einem Bild malt, wie Munch das tut, wenn man die Isoliertheit von Menschen malt, so wäre dies als naturalistische Abbildung bildnerisch nie möglich gewesen. Wenn sich Munch in diesen Naturalismus, in die tatsächliche Isolierung, allzuweit hineinbegeben hätte, wären seine Bilder einfach nicht vorhanden: Sie hätten gar nicht realisiert werden können.

Koepplin: Das eigentliche Erfinderische und Konstruktive trennst du wieder klar von der "Wirklichkeit", hier von der Wirklichkeit des Krankseins.

Baselitz: Ich würde soweit gehen und sagen: Das Experiment mit dem geisteskranken Zustand kann man in der einfacheren Weise auch anstellen mit dem Alkohol, und das geschieht nicht zufällig so oft im Atelier. Die Atelierarbeit eines Malers ist nicht kommunikativ, da gibt es keine Gesellschaft. Wenn oft behauptet wurde, Schuhmacher seien bedeppert, dann nur, weil der Schuster in seiner Werkstatt alleine sitzt: Die Frau nimmt am Hauseingang die Schuhe in Empfang, und der Schuster hat keine Kommunikationsmöglichkeiten in seinem Stübchen. Die Schuster sind den Malern in dieser Situation am verwandtesten. Jakob Böhme war eine solche Figur, und er hat mich insofern auch immer interessiert. Das ist wirklich ein Zustand, der sich eigenartig unterscheidet von der Lage, in der andere Leute etwas tun. Es ist, glaube ich, das Grundlegende zu diesem Punkt.

Koepplin: Und der Maler – wie jeder andere geistig Schöpferische – *will* ja diesen ungewöhnlichen Zustand der Isolierung.

Baselitz: Er kann nicht anders. Wie willst du ein Bild malen ohne Isolierung? Wie willst du selbst einen Brief schreiben ohne diese Isolierung? Du kannst allenfalls Musik hören, wenn du dich stimulieren willst; also wenn du keine rechte Aufregung in dir hast, dann stellst du die Musik an und erzeugst deine Aufregung.

Koepplin: Ich will jetzt nicht das Gespräch auf jüngere Künstler bringen, die ein anderes Verhältnis zur musikalisch-rhythmischen Stimulierung haben und zum Gegenteil von Einsamkeit.[68]

Baselitz: Dazu möchte ich auch nichts so schnell sagen. Anders als die Musik gibt es wirkliche Drogen, die gebraucht wurden und sicher immer wieder gebraucht werden. Du weisst, dass die meisten Maler heftig trinken.

Koepplin: Wie der frühe Munch, bevor er es sich total abgewöhnt hat.

Baselitz: Ja. Und das hat damit zu tun, dass man ständig alleine ist, jeden Tag. Sobald du in Gesellschaft sitzest, bist du eben kein Maler mehr, dann malst du nicht. Malen kannst du nur im alleinigen Kontakt mit der Leinwand.

Koepplin: Munch war für dieses Alleinsein mit seinen Bildern vielleicht *das* Beispiel. Man mag auch an Berührungsängste eines Cézanne denken oder an van Goghs vergeblichen Versuch der Künstlergesellschaft.

Baselitz: Es gibt noch viele andere Beispiele dafür – Goya oder Rembrandt, der in seiner späten Zeit aus der Isolierung heraus Unsinn macht und sich gesellschaftlich ruiniert. Ich bin kürzlich in Bologna im Museum gewesen und sehe von einem Maler – Amico Aspertini heisst er – zwei Bilder, wo ich dachte: Die sind eigenartig, irgend etwas an diesen Bildern stimmt nicht, die sind verrückt. Die Bilder waren zwar in der Zeitformel der Spätrenaissance gemalt, insofern waren sie ganz normal. Ich habe mir dann in Florenz in der Bibliothek ein Buch besorgt und darin über Aspertini nachgelesen: Er war wirklich verrückt, oder: Er *wurde* verrückt. Also solche Sachen gab es immer. Je dichter das übergezogene Zeitgewand ist, desto weniger wird dieses Handicap sichtbar – versuche einen verrückten Ikonenmaler zu entdecken! Und Munchs Loslösung vom blossen Zeitstil, seine Loslösung vom Jugendstil und seine Fernhaltung des Kubismus und der andern um ihn herum geltenden Stile, machte ihn umso schutzloser für den Verdacht des Betrachters, der sagt: Bei dem Jungen wackelt es ein wenig. Aber ich beharre darauf: Das ist eine falsche Interpretation, es ist ein grosses Missverständnis. Erfindungen, neue Bilder, die sind nur möglich durch eine konzentrierte geistige Arbeit. Sie sind nicht möglich durch Alkohol, durch Drogen oder in Geisteskrankheit.

Koepplin: Darf ich jetzt fragen: Warum hast du dich in der frühen Zeit des "Pandämoniums" für die Geisteskrankenkunst, die du ja wohl in bestimmten Fällen auch als Kunst verstehst, interessiert?

Baselitz: Das ist das vorhin erwähnte Experiment. Man kann es auch, so wie ich das getan habe, anstellen, indem man es in den Zeugnissen aufsucht. Wenn du deine "Modelle" suchst, dann kannst du dich ebenfalls auf den Weg begeben, den du da meinst. Allerdings, Bilder malen, das ist kein Handreichen innerhalb der Abfolge der Generationen. Nicht der Vater-Maler gibt dem malenden Sohn die Pinsel weiter. Sondern das ist wesentlich unstabiler und wirrer. Die Söhne zerstören eher das, was die Väter getan haben, als dass sie es fortsetzen. Sie interessieren sich eher für die Grossväter (als einen solchen kann ich heute Munch empfinden). Die Traditionen sind in der Malerei nicht nahtlos. Zumindest am Anfang ist Neugierde für Dinge, die nicht klassisch sind und abseits liegen, ganz wesentlich – so bei mir die Neugierde für Geisteskrankenmalerei oder dann auch für die sogenannte primitive Kunst, u. a. Es gab sicher auch bei Munch Neugierden dieser Art. Für mich – so weiss ich es, besser als früher – sind Bilder nur möglich durch Modelle von anderen Bildern. Allerdings weiss ich *auch*, dass ich nicht durch eine Addition der gesehenen Modelle zu einem Bild komme, das Qualität haben soll und Einmaligkeit. Deshalb gibt es – bei mir und sicher bei vielen anderen Malern – eigenartige Umwege. Es gibt das Zitieren von Dingen, die für andere fragwürdig sind, wie die Geisteskrankenmalerei oder wie zum Beispiel die merkwürdigen Bilder von Wrubel, der auch so verbindungslos im Ganzen steht.[69] Und wenn ich aus bestimmten Quellen die Möglichkeiten zu meinen Arbeiten beziehe, dann geschieht das nicht in der Weise, dass ich sie wiederherstelle, sondern nur in der Weise, dass ich ein Bild oder eine Skulptur mache, die es nicht gegeben hat. Munchs Bilder sind sicher ebensowenig auf dem Weg der Addition entstanden. Man findet nicht diese eine Bahn einer Entwicklung als Addition. Im wesentlichen sind Munchs Bilder auch nicht aus dem Jugendstil gekommen. Sie sind, wo sie hohe Qualität haben, revolutionär. Ich weiss nicht, welche Schwierigkeiten Munch mit seinen Bildern gehabt hat, ich habe biographisch keine Kenntnisse, ich habe auch kein Interesse daran; aber ich kann mir vorstellen, dass man gesagt hat: Munch ist reaktionär, weil Munch nicht die Avantgardemalerei fortsetzt und nicht auf neue Formen wie den Kubismus reagiert hat – anders als beispielsweise Christian Rohlfs (1849–1938), der bis ins hohe Alter umstürzlerische Dinge aufgenommen hat, ohne sie selber angeregt zu haben. Es sind dagegen ganz verquere Dinge möglich – in neuerer Zeit Balthus beispielsweise. Und ein bisschen in dieser verqueren Art, muss ich dir sagen, sehe ich auch Munch.

Koepplin: Für das Verquere hast du im Falle von Munch offensichtlich Sympathie. Sicher auch für Munchs Hartnäckigkeit beim Malen ebenso wie beim Behalten, ja An-sich-Binden möglichst aller seiner wichtigen Kompositionen. Munch wollte bekanntlich möglichst wenig davon an Sammler und Händler abgeben. Einem Händler gegenüber, den er im übrigen mochte, bezeichnete er seine immensen gefüllten Bilderregale als seinen "Bücherschrank", den er für seine "Studien" brauche.[70]

Baselitz: Es gibt auch eine Angst vor dem Verlust. Du kennst das Photo von Adolf Wölfli in seiner Zelle mit den Stapeln von Zeichnungen und der Bemalung des Schranks und aller Dinge um ihn herum.[71] Er hat seine Blätter aufgehoben wie Bücher und fühlte sich in diesem Besitz sicher.

Koepplin: Das war nun, wie wir es uns vorgenommen hatten, ein Gespräch über Munch, das heisst: *deine* Betrachtung Munchs. Ich habe dich nicht einmal danach gefragt, warum der Munch-Kopf 1983 auf deinem Bild des *Brückechors* aufgetaucht ist[72] – obwohl man eine solche Frage, da auf dem Bild die Brücke-Maler zitiert werden – auch nur als eine historische, auf Munch und die Maler der *Brücke* bezogene Frage nehmen könnte.

Baselitz: Ein wesentlicher Einfluss auf die *Brücke*-Maler kam ja, denke ich, von Munch.[73] Munch geistert da herum. Ich habe auf diesem Bild schon den "Geist von Munch" gemeint und wie ein Zitat benutzt, obwohl ich natürlich primär ein Bildelement gesucht habe.

Anmerkungen
Verzeichnis der abgekürzt zitierten Literatur und Ausstellungen vgl. S. 174/175.

1
Zeitschrift für Schweizerische Archäologie und Kunstgeschichte, Bd. 35, 1978, S. 239, Anm. 1 (Beuys-Zeichnungen und Tradition Hans Baldung Grien etc.). Weiteres Blatt von Beuys: siehe Anm. 8. Die zur selben Gruppe gehörende Pinselzeichnung *Der Tod und das Mädchen* in der Sammlung Dr. Günther Ulbricht dürfte ebenfalls 1956/57 (nicht 1954/55) entstanden sein: Katalog der *Beuys-Ausstellung* im Seibu-Museum bei Tokyo 1984, Abb. 5.

2
Ein besonders schönes, rotes Bild von Baselitz vom Oktober 1982, *Das letzte Selbstbildnis* (von Munch), ist farbig abgebildet im Katalog der Auktion bei Sotheby in New York am 2.–3. Mai 1985, Nr. 73. Ähnliche Zeichnungen von 21.9.1982: Baselitz-Zeichnungskatalog 1984 (siehe die folgende Anm.), Abb. 107; hier *Edvards Kopf*, 11.4.1983: Zeichnung im Hinblick auf ein geplantes Plakat einer *Baselitz-Ausstellung*.

3
Ausstellungskatalog *G. Baselitz: Zeichnungen 1958–1983*: Basel/Eindhoven 1984, Abb. 37 und 120, Kommentar S. 144–146.

4
Günther Gercken im Munch-Katalog des Kunstvereins in Hamburg 1984, S. 77–84.

5
Baselitz war nie in Oslo, er hat das dortige Munch-Museum und die repräsentative Munch-Kollektion der Nationalgalerie bisher nicht gesehen. In der umfangreichen Bibliothek von Baselitz stehen alle wichtigen Bücher über Munch von Glaser bis zur neuen Literatur (die Bilderzusammenstellungen bei Svenaeus 1973 schätzt Baselitz besonders), der Munch-Katalog von 1984 des Berner Auktionshauses Kornfeld fehlt ebensowenig wie der dicke Bielefelder Munch-Katalog von 1980 oder das Heft *Alpha und Omega*, Hamburg 1982. In der Bibliothek von Baselitz finden sich auch viele Bände von und über Strindberg (zum Strindberg-Interesse siehe den Baselitz-Katalog von Braunschweig 1981, S. 76, Interview mit Johannes Gachnang 1975), aber dies ohne allzu grosse Bevorzugung gegenüber anderen Dingen. Vgl. Anm. 40.

6
Den Vergleich zog Heribert Heere andeutungsweise im Munch-Katalog Bielefeld 1980, S. 398 (Abb. S. 397).

7
Sarvig, Abb. S. 186 und 189; Svenaeus 2, Abb. 596. MS 704 und 705.

8
Ausstellungskatalog *Joseph Beuys: Arbeiten aus Münchener Sammlungen*, München, Lenbachhaus, 1981, S. 28, mit Abb. 11, Nr. 87. Den Zeichnungen *Tod und Mädchen* stehen Beuys' Pinselzeichnungen von Mädchen-Schädeln oder der *Urschlitten und Schädel* (der Kiefer hat bereits mehr oder weniger die Form eines Schlittens) von 1955/57 nahe (Beuys-Kataloge Kunstverein Karlsruhe 1980, Abb. 40, und Lausanne 1983, Abb. 19, *Germanin*).

9
Vgl. Georg Jappe: Interview mit Joseph Beuys über Schlüsselerlebnisse, 27.9.76, in: Kunst-Nachrichten, 13, Heft 3, März 1977, S. 72–81.

10
Beuys-Interview mit Helmut Rywelski am 18. Mai 1970, in: art intermedia, Buch 3, Köln 1970, S. 12 (zitiert auch im Katalog *Joseph Beuys: The secret block for a secret person in Ireland*, Kunstmuseum Basel 1977, S. 5).

11
Vgl. Anm. 9. Manche andere Künstler beziehen sich in bestimmten Werken auf nachhaltende Jugenderlebnisse, so Alberto Giacometti, der davon ebenso redet wie etwa ein Martin Disler (Kunst-Bulletin des Schweizerischen Kunstvereins, April 1985 S. 7f.).

12
Schneede 1984, S. 43f.

13
Vgl. Peter Krieger: *Edvard Munch: Der Lebensfries für Max Reinhardts Kammerspiele*, Ausstellungskatalog Nationalgalerie Berlin, 1978.

14
Nicht bei Schiefler. Stang 1979, S. 107, Abb. 129 und Heller 1984, Abb. 143: Handkolorierte Lithographie in Privatbesitz USA, die Masse nicht angegeben. Die Lithographie entspricht, ausser was die aus dem Totenreich hereinschauenden Geisterköpfe angeht, dem Bild *Abend auf der Karl Johan-Strasse* von 1892 (Abb. S. 14), das 1902/03 im *Lebensfries* in Berlin und Leipzig ausgestellt war (vgl. Anm. 22).

15
Stang 1979, S. 76. – Siehe den Kommentar zu Kat.-Nr. 2.

16
Marschierende Arbeiter: siehe Anm. 59.

17
Lithographie von 1922, Schiefler 510; Timm 1, Taf. 158. Auch die verwandte Lithographie *Feuersbrunst* von 1920 (Kat.-Nr. 139) gehört in den Kreis der Arbeiterbilder: vgl. Ausstellungskatalog *Edvard Munch: Arbeiterbilder 1910–1930*, Hamburg/Stuttgart 1978, Abb. S. 109, Kat.-Nr. 75. – Munch hat Walther Rathenau 1907 in ganzer Figur lebensgross gemalt: Krieger (siehe Anm. 13), Abb. 67 (Märkisches Museum, Berlin-Ost) und Abb. 68 (Rasmus Meyers Samlinger, Bergen). Rathenau hatte schon 1893 in Berlin ein Bild von Munch erworben, später immer wieder graphische Blätter.

18

Bekannt sind Munchs Sätze, die Reinhold Heller (Munch-Katalog Bielefeld 1980, S. 297) heranzog: «Meine Kunst ist eigentlich eine Selbstbekundung und ein Versuch, mir mein Verhalten zur Welt klar zu machen. Sie ist also eine Art Egoismus, aber ich habe die Hoffnung immer, dass ich dadurch anderen helfen kann» (1931). «Durch meine Kunst habe ich probiert, mir das Leben und seine Bedeutung zu erklären. Dabei wollte ich auch anderen helfen, sich mit dem Leben auseinanderzusetzen» (ebenfalls aus später Zeit). Siehe auch das Munch-Zitat (um 1929) bei Heller 1984, S. 220: öffentliche Wandmalerei, nicht bloss Bilder fürs Privathaus, von einer allgemeinverbindlichen Religiosität neuer Art.

19

Gemälde von 1940/42 im Munch-Museum in Oslo, 75 x 101 cm. Munch-Kat. Hamburg 1984, S. 73f. (Uwe M. Schneede). Farbige Abb.: Langaard/Revold 1963, Taf. 58. Gotthard Jedlicka, Über einige Selbstbildnisse von Edvard Munch, in: Wallraf-Richartz-Jahrbuch 20, 1958, S. 254 («wie zwischen Tod und Leben, der Tod aber nicht mehr als ein Gegner, sondern als eine ruhige Umgebung»). – Jasper Johns bezog sich auf dieses Bild u. a. in zwei Bildern von 1981: Judith Goldman: Jasper Johns, 17 Monotypes, New York 1982. – Siehe auch den Kommentar von Geelhaar zu Kat.-Nr. 15–16 und den Schluss der Einführung.

20

Uwe M. Schneede: Edvard Munch: Das kranke Mädchen, Frankfurt a. M. 1984, S. 61 (siehe Anm. 31).

21

Reinhold Heller im Munch-Kat. Bielefeld 1980, S. 301; Munch-Kat. Bremen 1970, nach Nr. 48. Der originale, 1890 in Saint Cloud/Paris geschriebene Text ist verschollen, es existieren zwei um 1929 von Munch geschriebene Rekonstruktionsvarianten.

22

Ausstellung des *Lebensfrieses* in Berlin 1902 (22 Bilder) unter dem Titel *Aus dem modernen Seelenleben*, dann in Leipzig 1903 (Heller 1973, Abb. 2–3), in Kristiania (Oslo) 1904 und in Prag 1905. Vgl. Anm. 13. Munch 1981: «Ich hatte natürlich viele Pläne mit diesen Bildern. Ich konnte mir auch ein Haus vorstellen, das sie schmücken sollten, ein Haus mit verschiedenen Räumen. Die Todesbilder hätte man zum Beispiel in einem kleineren Raum für sich unterbringen können, entweder als Fries oder auch als grosse Wandfelder... Viele der Bilder halte ich für Studien; es war ja meine Absicht, das Ganze einheitlich zu gestalten, sobald der richtige Raum hierfür zur Verfügung steht» (Langaard/Revold 1963, bei Taf. 56–57; vgl. Eggum 1983, Abb. 387; Glaser 1917, S. 30ff.; Heller 1984, Abb. 146 und 177; Kommentar zu Kat.-Nr. 8 mit Anm. 50–54 und Anm. 111).

23

Vgl. Daniela Hammer Tugendhat: "Die bösen Mütter", Ambivalenz von Thematik und Darstellungsweise am Beispiel von Segantini. In: Neue Zürcher Zeitung, Nr. 21, 26./27. Januar 1985, S. 67 (Vergleich mit Munchs *Madonna/Liebendes Weib*). – Was Hodler angeht, habe Munch gegen 1914 Eberhard Grisebach (den er 1932 porträtierte: Svenaeus 2, Abb. 538) gesagt: «Er hätte mit Hodler gemeinsam, dass sie beide wieder auf die Antike in dieser Beziehung zurückgingen», nämlich im bezug auf strenge Senkrechte, strenge Horizontale und rankendes Leben in der griechischen klassischen Architektur (Säule, Gebälk, Kapitell): Munch-Kat. Basel, Gal. Beyeler, 1965.

24

Françoise Gilot/Carlton Lake: Leben mit Picasso, München 1965 (zuerst New York 1964), S. 69.

25

Franz Marc: Die "Wilden" Deutschlands, in: Der Blaue Reiter, München 1902, S. 7: «Die *Mystik* erwachte in den Seelen und mit ihr uralte Elemente der Kunst. Es ist unmöglich, die letzten Werke dieser ‹Wilden› [nicht Organisierten, Secessionisten] aus einer formalen Entwicklung und Umdeutung des Impressionismus heraus erklären zu wollen. (...) Ihr Denken hat ein anderes Ziel: durch ihre Arbeit ihrer Zeit *Symbole* zu schaffen, die auf die Altäre der kommenden geistigen Religion gehören und hinter denen der technische Erzeuger verschwindet.»

26

Gilot/Lake (siehe Anm. 24), S. 69f.

27

Vgl. Anm. 44.

28

Ausstellungskatalog *Joseph Beuys: The secret block for a secret person in Ireland*, Kunstmuseum Basel 1977, S. 24f. Zum neuen Kunstbegriff von Beuys siehe das Interview im Kunstforum international, Bd. 69, 1/1984, S. 207-211.

29

Schneede (siehe Anm. 20), S. 39f. und 42. – Vgl. die Bemerkungen zu Kat.-Nr. 1.

30

Stenersen 1949, S. 85: «Ich habe keine anderen Kinder als meine Bilder. Um malen zu können, muss ich sie in meiner Nähe haben. Nur wenn ich sie sehe, bringe ich etwas Neues zustande...» Vgl. die Nachweise in Anm. 70 und die Bemerkungen zu Kat.-Nr. 27.

31

Vgl. Schneede (siehe Anm. 20), S. 61: «Die Wiederholungen von *Das kranke Kind* sind ausgeführt worden, weil ich mit meiner früheren Periode Verbindungen anknüpfen wollte, um mich von einiger Flachheit in meiner Kunst zu befreien und durch Wiederaufnahme naturalistischer Studien mehr Tiefe zu erzielen.»

32

Vgl. den Schluss des nachfolgenden Gesprächs mit Baselitz.

33

Stenersen 1949, S. 34f. (zum Mond sonst S. 33, 42, 125). Eine Mondsichel bei Munch – so auf der Zeichnung der *Harpyie* von 1894 (Svenaeus 1973, Abb. 146) – ist in der Tat etwas Befremdliches.

34
Stenersen 1949, S. 70.

35
Zu Linde siehe Kat.-Nr. 106 und Kommentar zu Kat.-Nr. 11. – Mehr als Naturalismus: siehe auch Jens Thiis in: Zeitschrift für Bildende Kunst, NF 19, 1908, S. 137. – Von einem «psychischen Naturalismus» sprach Przybiszewski (siehe Kat.-Nr. 78) 1894 (Bock/Busch 1973, S. 47, vgl. dort auch S. 20f.).

36
Siehe Anm. 3 und 4.

37
Eggum 1983, Abb. 279, 280; Svenaeus 1973, Abb. 89–94 und 276–278; Heller 1984, Abb. 146. Vgl. die Bemerkungen zu Kat.-Nr. 23.

38
In Paris 1896 ausgeführte Zeichnung: Torsten Måtte Schmidt: Strindbergs Måleri, Malmö 1972, Abb. S. 150 (Hinweis G. Baselitz).

39
August Strindberg: Inferno, Legenden (deutsch von Emil Schering), 8. Aufl. München/Berlin 1917, S. 253ff.: «Jagd nach Steinen mit der Form von Tieren oder von Hüten, Helmen...»; S. 45 f.: Kopfkissen zeigt Ungeheuer, und das sei entschieden kein Zufall (siehe Karl Jaspers, Strindberg und van Gogh, Versuch einer pathographischen Analyse unter vergleichender Heranziehung von Swedenborg und Hölderlin (1922), Neuausgabe München 1949, S. 60 und 67).

40
Siehe Schmidt (zitiert Anm. 38). – Baselitz über Strindberg: siehe Baselitz-Kat. Basel 1984 (zitiert in Anm. 3), S. 149, Anm. 48.

41
PAN, 1. Jahrgang, Berlin 1895/96, Heft 1, 1895 (vgl. die Bemerkungen zu Kat.-Nr. 50). – Ausstellungskatalog Akseli Gallén-Kallela (1865–1931), Magyar Nemzeti Galéria, Budapest 1982, Nr. 37 mit Abb. (danach unsere Reproduktion): Anzeige der Ausstellung Munch/Gallén bei Ugo Barroccio, Unter den Linden 16, Berlin 1895. – Zu Munch und Gallén ferner Jens Thiis, in: Zeitschrift für Bildende Kunst, NF 19, 1908, S. 134.

42
Siehe Anm. 24.

43
Vgl. das obige Gespräch mit Joseph Beuys.

44
Baselitz betont im Gespräch, dass auch solche Formen, die industriell verwertet und verbreitet wurden – und in früheren Zeiten die handwerklichen Dekorationsformen, die in den von bestimmten Künstlern gestalteten Musterbüchern publiziert wurden – letztlich von einer Person geprägt, "erfunden" worden sind. Und wenn ein Warhol "Pop Art" machte und mit den relativ anonymen Formen der Werbung arbeitete, so war er dabei wiederum ein sehr persönlicher "Erfinder" und operierte mit diesem Paradox. In der Musik gebe es heute U und E, die Malerei blieb aber immer E.

45
Lithographie von 1906 (Schiefler 247; Abb., bei Timm 1969, S. 36). Zu den gleichzeitig von Munch gezeichneten und gemalten Nietzsche-Bildnissen und ihrem geistigen Hintergrund siehe Krieger (zitiert in Anm. 13), S. 68ff. und Svenaeus 1973, S. 241ff. sowie S. 273.

46
Munch erzählte Hugo Perls (vgl. Kat.-Nr. 21) von seinem Besuch bei Meier-Graefe: «In Paris habe ich ihn in sein kleines Geschäft besucht, alles war da brechlich (er meinte die Keramiken), ausser der Seurat. So viele Punkte habe ich nie wieder gesehen». Hugo Perls: Warum ist Kamilla schön? Von Kunst und Kunsthandel. München 1962, S. 27.

47
Holzschnitt von 1897 (Schiefler 98; Timm 1969, Taf. 54).

48
Schiefler 109; Svenaeus 1973, S. 158.

49
Kat. der Munch-Ausst. Bielefeld 1980, S. 19ff. (Eggum) und S. 419ff. (Winter). – Eggum 1983, Abb. 233–237.

50
Schiefler 102A. Vgl. Glaser 1917, S. 48ff. und das Zitat Georg Schmidt bei Kat.-Nr. 8 mit Anm. 62. – Vereinigende "Wellen" (vgl. Anm. 66).

51
Stenersen 1949, S. 41f.

52
Perls (siehe Anm. 46), S. 24. – Aus traditionellen Gründen – nur darum? – spielte für Munch die "Ähnlichkeit" beim Porträt eine relativ grosse Rolle. Es ist übrigens merkwürdig und für uns Heutige nicht ohne weiteres nachfühlbar, dass man gefunden hat: «Den Gipfel seiner Leistungen erreicht er im Bildnis. Das Porträt ist die höchste und würdigste Aufgabe des bildenden Künstlers. Hier sind die grössten Hindernisse zu überwinden, aber es sind Widerstände, die nicht widrig sind, sondern die Kraft des Schaffenden herausfordern und erhöhen...» (G. Schiefler: Edvard Munchs graphische Kunst, Dresden 1923, S. 8). Vgl. die Bemerkungen zu Kat.-Nr. 12–14. – Auch die sich küssenden Paare im Park wollte Munch unbedingt "sehen", als er sie malte, auf das Risiko der Verhaftung hin: siehe die Bemerkungen zu Kat.-Nr. 8 mit Anm. 64.

53
Dagegen könnte man die Verwandtschaft mit den Bühnen-Vorschlägen Munchs zu Ibsens Gespenstern ins Feld führen: siehe Kat.-Nr. 15, 16.

54
Ein grossformatiges Gemälde von Baselitz, das eben vollendet worden war. Das darüber geführte Gespräch soll an anderem Ort publiziert werden.

55
Schiefler 48; Svenaeus 1973, S. 201. Vgl. auch Kat. Washington 1978, *Symbols and Images.* Abb. S. 208.

56
Abb. nach Willoch. Vgl. Svenaeus 1973, Abb. 129.

57
Svenaeus 1973, S. 184, ferner S. 158 und 201, Abb. 182ff. Siehe auch Heller 1984, S. 140ff. und 165, Abb. 100–102 und 136.

58
Stang 1979, farbige Abb. 325; Eggum 1983, farbige Abb. 364; Svenaeus 1973, S. 293. – Radierung: Schiefler 431.

59
Munch-Kat. Kunsthaus Zürich 1922, S. XV. – Ausstellungskatalog *Edvard Munch: Arbeiterbilder 1910–1930,* Hamburg/Stuttgart 1978 (Uwe M. Schneede, Gerd Woll), mit Zitat über das Bild *Arbeiter auf dem Heimweg* S. 12: «Wissen Sie, wer da geht? (...) Ich bin es. Das Bürgerpack hat versucht, auch mich niederzuzwingen. Jetzt geht das nicht mehr»; und S. 29: «Die Betonung des rein Malerischen, der Linien, des Rhythmus in diesem proletarischen Aufmarsch ist so überwältigend, dass niemand sich von der agitatorischen Absicht belästigt fühlen kann.» – Vgl. auch die Zeichnung *Der Sturm,* die Gerd Woll um 1910 datiert und mit dem Bild der *Arbeiter auf dem Heimweg* von 1913/15 in Verbindung bringt: Munch-Kat. Bielefeld 1980, Abb. S. 330.

60
Zum *Lebensfries* siehe Anm. 22, ferner Anm. 13 und 14.

61
Siehe Anm. 15.

62
Plakat der Münchner Ausstellung von 1984/85. Darauf ist die Gouache *Dame in Theaterloge* (in Beleuchtung von unten) abgebildet, ein Werk von ca. 1893 (Ausstellungskatalog *Ernst Josephson, 1851–1906,* Städtisches Kunstmuseum Bonn und Museum Bochum 1979, Abb. 91, Göteborg KM 786).

63
Baselitz bezieht sich auf das Bildnis der Mathilda Birger (Erik Blomberg, Ernst Josephsons Konst, Stockholm 1959, Abb. S. 265).

64
Munch an Eberhard Grisebach (vgl. Anm. 23), am 17.2.1913: «... schreitet meine Gesundheit zur Besserung fort. Ich kann immer mehr mit Menschen verkehren. Aber merkwürdig, es macht mir nicht bekvemer für künstlerisch Thaten. – Eigentlich war der frühere seelisch kranke Zustand für künstlerisch Arbeit sehr gut» (Maler des Expressionismus im Briefwechsel mit Eberhard Grisebach, hrsg. von Lothar Grisebach, Hamburg 1962, S. 33).

65
Baselitz-Kat. Basel/Eindhoven 1984 (siehe Anm. 3), S. 141.

66
Munch (Stenersen 1949, S. 27): «Es muss etwas daran sein, wenn Strindberg von Wellen redet, die uns umgeben und auf uns wirken. Vielleicht haben wir im Gehirn eine Art Empfänger?» – Zu Strindberg und Munch in dieser Beziehung: Svenaeus 1973, S. 150 und 330, Anm. 20.

67
Munch um 1920: «meine nicht, dass dies meine Kunst krank machen sollte. Im Gegenteil glaube ich, dass meine Kunst eine gesunde Reaktion ist. – Ich bin nie krank gewesen, wenn ich gemalt habe» (Munch-Kat. Hamburg/Stuttgart 1978 – siehe Anm. 59 –, S. 8). – Zu Strindberg siehe Anm. 39.

68
Kooperation Dahn/Dokoupil etwa; siehe Kunstforum intern., Bd. 67, 11/1983. Viele jüngere Maler arbeiten "mit Musik" und wollen das z. T. in den Bildern spüren lassen.

69
Vgl. Baselitz-Kat. Braunschweig 1981, S. 67 (Gespräch mit Johannes Gachnang 1975).

70
Perls (siehe Anm. 46), S. 22. Siehe auch Stenersen 1949, S. 100f. – Vgl. auch Anm. 30.

71
Ausstellungskatalog *Adolf Wölfli,* Kunstmuseum Bern 1976, Abb. 137.

72
Bild von 1983, abgeb. im Baselitz-Kat. Vancouver Art Gallery 1984/85, S. 45.

73
Vgl. oben den Beitrag von Schwander mit Anm. 4–5.

Biographische Daten

1863 12. Dezember im Gut *Engelhaug* in Löten als Sohn des Militärarztes Christian Munch und seiner Frau Laura Cathrine (geborene Bjölstad) geboren.

1864 Die Familie übersiedelt nach Kristiania (seit 1925 Oslo).

1868 Tod der Mutter, deren Schwester Karen Bjölstad den Haushalt übernimmt.

1877 Tod der Schwester Sophie im Alter von 15 Jahren.

1879 Tritt in die technische Schule ein, um Ingenieur zu werden.

1880 November Verlässt die Schule und wendet sich der Malerei zu.

1881 August Tritt in die Kunst- und Kunstgewerbeschule von Kristiania ein.

1882 Mietet mit sechs Malerkollegen ein Atelier; Christian Krohg überwacht ihre Arbeit.

1883 Beteiligt sich erstmals an der Herbstausstellung in Kristiania. Besucht im Herbst die Freiluft-Akademie von Frits Thaulow in Modum.

1884 Kontakt mit Hans Jaeger und dem Bohème-Kreis, dem die Maler und Schriftsteller des Naturalismus angehören.

1885 Mai Beteiligt sich an der Weltausstellung in Antwerpen. Reist nach Paris. Beginnt nach der Rückkehr mit dem Bild *Das kranke Kind*.

1886 In der *Herbstausstellung* in Kristiania mit vier Bildern vertreten; *Das kranke Kind* provoziert einen Sturm der Entrüstung.

1889 20. April bis 12. Mai Erste Einzelausstellung in Kristiania (110 Arbeiten). Mietet im Sommer ein Haus in Aasgaardstrand. Empfängt ein staatliches Stipendium und zieht im Herbst nach Paris, wo er sich in der Kunstschule von Léon Bonnat einschreibt. Plötzlicher Tod des Vaters.

1890 Lebt in Saint Cloud. Mai Rückkehr nach Norwegen: verbringt den Sommer in Aasgaardstrand. Nach Erneuerung des Stipendiums im November Reise nach Paris. Wird in Le Havre wegen rheumatischem Fieber hospitalisiert.

1891 Reist über Paris nach Nizza. Sommeraufenthalt in Norwegen. Stipendium wird zum dritten Mal erneuert. Im Herbst in Kopenhagen, dann in Paris.

1892 Ende März Rückkehr nach Norwegen. Einladung, im Herbst im *Verein Berliner Künstler* auszustellen. Die Ausstellung erregt einen Skandal, sie führt zu einer erbitterten Kontroverse im Verein und wird nach einer Woche geschlossen. Die Befürworter Munchs im Verein treten aus diesem aus und gründen die *Berliner Secession*.

1893 Übersiedlung nach Berlin; verkehrt mit Richard Dehmel, August Strindberg, Dagny Juel und Stanislaw Przybyszewski.

1894 Frühjahr erste Radierung; Herbst erste Lithographie. Sommeraufenthalt in Norwegen. September Rückkehr nach Berlin. Die erste Monographie *Das Werk des Edvard Munch* mit Beiträgen von Przybyszewski, Servaes, Pastor und Meier-Graefe erscheint.

1895 Meier-Graefe veröffentlicht Mappe mit 8 Radierungen. Juni Aufenthalt in Paris, dann in Aasgaardstrand. Tod des jüngeren Bruders Andreas.

1896 Februar Siedelt von Berlin nach Paris über. Stellt im *Salon des Indépendants* aus. Verkehrt mit Meier-Graefe, Strindberg, Mallarmé. Lithographien bei Clot und Lemercier.

1897 Stellt im *Salon des Indépendants* aus. Juli in Aasgaardstrand, wo er ein Haus kauft. Gibt Domizil in Paris auf und kehrt nach Kristiania zurück. September Ausstellung von 180 Werken im *Diorama* in Kristiania.

1898 März Reise nach Kopenhagen, dann Berlin. Mai in Paris. Sommeraufenthalt in Aasgaardstrand. Lernt Tulla Larsen kennen.

1899 Berlin, Paris, Nizza, Florenz und Rom. Herbst und Winter Sanatoriumsaufenthalt in Faaberg im Gudbrandsdalen.

1900 März Reise über Berlin nach Florenz und Rom. Dann Sanatoriumsaufenthalt in der Schweiz. Beteiligt sich mit 85 Bildern und 95 graphischen Arbeiten an der *Herbstausstellung* in Kristiania.

1902 Winter und Frühjahr Aufenthalt in Berlin. Stellt in der *Berliner Secession* 22 Bilder zum *Lebensfries* aus. Lernt durch Albert Kollmann den Lübecker Augenarzt und Kunstsammler Max Linde kennen, der Werke erwirbt und die Monographie *Edvard Munch und die Kunst der Zukunft* verfasst. Sommeraufenthalt in Aasgaardstrand. Bruch mit Tulla Larson; verletzt sich während einer Auseinandersetzung mit ihr die linke Hand durch einen Revolverschuss. Gustav Schiefler legt ein Verzeichnis der Druckgraphik an.

1903 Aufenthalt in Berlin und Reise nach Leipzig, wo die Bilder zum *Lebensfries* ausgestellt sind. Wird Mitglied der *Société des Artistes Indépendants* in Paris und beteiligt sich an ihrer Ausstellung. Lernt die Geigerin Eva Mudocci kennen.

1904 Verbringt die ersten Monate in Berlin. Vertrag für das exklusive Verkaufsrecht der Druckgraphik mit Bruno Cassirer und der Bilder mit Commeter in Hamburg. Stellt 20 Bilder in der *Wiener Secession* aus. Wird Mitglied der *Berliner Secession*. Sommeraufenthalt in Aasgaardstrand. Auftrag für Fries für das Kinderzimmer im Haus Dr. Max Linde in Lübeck.

1905 Die Künstlervereinigung *Manes* veranstaltet grosse Ausstellung in Prag. September Porträtaufträge der Familie Esche in Chemnitz. November Aufenthalt in Bad Elgersburg, Thüringen.

1906 Erholungsaufenthalte in Bad Kösen und Bad Ilmenau. Ausstellung in Weimar, wo er Graf Kessler porträtiert, Henry van de Velde kennenlernt und am Hof eingeführt wird. In Berlin Skizzen für Ibsens *Gespenster* zur Eröffnung von Max Reinhardts *Kammerspielen*.

1907 Verbringt Winter in Berlin. *Lebensfries* für das Foyer der *Kammerspiele*. Sommer und Herbst Aufenthalt in Warnemünde.

1908 Winter in Berlin. März Warnemünde, wo er den Sommer verbringt. Herbst Kopenhagen: erleidet Nervenzusammenbruch. Mehrmonatiger Aufenthalt in der Nervenheilanstalt von Dr. Daniel Jacobson. Wird Ritter des königlichen Ordens des Heiligen Olav.

1909 Führt die Lithographienfolge *Alpha und Omega* aus. Mai Rückkehr nach Norwegen. Lässt sich in Kragerö nieder. Beginnt Entwürfe für Wandbilder für Aula der neuen Universität von Oslo.

1910 Kauft das Gut *Ramme* in Hvitsten am Oslofjord. Setzt Arbeit an Auladekorationen fort.

1912 In der *Sonderbund-Ausstellung* in Köln ist ihm ein eigener Saal gewidmet. Bekanntschaft mit dem Berliner Kunsthistoriker Curt Glaser.

1913 Mietet das Gut *Grimsröd* in Jelöya, um mehr Platz für Arbeit an Aula-Wandbildern zu haben. Feiert seinen 50. Geburtstag.

1914 Januar Reise nach Frankfurt, Berlin und Paris. 29. Mai die Aula-Wandbilder werden nach langen Kontroversen von der Universität endlich angenommen.

1916 Kauft das Gut *Ekely* in Sköyen bei Oslo, wo er den Rest seines Lebens verbringt. September Einweihung der Aula-Wandbilder.

1917 Veröffentlichung der Monographie von Curt Glaser.

1919 Erkrankt an der Spanischen Grippe.

1920 Erste kurze Reisen nach dem Krieg nach Paris und Berlin.

1922 Entwürfe für Wandbilder für die Kantine der Schokoladefabrik Freia in Oslo. Reist nach Berlin und Zürich zur Eröffnung seiner Ausstellung im Kunsthaus.

1923 Wird Mitglied der Deutschen Akademie.

1926 Tod der Schwester Laura. Reist nach Lübeck, Venedig, München, Dresden und Wiesbaden. Verbringt den Sommer in Norwegen. Oktober Reise nach Kopenhagen, Berlin, Chemnitz, Leipzig, Halle, Heidelberg, Mannheim (Ausstellung in der Kunsthalle), Zürich und Paris.

1927 Februar Aufenthalt in Berlin zur Vorbereitung der Ausstellung in der Nationalgalerie (März bis Mai). Reist nach Rom und Florenz. Ausstellung in der Nationalgalerie Oslo.

1928 Arbeitet an den Wandbildentwürfen für das Rathaus Oslo. Das Projekt wird 1936 aufgegeben.

1930 Zunehmende Schwierigkeiten mit den Augen.

1931 Tod der Tante Karen Bjölstad.

1933 Mit dem Grossen Kreuz des Ordens des Heiligen Olav ausgezeichnet. Feiert seinen 70. Geburtstag.

1937 82 Werke aus deutschem Museumsbesitz werden von Nationsozialisten als "entartet" konfisziert.

1940 April Norwegen wird von den deutschen Truppen besetzt. Munch meidet jeden Kontakt mit den Besatzungstruppen und ihren norwegischen Kollaborateuren.

1944 23. Januar Stirbt in seinem Haus *Ekely*. Vermacht seinen Nachlass der Stadt Oslo, die 1949 die Errichtung des Munch-Museet beschliesst (1963 eröffnet).

Verzeichnis der abgekürzt zitierten Literatur

Benesch	Otto Benesch, Edvard Munch, Köln 1960.
Bock/Busch	Henning Bock und Günther Busch (Hrsg.), Edvard Munch. Probleme-Forschungen-Thesen. Studien zur Kunst des neunzehnten Jahrhunderts, Bd 21, München 1973.
Eggum, Linde-Fries	Arne Eggum, Der Linde-Fries, Edvard Munch und sein erster deutscher Mäzen, Dr. Max Linde. Veröffentlichung XX, Der Senat der Hansestadt Lübeck, Amt für Kultur, Lübeck 1982.
Eggum	Arne Eggum, Edvard Munch, Peintures-esquisses-études, [s. l. Oslo?] 1983.
Glaser	Curt Glaser, Edvard Munch, Berlin 1917.
Greve	Eli Greve, Edvard Munch, Liv og Verk i Lys av Tresnittene, Oslo 1963.
Hanhart	Rudolf Hanhart, Walter Kurt Wiemken, das gesamte Werk, Basel und München 1979.
Heller	Reinhold Heller, Munch, His Life and Work, Chicago 1984.
Krieger	Peter Krieger, Edvard Munch, der Lebensfries für Max Reinhardts Kammerspiele, Nationalgalerie Berlin, Staatliche Museen Preussischer Kulturbesitz, Berlin 1978.
Langaard/Revold	Johan H. Langaard und Reider Revold, Edvard Munch, Meisterwerke aus der Sammlung des Künstlers im Munch-Museet in Oslo, Stuttgart 1963.
Messer	Thomas M. Messer, Edvard Munch (dt. Übersetzung von Herbert Schult), Köln 1976.
Lugt	Frits Lugt, Les marques de collections de dessin et d'estampes, Supplément, Den Haag 1956.
Sarvig	Ole Sarvig, Edvard Munchs Grafik, Kopenhagen 1948.
Schiefler	Gustav Schiefler, Verzeichnis des graphischen Werks Edvard Munchs bis 1906, Berlin 1907. Edvard Munch, Das graphische Werk 1906–1927, Berlin 1928.
Schiefler/Arnold	Gustav Schiefler, Edvard Munchs graphische Kunst, Arnolds Graphische Bücher, Erste Folge Bd 6, Dresden 1923.
Schneede	Uwe M. Schneede, Edvard Munch, Das kranke Kind, Arbeit an der Erinnerung, Frankfurt 1984.
Stang	Ragna Stang, Edvard Munch, The Man and the Artist, London 1979.
Stenersen	Rolf Stenersen, Edvard Munch, Zürich 1949.
Stutzer	Beat Stutzer, Albert Müller und die Basler Künstlergruppe Rot-Blau, mit einem kritischen Katalog der Gemälde, Glasscheiben und Skulpturen, Basel und München 1981.
Svenaeus 1	Gösta Svenaeus, Das Universum der Melancholie, Publications of the New Society of Letters at Lund Nr. 58, Lund 1968.
Svenaeus 2	Gösta Svenaeus, Im männlichen Gehirn, Text- und Bildband, Lund 1973.
Timm 1	Werner Timm, Edvard Munch, Graphik, Berlin (Ost) 1969.
Timm 2	Werner Timm, Edvard Munch, Berlin (Ost) 1973.
Thiis	Jens Thiis, Edvard Munch, Berlin 1934.
Willoch	Sigurd Willoch, Edvard Munchs raderinger, Oslo Kommunes Kunstsamlinger, Munch-Museet Skrifter II, Mit den Lichtdrucken sämtlicher Radierungen Munchs in Originalgrösse, Oslo 1950.
Munch im Kunsthaus Zürich	Edvard Munch im Kunsthaus Zürich, Sammlungsheft 6, Zürich 1977.

Verzeichnis der abgekürzt zitierten Ausstellungen

Basel 1922 — Edvard Munch, Kunsthalle Basel, 8. bis 29. Oktober 1922.

Basel 1975 — Meisterwerke der Graphik von 1800 bis zur Gegenwart, Eine Schweizer Privatsammlung, Kunstmuseum Basel, 22. November 1975 bis 25. Januar 1976.

Berlin 1927 — Edvard Munch, Nationalgalerie Berlin, 15. März bis 15. Mai 1927.

Bern 1958 — Edvard Munch 1863–1944, Kunstmuseum Bern, 7. Oktober bis 30. November 1958.

Bielefeld 1980 — Edvard Munch, Liebe, Angst, Tod, Kunsthalle Bielefeld, 28. September bis 23. November 1980.

Hamburg 1978 — Edvard Munch, Arbeiterbilder 1910–1930, Kunstverein Hamburg, 11. Mai bis 9. Juli 1978.

Hamburg 1984 — Edvard Munch, Höhepunkte des malerischen Werks im 20. Jahrhundert, Kunstverein Hamburg, 8. Dezember 1984 bis 3. Februar 1985.

Mannheim 1926/27 — Edvard Munch, Gemälde und Graphik, Kunsthalle Mannheim, 7. November 1926 bis 9. Januar 1927.

Oberlin (Ohio) 1983 — The Prints of Edvard Munch, Mirror of his Life, Allen Memorial Art Museum, March 1–27, 1983.

Oslo 1927 — Edvard Munch, Nasjonalgalleriet Oslo, Sommer 1927.

Salzburg 1984 — Von Goya bis Warhol, Meisterwerke der Graphik des 19. und 20. Jahrhunderts aus einer Schweizer Privatsammlung, Rupertinum Salzburg, 27. Juli bis 28. Oktober 1984.

Schaffhausen 1968 — Edvard Munch, Museum zu Allerheiligen Schaffhausen, 30. März bis 9. Juni 1968.

Winterthur 1954 — Edvard Munch 1863–1944, Kunstmuseum Winterthur, 22. August bis 19. September 1954.

Zürich 1922 — Edvard Munch, Kunsthaus Zürich, 18. Juni bis 2. August 1922.

Zürich 1932 — Edvard Munch – Paul Gauguin, Kunsthaus Zürich, 20. Februar bis 30. März 1932.

Zürich 1952 — Edvard Munch 1863–1944, Kunsthaus Zürich, 22. Juni bis 17. August 1952.